LIEUTENANT EVE DALLAS

Pureté du crime

Nora Roberts

LIEUTENANT EVE DALLAS - 15

Pureté du crime

Traduit de l'américain
par Sophie Dalle

Titre original :
PURITY IN DEATH
Berkley Publishing Group,
a division of Penguin Patnam Inc.

Pour la traduction française :
© Éditions J'ai lu, 2005

Nous nous inclinons devant toi, nous te louons,
Dieu Tout-Puissant, nous te glorifions !
Mais l'homme est ton pire instrument
Pour mener à bien une tâche louable.

WILLIAM WOODSWORTH

Faux en amitié, implacable dans la haine
Résolu à détruire ou à régir l'État.

JOHN DRYDEN

Prologue

La chaleur était étouffante. En ce mois de juillet 2059, la ville de New York était un véritable hammam. Certains parvenaient à y échapper en se réfugiant dans leur résidence secondaire où ils pouvaient siroter des boissons fraîches et savourer la brise océane tout en gérant leurs affaires par télécommunication. D'autres stockaient des provisions et restaient cloîtrés chez eux, telles des tribus assiégées.

La plupart se contentaient de subir.

À mesure que les températures et les taux d'humidité grimpaient, les humeurs devenaient plus moroses ; les petites contrariétés prenaient des proportions démesurées, et les âmes les plus douces penchaient dangereusement vers la violence.

Les centres d'urgences médicales étaient pris d'assaut. Nombre de personnes qui n'auraient jamais commis le moindre délit en temps normal se retrouvaient au commissariat, obligées de faire appel à un avocat pour expliquer pourquoi elles avaient frappé un collègue ou poussé un parfait inconnu sous les roues d'un AéroTaxi.

Une fois calmés, la plupart de ces gens se demandaient ce qu'ils fabriquaient là. Éberlués, déconcertés, ils semblaient émerger d'une transe.

Louis K. Cogburn, en revanche, savait exactement ce qu'il faisait et pourquoi. Et il n'avait aucune intention de s'arrêter. C'était un minable trafiquant de produits illicites – du Zoner et du Jazz, surtout. Pour augmenter sa marge bénéficiaire, il coupait le Zoner avec de l'herbe séchée ramassée dans les parcs, et le Jazz avec de la levure chimique achetée par tonneaux entiers. Sa clientèle était essentiellement constituée de gamins des classes moyennes. Ils avaient de dix à douze ans, et se répartissaient entre les trois secteurs scolaires situés autour de son quartier du Lower East Side.

Cette proximité lui permettait de gagner un temps précieux, tout en réduisant au minimum ses frais de déplacement.

Les pauvres avaient leurs propres fournisseurs au sein même de leur famille, et les riches s'apercevaient vite que la marchandise était trafiquée, c'est pourquoi il avait jeté son dévolu sur les classes moyennes. Quant à la tranche d'âge, elle était idéale. En effet, Louis avait coutume d'affirmer qu'en les appâtant jeunes, on se faisait des clients à vie.

Ce credo restait néanmoins à prouver, Louis n'ayant pas encore réussi à poursuivre une relation d'affaires assidue avec un élève, jusqu'à l'obtention de son bac.

Il prenait cependant son entreprise très au sérieux. Tous les soirs, tandis que ses clients potentiels planchaient sur leurs devoirs, il faisait les siens. Très fier de la tenue de ses livres de comptes, il aurait sans doute beaucoup mieux gagné sa vie en mettant ses talents de comptable au service d'une société sérieuse. Mais Louis était un indépendant.

Ces derniers temps, dès qu'il éprouvait un soupçon de découragement, d'irritation, voire de désespoir devant son ordinateur, il le mettait sur le compte de la chaleur.

De la migraine, aussi. Une saloperie de migraine qu'aucun de ses produits personnels ne parvenait à soulager.

Il venait de perdre trois journées de boulot tant la douleur était intense. Il s'était enfermé dans son studio, ruisselant de sueur, la musique à plein volume pour tenter de noyer la tempête qui faisait rage sous son crâne.

Tout ce qu'il savait, c'était que quelqu'un allait payer pour ça. Oui.

Ce fainéant de concierge, par exemple, qui n'avait pas réparé le système de climatisation. En caleçon, les yeux rougis à force de scruter son écran, Louis K. était assis près de l'unique fenêtre de son appartement. Bien qu'elle fût grande ouverte, il n'y avait pas un souffle d'air, et le bruit était intenable. Cris, coups d'avertisseur, crissements de pneus...

Il monta d'un cran le son de sa vieille chaîne hi-fi.

Un filet de sang dégoulinait de son nez, mais il ne s'en rendait pas compte.

Il frotta une bouteille tiède d'alcool maison contre son front brûlant.

Son teint était cireux, ses cheveux humides de transpiration. Ses oreilles bourdonnaient, et il avait la nausée. Cette chaleur le rendait malade. Or, quand il était malade, il perdait de l'argent. Il allait lui faire la peau, à ce crétin de concierge.

Ses mains tremblaient, tandis qu'il fixait le moniteur, comme hypnotisé.

Soudain, il eut une vision : il grimpait sur le rebord de la fenêtre, martelait de ses poings cette muraille d'air et de bruit. Il criait sa haine, menaçait de jeter une bombe sur les passants. Il criait, criait en sautant.

Il allait atterrir sur ses pieds, et ensuite...

On cogna à la porte, et il fit volte-face. Montrant les dents, il repassa par la fenêtre en sens inverse.

— Louis K., espèce de connard ! Baisse ce putain de son !

— Va te faire voir, marmonna-t-il en s'emparant de sa batte de base-ball. Allez tous vous faire voir !

— Tu m'entends ?

— Ouais, je t'entends.

D'énormes aiguilles lui foraient les tempes. Il devait à tout prix s'en débarrasser. Lâchant la batte, il se tira les cheveux. Sans succès. La douleur ne s'estompait pas.

— Je te préviens, Louis, Suzy va appeler les flics. Si tu ne baisses pas le son tout de suite, Suzy appelle les flics !

Assailli par la musique, les hurlements, les coups de poing sur la porte, la sueur, la souffrance, Louis ramassa la batte.

Il ouvrit le battant et se lâcha.

1

Le lieutenant Eve Dallas traînait à son bureau. Elle repoussait l'échéance, et n'en était pas fière. La perspective d'enfiler une robe longue et de rejoindre son mari pour un dîner d'affaires avec des inconnus l'inspirait autant que de plonger la tête la première dans un broyeur à papier.

Elle se sentait très bien au Central.

Elle avait résolu une affaire dans l'après-midi, donc des papiers à remplir en perspective. *Donc*, elle ne traînait pas tant que ça. Cependant, comme l'ensemble des témoins avait déclaré que le type qui avait sauté du sixième étage était bien le même que celui qui avait bousculé les deux touristes en provenance de Toledo, ce serait vite fait.

Depuis quelques jours, tous les dossiers qu'elle avait réglés étaient une variation sur le même thème : drames conjugaux, où les époux s'étaient battus à mort ; bagarres de rues qui dégénéraient en tragédie ; et même, un combat fatal au glissa-gril du coin pour une histoire de cornets de glace !

Décidément, la chaleur rendait les gens bêtes et méchants, songea-t-elle.

Elle-même était de fort mauvaise humeur à l'idée de se déguiser pour échanger des banalités dans un restaurant chic et snob avec des personnes qu'elle n'avait jamais vues.

Voilà ce qui arrivait, pensa-t-elle, dégoûtée, quand on épousait un homme qui avait les moyens d'acheter deux continents entiers.

Connors, lui, appréciait beaucoup ce genre de soirée, ce qui ne manquait pas de la surprendre. Il se sentait tout aussi à l'aise dans un quatre étoiles – qui lui appartenait probablement – à déguster du caviar, que tranquillement chez lui, à dévorer un hamburger.

À l'approche de leur deuxième anniversaire de mariage, Eve se dit qu'elle n'avait pas intérêt à s'en plaindre. Avec un soupir résigné, elle se leva.

— Encore là ? s'exclama Peabody, son assistante, en s'immobilisant sur le seuil. Je croyais que vous aviez un rendez-vous.

— J'ai le temps, grommela Eve.

Jetant un coup d'œil à sa montre, elle eut un sursaut coupable. Bon, d'accord, elle serait en retard. Mais pas trop.

— Je voulais clôturer le dossier sur le suicide de cet après-midi.

Peabody, cheveux lisses et uniforme impeccable, afficha un air grave.

— Vous ne seriez pas en train de vous défiler, par hasard, lieutenant ?

— L'un de nos concitoyens – que je me suis engagée à servir et à protéger – a fini écrabouillé sur la chaussée de la Cinquième Avenue. Il me semble qu'il mérite bien trente minutes d'attention de ma part.

— Ce doit être vraiment affreux d'être obligée de porter une robe sublime, de se couvrir de diamants et autres pierres précieuses, de se gaver de champagne et de petits-fours en compagnie de l'homme le plus séduisant de la planète. Ma foi, Dallas, je me demande où vous trouvez la force de supporter une telle épreuve.

— Bouclez-la !

— Et moi qui ne peux m'offrir que la pizzeria locale avec McNab. Et nous partageons la pizza et la note, bien sûr ! insista Peabody en secouant la tête. Vous n'imaginez pas à quel point je souffre pour vous.

— Vous me cherchez, Peabody ?

— Pas du tout, lieutenant ! protesta-t-elle, en arborant un air innocent. Je me contente de vous offrir mon soutien et ma sympathie en ce moment particulièrement pénible.

— Allez vous faire cuire un œuf !

Hésitant entre l'irritation et l'amusement, Eve s'apprêtait à la contourner quand le communicateur de son bureau bourdonna.

— Voulez-vous que je décroche, lieutenant ? Je réponds que vous êtes absente jusqu'à demain ?

— Il me semble vous avoir priée de la boucler !

Eve se jeta sur l'appareil.

— Homicides. Dallas.

— Lieutenant...

Le visage de l'officier Troy Trueheart apparut à l'écran. Il paraissait tendu.

— Trueheart.

— Lieutenant, répéta-t-il, après avoir avalé sa salive. J'ai un problème. En réponse à... Mon Dieu, je l'ai tué.

— Vous êtes en service ?

— Non, lieutenant. Enfin, si. Je ne sais plus exactement.

— Ressaisissez-vous, Trueheart, ordonna-t-elle d'un ton sec, et il se redressa aussitôt. Rapport !

— Je venais de quitter le Central pour rentrer chez moi quand une femme a appelé au secours depuis une fenêtre. J'ai réagi immédiatement. Au quatrième étage de l'immeuble en question, un individu armé d'une batte de base-ball s'attaquait à ladite femme. Un autre individu, de sexe masculin, inconscient ou mort, gisait dans le couloir. Il saignait de la tête. Je suis entré dans l'appartement où avait lieu l'assaut et... Lieutenant, j'ai essayé de le retenir. Il était en train de la tuer. Il s'est rué sur moi sans tenir compte de mes avertissements. J'ai réussi à dégainer mon arme. Je voulais le neutraliser. Juste le paralyser. Mais il est mort.

— Trueheart, regardez-moi. Écoutez-moi. Sécurisez le bâtiment, appelez des renforts et dites-leur que je suis au courant. Je préviens les secours et j'arrive. Restez sur place, Trueheart. Respectez la procédure. C'est compris ?

— Oui, lieutenant. J'aurais dû appeler les renforts d'abord. J'aurais dû...

— Tenez bon, Trueheart ! Je suis en route... Peabody ! ajouta-t-elle en se ruant vers la sortie.

— Oui, lieutenant. Je vous suis.

Lorsque Eve arriva, deux véhicules de patrouille étaient déjà garés de part et d'autre de l'ambulance. Dans ce quartier, les gens avaient tendance à se disperser dès que les flics apparaissaient. Les badauds étaient donc peu nombreux et faciles à écarter.

Les deux policiers en uniforme qui flanquaient la porte d'entrée échangèrent un regard en apercevant Eve Dallas.

C'était une huile. Si elle avait l'un d'entre eux dans le collimateur, il pouvait dire adieu à son insigne.

Leur hostilité était presque palpable.

— Un flic qui se fait harceler par d'autres flics pour avoir fait son boulot, ce n'est pas normal, grommela l'un des deux hommes.

Eve s'immobilisa.

Grande et mince, le regard d'ambre aussi indéchiffrable que celui d'un serpent, elle avait de courts cheveux blonds qui encadraient un visage étroit à la bouche un peu trop large.

Elle dévisagea le flic, qui parut se ratatiner sur lui-même.

— Vous n'avez pas à me reprocher de faire le mien, riposta-t-elle froidement. Si je vous pose un problème, attendez que j'aie fini mon travail. Ensuite, vous pourrez vider votre sac.

Elle pénétra dans le hall minuscule et appuya sur le bouton d'appel de l'unique ascenseur. Elle fulminait.

— Pourquoi certains flics en uniforme ont-ils envie de vous sauter à la gorge sous prétexte que vous êtes gradé ? marmonna-t-elle.

— Ils sont nerveux, Dallas, répliqua Peabody tandis qu'elles s'engouffraient dans la cabine. Et Trueheart est très apprécié de ses collègues. Quand l'un d'entre eux commet une bavure comme celle-ci, ça crée forcément des tensions.

— Débrouillons-nous pour que ça ne dégénère pas. Il a déjà commis une erreur en me joignant avant d'appeler les renforts.

— Vous croyez qu'il risque d'être sanctionné pour ça ? C'est vous qui l'avez intégré au Central, l'an dernier. Le Bureau des Affaires Internes devrait comprendre...

— La compréhension n'est pas la qualité principale des AI. Espérons qu'ils ne le convoqueront pas.

Elle émergea de l'ascenseur. Étudia la scène.

Et constata, soulagée, que Trueheart avait eu la présence d'esprit de ne pas toucher aux corps. Deux hommes gisaient dans le couloir, l'un d'entre eux à plat ventre dans une mare de sang.

L'autre, sur le dos, fixait le plafond, les yeux exorbités. Des gémissements et des sanglots leur parvenaient de l'un des appartements.

La porte d'en face était ouverte, elle aussi. Eve remarqua des marques récentes dans les murs, des éclats de bois, des éclaboussures de sang. Quant à la batte de base-ball, elle était brisée en deux, et couverte de sang et de cervelle.

Blanc comme un linge, Trueheart se tenait dans l'entrée. En état de choc.

— Lieutenant.

— Du calme, Trueheart. Peabody, enregistrez.

Eve s'accroupit pour examiner les cadavres. L'une des victimes, une véritable armoire à glace, avait l'arrière du crâne fracassé. La seconde ne portait qu'un caleçon. Son corps maigre ne présentait aucune trace de violence. Des filets de sang s'échappaient de ses oreilles et de ses narines.

— Vous les avez identifiés ? demanda-t-elle à Trueheart.

— Euh… le premier est Ralph Wooster, locataire de l'appartement 42 E. L'homme que j'ai…

Les mots moururent sur ses lèvres, tandis qu'Eve se tournait vers lui.

— Le second ?

Trueheart s'humecta les lèvres.

— Le second s'appelle Louis K. Cogburn, appartement 43F.

— Et qui pleure en ce moment au 42E ?

— Suzanne Cohen, la compagne de Ralph Wooster. C'est elle qui a appelé par la fenêtre. Louis Cogburn était en train de la frapper avec ce qui m'a semblé être une batte de base-ball quand je suis arrivé. À ce mom…

D'un geste, Eve lui fit signe de se taire.

— L'examen préliminaire des victimes indique un homme de race mixte, trentenaire, environ cent kilos et un mètre quatre-vingt-cinq, sévères traumatismes à la tête, au visage et au corps. Une batte de base-ball, couverte de sang et de cervelle, serait vraisemblablement l'arme du crime. Le deuxième homme, blanc, la trentaine aussi, quatre-vingts kilos et un mètre soixante-douze environ, serait l'agresseur. Cause du décès : indéterminée pour l'instant.

Du sang s'écoule des oreilles et des narines. Pas de blessures visibles.

Elle se redressa.

— Peabody, je ne veux pas qu'on y touche. Je procéderai à l'examen sur le terrain après avoir discuté avec Cohen. Trueheart, avez-vous tiré avec votre arme au cours de l'incident ?

— Oui, lieutenant.

— Je veux que vous remettiez votre pistolet paralysant à mon assistante, qui va le conserver comme pièce à conviction.

Les deux agents postés au bout du couloir émirent des protestations, mais elle les ignora et enchaîna :

— Vous êtes en droit d'exiger la présence d'un représentant légal. Si je vous demande de confier votre arme à Peabody, c'est afin d'éviter qu'on remette en cause la chronologie de cette enquête.

Sous le masque d'angoisse, elle vit qu'il avait une totale confiance en elle.

— Tenez, murmura-t-il en lui tendant son arme.

— Depuis quand êtes-vous gaucher, Trueheart ?

— J'ai un peu mal au bras droit.

— Vous avez été blessé ?

— Il m'a frappé à deux reprises avant...

— L'individu sur qui vous avez été contraint de tirer vous a agressé alors que vous accomplissiez votre devoir ? Pourquoi diable ne me l'avez-vous pas dit plus tôt ? s'écria-t-elle.

— Tout s'est passé très vite, lieutenant. Il s'est précipité vers moi en brandissant...

— Enlevez votre chemise.

— Pardon ?

— La chemise, Trueheart. Ôtez-la. Peabody, enregistrez.

Trueheart s'empourpra. « Seigneur, quel innocent ! » pensa Eve tandis qu'il défaisait ses boutons. Elle entendit Peabody reprendre son souffle, mais n'aurait su attribuer sa réaction à l'indéniable beauté du torse de leur collègue, ou à l'impressionnant hématome qui s'étalait de son épaule à son coude ?

— Il n'y est pas allé de main morte, commenta-t-elle. Vous montrerez ça aux secouristes. La prochaine fois que vous êtes blessé en service, Trueheart, faites-le savoir. Restez ici.

L'appartement 42E était un fouillis indescriptible. À en juger par ce qui restait du décor, Eve déduisit que le ménage n'était pas le point fort de ses résidents. Mais il était peu probable qu'en temps normal le sol fût jonché d'éclats de verre, et les murs maculés de taches de sang.

La jeune femme étendue sur une civière semblait avoir connu des jours meilleurs, elle aussi. Au-dessus et en dessous du pansement qui lui cachait l'œil gauche, sa peau était à vif.

— Elle est lucide ? s'enquit Eve auprès de l'un des médecins.

— À peine. On l'a empêchée de sombrer dans l'inconscience, parce qu'on se doutait que vous voudriez lui parler. Mais dépêchez-vous. Nous devons l'emmener à l'hôpital. Elle a un décollement de la cornée, une pommette brisée et une fracture du bras. Ce type l'a massacrée.

— Cinq minutes. Mademoiselle Cohen... Je suis le lieutenant Dallas. Pouvez-vous me raconter ce qui s'est passé ?

— Il est devenu dingue. Je crois qu'il a tué Ralph. Il a pété les plombs.

— Louis Cogburn ?

— Louis K., oui.

Elle gémit.

— Ralph était énervé. Louis mettait la musique tellement fort, c'était intenable. Et cette chaleur ! On avait juste envie d'un peu de calme pour boire une bière fraîche. Louis K. met toujours sa musique à fond, mais là, c'était vraiment trop. Ça fait des jours que ça dure.

— Qu'a fait Ralph ? Mademoiselle Cohen ?

— Il est allé frapper chez lui, et lui a demandé de baisser le son. L'instant d'après, Louis a jailli avec une batte ou un truc dans ce genre. Il avait l'air d'un fou furieux. Le sang jaillissait de partout, il hurlait. J'étais terrifiée. J'ai claqué la porte et j'ai couru à la fenêtre pour appeler au secours. Je l'entendais crier et flanquer des coups dans le couloir. Mais Ralph ne disait rien. J'ai continué à appeler, et il est entré.

— Qui ?

— Louis K. Je le reconnaissais à peine. Il était couvert de sang, et son regard était bizarre. Il s'est jeté sur moi avec la batte. J'ai couru... enfin, j'ai essayé. Il cassait tout, et hurlait qu'on lui enfonçait des aiguilles dans la tête. Il m'a frappée... et je ne me souviens plus de rien.

— Avez-vous vu ou parlé avec le policier qui a répondu à votre appel au secours ?

— Je n'ai vu que des étoiles. Ralph est mort, hein ?

Une larme roula sur sa joue.

— Ils refusent de me le dire, reprit-elle, mais Louis n'aurait jamais pu passer, si Ralph n'était pas mort.

— En effet. Je suis désolée. Ralph et Louis se disputaient-ils souvent ?

— Ils s'engueulaient de temps en temps à propos de la musique, mais le plus souvent, ils se retrouvaient pour boire une bière et fumer un peu de Zoner. Louis est un minus. Il ne causait jamais de soucis.

L'un des secouristes s'approcha.

— Lieutenant, nous devons absolument l'emmener.

— Très bien. Envoyez-moi quelqu'un pour examiner mon agent. Il a pris des coups dans le bras et dans l'épaule.

Eve s'écarta pour les laisser passer, puis leur emboîta le pas.

— Trueheart, lança-t-elle, je veux un rapport officiel. Clair et détaillé.

— Bien, lieutenant. J'ai terminé mon service à 18 h 30. Je suis parti à pied.

— Où alliez-vous ?

Il rougit légèrement.

— Je... euh... je me rendais chez une amie avec qui j'avais prévu de dîner... En passant devant cet immeuble, j'ai entendu des cris. J'ai levé la tête, et aperçu une femme penchée à la fenêtre. Elle paraissait complètement affolée. Je suis entré, et je suis monté directement au quatrième, d'où provenaient les bruits d'une altercation. Plusieurs portes se sont ouvertes sur mon passage, mais personne n'est sorti. J'ai demandé qu'on prévienne la police...

— Vous avez pris l'escalier ou l'ascenseur ?

— L'escalier, lieutenant. Je me suis dit que ce serait plus rapide. Une fois à l'étage, j'ai vu la victime, identifiée comme étant Ralph Wooster, gisant au sol, entre les appartements

42E et 43F. Je ne me suis pas arrêté pour l'examiner, car j'entendais des cris et des bris de verre en provenance du 42E. C'est là que j'ai vu Louis K. Cogburn en train d'agresser une femme avec ce qui m'a semblé être une batte de base-ball. L'arme était...

Il marqua une pause, visiblement ému.

— ... elle était pleine de sang et de... de cervelle, je crois. La femme était allongée par terre, inconsciente. Cogburn était debout à ses côtés, il brandissait la batte au-dessus de sa tête, comme s'il s'apprêtait à la frapper de nouveau. J'ai dégainé mon pistolet et ordonné à l'agresseur de se rendre en indiquant que j'étais de la police.

Trueheart se tut, se frotta la bouche du revers de la main.

— Ensuite, tout est allé très vite, lieutenant.

— Expliquez-vous.

— Il s'est détourné de la femme. Il hurlait qu'il avait des aiguilles dans la tête, qu'il allait sauter par la fenêtre. Il délirait. Puis il a levé la batte, comme pour l'abattre sur la femme. J'ai voulu m'interposer, et il m'a chargé. J'ai tenté de l'esquiver, de m'emparer de la batte. Il m'a asséné plusieurs coups – c'est là que la batte s'est cassée, je crois. Je suis tombé à la renverse, j'ai heurté quelque chose et atterri contre le mur. Comme il revenait à la charge, je lui ai ordonné de s'arrêter.

Trueheart inspira à fond et poursuivit d'une voix tremblante :

— J'ai tiré. J'avais réglé mon pistolet au niveau le plus faible, lieutenant. Vous le verrez...

— Ensuite ?

— Il a crié. Il a crié comme... Je n'ai jamais rien entendu de semblable. Il a crié, et il s'est rué dans le couloir. Je l'ai poursuivi. Mais il a chuté. J'ai cru que je l'avais paralysé. Juste neutralisé. Mais quand j'ai voulu le menotter, je me suis rendu compte qu'il était mort. J'ai vérifié son pouls. Il était bel et bien mort. J'ai paniqué, lieutenant. Je sais que j'ai commis une erreur de procédure en m'adressant à vous d'abord, mais je...

— Peu importe. À l'instant où vous avez tiré, estimiez-vous que votre vie ou celle des personnes présentes était en jeu ?

— Oui, lieutenant.

— Louis K. Cogburn a-t-il ignoré vos mises en garde ?

— Oui, lieutenant.

— Vous ! ordonna Eve en pointant le doigt vers l'un des flics en uniforme au bout du couloir. Accompagnez l'officier Trueheart. Un médecin doit venir l'examiner. Qu'il l'attende dans l'une des voitures. Restez auprès de lui jusqu'à ce que j'en aie terminé ici. Trueheart, appelez votre représentant.

— Mais, lieutenant...

— Je vous le conseille vivement, coupa-t-elle. Je déclare, officiellement, qu'à mon avis, après avoir examiné les preuves et interrogé Suzanne Cohen, votre version des faits me paraît satisfaisante. Il semble que vous ayez tiré en état de légitime défense, pour protéger votre vie et celle de Suzanne Cohen. Je ne peux vous en dire davantage avant d'avoir complété mon enquête. À présent, allez téléphoner à votre représentant, et faites-vous soigner.

— Oui, lieutenant. Merci.

— Viens, Trueheart, fit son collègue en lui donnant une tape amicale dans le dos.

— Officier ? L'un d'entre vous connaît-il ces victimes ?

— C'est le secteur de Proctor.

— Je veux le voir.

Eve retourna dans l'appartement 43F.

— Il est salement secoué, fit remarquer Peabody.

— Il faudra qu'il surmonte.

Eve parcourut la pièce du regard. Elle était dans un état répugnant ; une odeur d'aliments pourris et de linge sale empuantissait l'air. La kitchenette consistait en un comptoir ridicule, équipé d'un mini-autochef et d'un miniréfrigérateur. Le regard d'Eve s'arrêta sur une grosse boîte en métal. Elle déchiffra l'étiquette et haussa les sourcils.

— C'est curieux, mais j'ai du mal à imaginer Louis K. confectionnant des gâteaux.

Elle ouvrit l'un des deux placards, dans lequel elle trouva une rangée de pots en verre soigneusement scellés.

— On dirait que Louis K. œuvrait dans les produits illicites. C'est étrange, ici, tout est impeccable, alors que le reste de l'appartement est une porcherie.

Elle se retourna.

— Cependant, je ne vois pas de poussière. Curieux, non ? On imagine mal qu'un type capable de dormir dans des draps qui puent la vase prenne la peine d'épousseter ses meubles.

Elle ouvrit une armoire.

— Là aussi, tout est rangé. Les vêtements sont moches, mais propres. Regardez cette fenêtre, Peabody.

— Oui, lieutenant ?

— La vitre est étincelante, à l'intérieur comme à l'extérieur. Quelqu'un l'a lavée récemment. Comment peut-on faire ses carreaux, tout en laissant – qu'est-ce que c'est que cette horreur ? – de la nourriture répandue sur le sol ?

— La femme de ménage est peut-être en vacances ?

— Mouais…

Un agent apparut sur le seuil.

— C'est vous, Proctor ?

— Oui, lieutenant.

— Vous connaissez les victimes ?

— Je connais Louis K., répondit Proctor en secouant la tête. Merde ! Excusez-moi, lieutenant, mais… quelle sale affaire ! Le môme, Trueheart, est en train de vomir ses tripes.

— Parlez-moi de Louis K., laissez-moi m'occuper de Trueheart et de ses tripes.

Proctor grimaça.

— C'était un petit dealer, un salopard qui essayait d'appâter les écoliers. Il leur filait des échantillons de Zoner et de Jazz. Il perdait son temps selon moi. Il a passé quelques mois à l'ombre.

— Il était violent ?

— Tout le contraire ! Il était plutôt du genre profil bas. Quand on lui disait de bouger ses fesses, il les bougeait. Il ne nous agressait jamais. Il en avait peut-être envie, mais il n'en aurait jamais eu le courage.

— Pourtant, il n'a pas hésité à fracasser le crâne de Ralph Wooster, de tabasser une jeune femme et d'attaquer un officier de police.

— Je suppose qu'il avait dû tester un de ses produits maison. Ça ne lui ressemble pas, d'ailleurs. Il fumait bien un peu de Zoner de temps à autre, mais il était trop radin pour s'offrir davantage.

— Très bien, Proctor. Merci.

— Ce type vendait de la drogue à des gamins. Le monde se portera mieux sans lui.

— Ce n'est pas à nous d'en juger, rétorqua Eve en lui tournant le dos.

Elle s'approcha du bureau, fronça les sourcils en lisant ce qui était affiché sur l'écran de l'ordinateur.

OBJECTIF PURETÉ ABSOLUE ATTEINT

— Qu'est-ce que ça signifie ? Peabody, vous connaissez un nouveau stupéfiant répondant au nom de Pureté ?

— Jamais entendu parler.

— Ordinateur, rechercher Pureté.

COMMANDE INACTIVE.

Intriguée, elle tapa son nom, son numéro d'insigne et un code d'autorisation.

— Rechercher Pureté.

COMMANDE INACTIVE.

— Hmm... Peabody, documentez-vous sur toutes les nouvelles drogues recensées. Ordinateur, sauvegarder le fichier courant. Afficher la dernière tâche effectuée.

L'image vacilla, puis un tableau apparut, détaillant ventes, profits, pertes et codes clients.

— Apparemment, Louis K. était assis ici, en train de faire ses comptes, quand tout à coup, l'idée lui a pris d'aller défoncer le crâne de son voisin.

— Il fait chaud, Dallas. Les gens deviennent fous.

— Mouais, marmonna Eve sans conviction. C'est possible. Aucun produit intitulé Pureté ne figure sur cet inventaire.

— Je n'ai rien sur ma liste officielle non plus.

— Bon sang, qu'est-ce que ce truc ? Et comment se le procure-t-on ?

Eve recula d'un pas.

— Allons jeter un coup d'œil sur Louis K. On en découvrira peut-être davantage.

2

Elle n'apprit pas grand-chose.

À l'aide de son kit de terrain, elle ne put que conclure à un décès par désintégration neurologique. Pas vraiment de quoi convaincre ses supérieurs.

Elle envoya le cadavre à la morgue en demandant qu'on l'autopsie en priorité.

Ce qui signifiait, vu la chaleur et les horaires d'été, qu'elle aurait de la chance si elle obtenait confirmation de son diagnostic avant les premières gelées.

Elle allait devoir insister lourdement auprès du légiste en chef.

Avant cela, elle contacta le représentant légal de True-heart, via son communicateur, et entama la valse bureau-cratique habituelle. Elle renvoya chez lui l'officier encore en état de choc et lui ordonna d'y rester jusqu'à sa convo-cation officielle.

Puis elle retourna au Central peaufiner son rapport sur cet « incident » qui s'était conclu par deux décès et un blessé dans un état critique.

Enfin, ignorant les grondements de son estomac, elle suivit la procédure de rigueur et en envoya une copie aux Affaires Internes.

Lorsqu'elle arriva chez elle, l'heure du dîner était passée depuis longtemps.

Toutes les lumières étaient allumées, et la forteresse urbaine de Connors scintillait tel un phare dans la nuit. Les feuillages jetaient leurs ombres sur l'étendue veloutée de la pelouse et les plates-bandes multicolores.

Ce paradis de l'opulence, des privilèges et du plaisir était à des années-lumière du quartier du Lower East Side dans lequel elle avait passé la plus grande partie de la soirée.

Mais Eve avait fini par s'habituer à osciller entre ces deux mondes extrêmes. Enfin, presque.

Elle abandonna son véhicule devant le perron et gravit les marches au pas de course, pressée de se retrouver au frais.

À peine avait-elle pénétré dans le vestibule, que Summerset, le majordome de Connors, surgit devant elle.

— Oui, je sais, j'ai raté le dîner, glapit-elle avant qu'il n'ouvre la bouche. Oui, je suis une épouse épouvantable et un être humain minable. Je suis mal élevée, je n'ai ni classe ni sens des convenances. On devrait me traîner toute nue dans les rues et me lapider pour mes péchés.

Summerset haussa un sourcil gris.

— Eh bien, je crois que vous avez fait le tour.

— Tant mieux ! On aura gagné du temps.

Elle fonça vers l'escalier.

— Il est rentré ?

— Tout juste.

Un peu irrité qu'elle ne lui ait pas laissé l'occasion de la critiquer, il la suivit d'un regard morose. La prochaine fois, il se débrouillerait pour réagir plus vite.

Une fois certaine qu'il s'était évaporé, Eve s'arrêta devant l'un des écrans disséminés à travers toute la demeure.

— Où est Connors ?

Bonsoir, chère Eve. Connors est dans son bureau.

— J'aurais pu m'en douter.

Un débriefing après le repas d'affaires... L'espace d'un éclair, elle envisagea de faire un détour par sa chambre et de sauter sous la douche. Mais elle eut un sursaut de remords et se ravisa.

La porte était ouverte. Elle entendit sa voix.

Elle supposa qu'il était en train d'affiner les ultimes détails d'une tractation, probablement celle qui l'avait mené à organiser le dîner en question. En fait, elle se fichait éperdument de ce qu'il racontait.

Sa voix était un poème en soi, grave et séduisante, même aux oreilles d'une femme qui n'avait jamais été sensible à la poésie. Des traces d'accent irlandais ajoutaient à sa musicalité, et elle s'harmonisait à merveille avec son visage aux traits réguliers, aux yeux d'un bleu profond, à la bouche à la fois ferme et gourmande.

Parvenue sur le seuil de la pièce, elle constata qu'il dictait un mémo tout en contemplant le jardin par la fenêtre. Ses épais cheveux sombres étaient rassemblés en catogan.

Il ne s'était pas encore changé. Avec son élégant costume noir à la coupe impeccable, il incarnait l'homme d'affaires fortuné et parfaitement civilisé. Une façade sous laquelle, Eve le savait, l'Irlandais sauvage des origines n'était jamais très loin.

Il pivota vers elle, alors qu'elle n'avait pas fait le moindre bruit.

— Signer Connors et transmettre. Envoyer une copie à Hagerman-Ross… Bonsoir, lieutenant.

— Bonsoir. Désolée, pour le dîner.

— Tu n'es pas du tout désolée.

Elle fourra les mains dans ses poches. C'était absurde, vraiment, cette envie irrésistible de le toucher.

— Bon, d'accord, concéda-t-elle. Je suis *un peu* désolée.

Il lui sourit, un sourire plein d'humour et de charme.

— Tu ne te serais pas ennuyée tant que ça.

— Tu as probablement raison. En tout cas, je regrette de t'avoir déçu.

— Tu ne me déçois jamais, répondit-il en s'approchant d'elle pour déposer un baiser sur ses lèvres. Du reste, quand je t'excuse auprès de mes invités en leur expliquant que tu as été appelée sur une scène de crime, la conversation devient tout de suite plus animée. Qui est mort ?

— Deux hommes, dans le Lower East Side. Un petit dealer s'est jeté sur son voisin avec une batte de base-ball, puis s'est attaqué à une femme et à un flic. Le flic l'a descendu.

Connors haussa un sourcil. Elle ne lui disait pas tout : son regard trahissait toute sa détresse.

— Ce n'est pas le genre d'affaire qui te retient si tard, d'ordinaire.

— Le flic, c'était Trueheart.

— Ah !

Il posa les mains sur ses épaules et entreprit de la masser.

— Comment va-t-il ?

Elle ouvrit la bouche, puis secoua la tête et se mit à arpenter la pièce.

— Merde ! Merde ! Et merde !

— À ce point-là ?

Connors caressa Galahad, l'énorme chat vautré sur la console électronique, puis le poussa légèrement pour qu'il aille se poser ailleurs.

— Il y a des flics qui font toute leur carrière sans jamais dégainer. Ce môme porte l'uniforme depuis moins d'un an, et le voilà déjà pris dans la tourmente. Ça change tout.

— Tu as ressenti cela, la première fois que tu as abattu un homme en service ?

Tous deux savaient qu'elle avait tué bien avant de porter l'insigne.

— Pour moi, c'était différent.

Elle se demandait souvent si ses débuts dans la vie avaient modifié son comportement face à la mort.

— Trueheart a vingt-deux ans à peine, il… c'est encore un gamin.

Elle s'accroupit pour gratifier distraitement Galahad d'une caresse.

— Il ne va pas fermer l'œil de la nuit. Il va vivre et revivre l'accident. « Si j'avais fait ci, si j'avais fait ça ». Et demain…

Elle se frotta le visage en se relevant.

— … Je ne peux pas l'empêcher : il devra passer des tests et subir un interrogatoire des AI.

Elle savait ce qui attendait Trueheart. Il serait mis à nu, questionné, harcelé, forcé de se soumettre aux appareils électroniques et aux techniciens.

— Tu crains qu'il ne tienne pas le coup ?

Elle jeta un coup d'œil sur le verre de vin qu'il venait de lui remplir.

— Il est plus solide qu'il n'en a l'air, mais il meurt de trouille. Et il est dévoré de culpabilité.

Eve s'assit pour lui expliquer l'affaire en détail. Galahad en profita pour bondir sur ses genoux.

— Un pistolet paralysant réglé au niveau le plus faible ne tue pas, remarqua Connors.

— C'est vrai, renchérit Eve. Et quand bien même il serait réglé au maximum, il faudrait plusieurs tirs.

— Ce qui signifie que la version de Trueheart ne tient pas.

Les gars des AI n'y croiraient pas, en tout cas.

— Il était sous pression. Il avait un civil mort sur les bras, l'autre en grand danger, et lui-même était blessé.

— C'est ce que tu vas plaider auprès des AI ?

— À peu près.

Elle pianota nerveusement sur sa cuisse, puis sur le chat, avala une gorgée de vin.

— Il me faut le rapport d'autopsie. Mais il est impossible qu'il révèle que Trueheart a tué délibérément. Qu'il ait cédé à la panique, c'est évident. Cela lui vaudra une tape sur la main, trente jours de suspension, et quelques séances obligatoires de thérapie. Je ne pourrai rien contre ça. Là où ça devient délicat, c'est qu'il m'a contactée avant d'appeler des renforts. Si les AI flairent l'histoire, c'en sera fini pour lui.

— As-tu songé à en parler à ton vieil ami Webster ?

Elle croisa le regard de Connors, qui l'observait avec une lueur... d'amusement ? Difficile à savoir.

Don Webster n'était pas précisément un « vieil ami ». Il avait été, brièvement et longtemps auparavant, un amant. Eve et lui n'avaient partagé qu'une nuit. Pourtant, Connors – pour des raisons qu'elle n'avait jamais saisies – ne s'en était jamais remis, ce qui avait valu une altercation aussi violente que fascinante entre les deux hommes.

Elle ne tenait pas à ce que cela se reproduise.

— Peut-être, à moins que tu ne songes à profiter de l'occasion pour lui casser la figure de nouveau.

Connors but un peu de vin, et sourit.

— Je crois que Webster et moi sommes parvenus à un accord tacite. Je ne peux lui en vouloir d'être attiré par ma femme, puisque je le suis tout autant. Et il sait que, s'il met la main sur ce qui m'appartient, je le briserai en mille morceaux. Donc, il se tient à carreau.

— Épatant, marmonna-t-elle. Il n'est plus amoureux de moi. Il me l'a dit, ajouta-t-elle, tandis que Connors se contentait de la gratifier d'un sourire félin. Mais tu sais quoi, j'ai assez de souci comme ça, alors je ne te suivrai pas sur ce terrain ce soir. J'ai très envie d'appeler le commandant, mais c'est impossible : je dois suivre la procédure à la lettre. Ce pauvre Trueheart était malade comme un chien, et je ne pouvais rien faire pour lui.

— Il s'en tirera, maman poule.

Elle plissa les yeux.

— Attention ! C'est moi qui l'ai sorti de la brigade Homicide Lite. Moi qui l'ai envoyé à l'hôpital il y a quelques mois…

— Eve.

— D'accord, d'accord ! Je l'ai mis dans une situation telle qu'il a fini à l'hôpital. Maintenant, il va devoir affronter le Bureau des Affaires Internes. Je me sens responsable.

— Je ne suis pas surpris que tu réagisses ainsi, murmura-t-il en lui effleurant la main. C'est ce qui fait de toi celle que tu es. Et c'est pourquoi il s'est adressé à toi d'abord. Il était terrifié, sous le choc. Cette sensibilité ne le fait-elle pas de lui un meilleur flic ?

— C'est un argument, convint-elle. Je m'en servirai sans doute. Mais il y a quelque chose qui cloche, Connors.

Elle quitta son fauteuil pour aller et venir dans la pièce. Excédé, le chat dressa la queue et sortit d'un pas digne.

— Il n'y avait aucune trace de brûlure sur la gorge du mort. Si Trueheart l'avait atteint, il y aurait eu des marques. Pourquoi n'y en avait-il pas ?

— Est-ce qu'il a pu se servir d'une autre arme ?

— Trueheart n'est pas du genre à porter une arme de secours. Et en admettant que je me trompe, où est-elle ? Il n'avait rien sur lui. Je n'ai rien vu dans l'appartement. J'ai fait vérifier la benne à ordures. Il m'a appelée quelques instants après le drame. Il n'avait pas eu le temps de se ressaisir suffisamment pour s'en débarrasser le cas échéant. Et d'ailleurs plus j'y repense, moins tout ça n'a de sens.

Elle se rassit, se pencha en avant.

— Prenons ce Louis K., par exemple. Tout le monde – les voisins, le flic du secteur, et même la femme qu'il a agressée – le décrit comme un minable. Il dealait auprès des écoliers. Il avait un casier judiciaire, mais n'a jamais été accusé de violence. Il n'était en possession d'aucune arme.

— La batte ?

— Il jouait au base-ball. Donc, il est tranquillement assis chez lui, en caleçon. Il fait ses comptes. Ceux-ci sont impeccablement tenus, alors que l'appartement est une porcherie. Paradoxalement, les placards sont rangés, les carreaux étincelants. Mais il y a de la nourriture, de la vaisselle et du linge sale éparpillés un peu partout. Comme s'il était tombé malade, ou se saoulait depuis une semaine.

Elle se passa la main dans les cheveux en s'efforçant de se remémorer le studio. Elle l'imagina à l'intérieur, installé devant son ordinateur, près de la fenêtre ouverte. Son torse nu ruisselant de sueur.

— Il avait mis la musique à fond. Rien de nouveau, d'après les voisins. Ralph, qui habite l'appartement d'en face, traverse le couloir et frappe à sa porte. Là encore, c'est classique. Mais cette fois, au lieu de baisser le son comme il le fait en général, Louis K. s'empare de sa batte et fracasse le crâne de l'homme avec lequel il boit une bière de temps en temps. Il lui explose la tête, lui réduit le visage en bouillie. Le type en question fait deux fois son poids, pourtant, il n'a pas le temps de se défendre.

— Difficile de répliquer quand on a la cervelle qui dégouline des oreilles.

— Certes. Mais ensuite, sans cesser de hurler, Louis K. pousse la porte dudit voisin, et se jette sur sa compagne. Un flic intervient, et Louis K. se rue sur lui.

— La chaleur rend les gens fous.

— Possible. Mais tout de même... Il y a un truc qui ne colle pas...

Fronçant les sourcils, elle enchaîna :

— Tu connais une drogue appelée Pureté ?

— Non.

— Personne n'en a jamais entendu parler. Quand je suis allée chez lui, l'écran affichait une phrase : *OBJECTIF PURETÉ ABSOLUE ATTEINT*. Qu'est-ce que ça peut bien vouloir dire ?

— Si c'est un nouveau produit, pourquoi un minus qui cible les cours de récréation se retrouverait dans les hautes sphères ?

— C'est la question que je me suis posée. L'ordinateur a refusé mon code d'accès. Du coup, je l'ai expédié à la DDE. Je ne peux pas demander à Feeney d'intervenir, réfléchit-elle. Ça paraîtrait louche que je sollicite le directeur de la Division de Détection Électronique pour une recherche standard.

— Tu aurais pu me le demander.

— C'est ça. De toute façon, tu travaillais.

— Exact, et je dînais, aussi, contrairement à toi, j'imagine. Tu as faim ?

— Maintenant que j'y songe... Qu'est-ce que tu as mangé ?

— Hmm... Une salade au crabe, un turbot grillé. C'était exquis.

— Bof ! murmura Eve en se levant. Je prendrais bien un hamburger.

— C'est curieux, je m'en doutais.

Allongée, les yeux rivés au plafond, Eve ruminait données, indices et hypothèses. Elle ne *sentait* pas cette affaire. Mais ne se laissait-elle pas influencer par son inquiétude concernant sa jeune recrue si prometteuse ?

Trueheart était intelligent et faisait preuve d'un idéalisme réjouissant. Innocence et pureté, songea-t-elle, une fois de plus. Si un qualificatif s'appliquait à Trueheart, c'était bien la pureté.

Aujourd'hui, il avait subi un revers sérieux. Il en souffrirait, plus qu'il ne le méritait.

Non, elle ne le couvait pas, décida-t-elle en tournant la tête vers Connors dans l'obscurité.

— Eh bien, fit-il en se rapprochant d'elle pour lui caresser les seins. Puisque tu es si pleine d'énergie...

— Tu délires ? Je dors.

— Faux. Tu as l'esprit en ébullition. Je t'entends réfléchir. Tu ne veux pas que je t'aide à te défouler un peu ?

Elle rit tout bas, et se lova contre lui.

À trente-six blocs de là, Troy Trueheart était dans son lit, les yeux fixés sur le plafond. Personne près de lui pour le distraire ou le réconforter. Tout ce qu'il voyait, c'était le visage de l'homme qu'il avait tué.

Le plus sage serait d'avaler l'un des tranquillisants approuvés par le département. Mais il avait peur de s'endormir. Les images lui reviendraient dans ses cauchemars.

Celles qu'éveillé, il se repassait en boucle.

Les éclaboussures de sang, d'os et de cervelle sur les murs du couloir. Même ici, dans son appartement impeccable, il en sentait l'odeur. Il entendait les cris de douleur et de terreur de la femme. Et les hurlements de Louis K. Cogburn. Des rugissements de fauve. Les voix des autres locataires, derrière leurs portes fermées à double tour.

Et les battements de son cœur.

Pourquoi n'avait-il pas demandé des renforts dès qu'il avait aperçu l'inconnue à sa fenêtre ?

Mais non, il s'était précipité dans l'immeuble, ne pensant qu'à protéger et à servir.

Certes, il avait crié, lui aussi. Dans l'escalier, il avait demandé qu'on appelle la police. Personne ne l'avait fait. Il s'en rendait compte, à présent. Personne n'avait réagi, sans quoi les flics seraient arrivés bien avant le lieutenant Dallas.

Comment pouvait-on rester ainsi derrière sa porte close, sans broncher, quand ses voisins étaient en danger ? Il ne le comprendrait jamais.

L'homme à terre était déjà mort. Trueheart l'avait su tout de suite. Il avait réprimé un haut-le-cœur, ses oreilles s'étaient mises à bourdonner. La peur à l'état brut. Oui, il avait eu peur. Il était terrorisé. Mais c'était son boulot de franchir le seuil de l'appartement. D'affronter les gémissements, le sang et la folie.

Ensuite ? Ensuite ?

Police ! Lâchez votre arme. Lâchez votre arme immédiatement !

Il avait son pistolet paralysant au poing. Il l'avait dégainé en montant. Il en était sûr. L'homme... Louis K. Cogburn... Il avait pivoté sur lui-même, brandissant sa batte avec l'aisance d'un joueur professionnel. Il avait des yeux minuscules, se rappela soudain Trueheart. Des yeux minuscules qui disparaissaient quasiment dans son visage écarlate.

Il saignait du nez. Oui, c'est ça, il venait de s'en souvenir. Était-ce un détail important ?

Cogburn avait foncé sur lui. Un fou furieux en caleçon, vif comme l'éclair. La batte s'était abattue sur son épaule, violemment. Trueheart avait vacillé, il avait failli en lâcher son pistolet.

L'homme. Louis K. Cogburn. Il s'était de nouveau attaqué à la femme. Elle était à terre, hébétée, en larmes. Sans force. Il avait pris son élan. Le coup aurait été fatal.

Mais soudain, il avait hésité. Ses yeux – Seigneur, ces yeux ! – rouges et brillants s'étaient arrondis. Un spasme avait secoué son corps, et il s'était enfui en courant. Dans le couloir.

Il avait continué un instant à trembler furieusement. Puis il était tombé comme une masse, sur le dos.

Mort. Mort. Et il était là, à ses côtés.

Aujourd'hui, il avait tué un homme.

Trueheart enfouit son visage dans l'oreiller avec l'espoir de chasser ces visions atroces qui l'obsédaient. Et il se mit à pleurer.

Le lendemain matin, Eve passa un coup de fil à Morris, le médecin légiste en chef. Tombant sur sa boîte vocale, elle s'efforça d'adopter un ton le plus courtois possible en lui laissant un message. S'il le fallait, elle trouverait le temps d'aller à la morgue lui parler personnellement.

Tiens ! Justement, c'était une bonne idée. Elle en profiterait pour jeter de nouveau un coup d'œil au cadavre de Cogburn.

Au prix d'un effort surhumain, elle appela aussi Don Webster, du Bureau des Affaires Internes. Cette fois, elle ne prit pas la peine de masquer son irritation quand son appel fut transféré sur la messagerie.

— Décidément, vous ne fichez rien à la brigade des mouchards. Nous, les vrais flics, nous sommes déjà sur le terrain. Quand tu te décideras enfin à venir faire un tour au boulot, rappelle-moi, Webster.

Ce n'était pas très malin, se réprimanda-t-elle en coupant la communication. Elle aurait pu se montrer un peu plus diplomate. D'un autre côté, il se serait probablement méfié.

— Lieutenant.

Sa casquette à la main, Trueheart se tenait sur le seuil.

— Vous avez demandé à me voir.

— En effet, Trueheart. Entrez. Fermez la porte.

Elle n'enfreignait aucune règle en lui parlant avant sa séance de tests. Après tout, c'était elle, la chargée d'enquête.

— Asseyez-vous, Trueheart.

Il était pâle, les yeux cernés, comme elle s'y attendait. Elle programma deux cafés sur l'autochef, qu'il en veuille ou non.

— La nuit a été difficile ?

— Oui, lieutenant.

— La journée le sera encore plus. Ils ne vous feront pas de cadeau.

— Je sais, lieutenant.

— Vous avez tout intérêt à vous y préparer. Regardez-moi quand je vous parle, Trueheart.

Il redressa vivement la tête.

— Pouvez-vous justifier votre geste ?

— Je ne…

— Oui ou non. Ne tergiversez pas. Exprimez-vous clairement, Trueheart. Était-il nécessaire d'utiliser votre arme ?

— Oui, lieutenant.

— Si vous vous retrouviez dans la même situation aujourd'hui, le referiez-vous ?

Il frémit, mais opina.

— Oui, lieutenant.

— C'est là l'essentiel, déclara-t-elle en lui tendant son café. Tenez-vous-en à cela, et vous vous en sortirez. Ne jouez pas au plus malin. Vous manquez encore d'expérience. Répondez correctement, dites la vérité. Et si tordues que soient leurs questions, n'en démordez pas : votre geste était justifié, c'était la seule façon de préserver votre vie et celle d'un civil.

— Oui, lieutenant.

— À quelle distance étiez-vous du sujet quand vous avez tiré ?

— Je crois… euh…

— À quelle distance ?

— Deux mètres, peut-être un peu moins.

— Combien de fois avez-vous tiré ?

— Deux fois.

— Durant l'altercation, votre arme est-elle entrée en contact direct avec le sujet ?

— En c... contact ? bredouilla-t-il, pris de court. Oh, non, lieutenant ! J'étais à terre, et il s'enfuyait quand j'ai tiré la première fois. Ensuite, il s'est retourné pour revenir à la charge, et j'ai tiré de nouveau.

— Qu'avez-vous fait de votre arme illégale de secours ?

— Mon ar... ?

Il la dévisagea d'un air stupéfait, puis devint rouge d'indignation.

— Lieutenant, je n'avais pas d'autre arme sur moi. Je n'en possède pas. Je n'étais équipé que du pistolet paralysant que je suis autorisé à porter, et que vous avez confisqué en tant que pièce à conviction, sur la scène du crime. Lieutenant, comment pouvez-vous...

— Épargnez-moi.

Elle se cala dans son fauteuil.

— Ça m'étonnerait beaucoup qu'ils ne vous posent pas cette question. Ils insisteront même lourdement. Vous ne buvez pas votre café, Trueheart ?

— Si, si.

Il regarda sa tasse d'un air malheureux, la porta à ses lèvres, goûta.

— Ce n'est pas du café !

— Bien sûr que si ! Du *vrai* café. Bien meilleur que leur décoction à base de soja, non ? Écoutez-moi, Trueheart. Vous êtes un bon flic et, avec le temps, vous serez encore meilleur. Tuer un homme, ce n'est jamais facile.

— Je regrette qu'il... qu'il n'y ait pas eu d'autre moyen de le neutraliser.

— Il n'y en avait pas, enfoncez-vous ça dans la tête une bonne fois pour toutes. Il est normal que vous ayez des remords, que vous vous sentiez coupable. Mais vous devez être absolument certain d'avoir fait le bon choix étant donné les circonstances. Si vous leur laissez entendre que vous avez des doutes, ils vous mettront en pièces.

— Je n'avais pas le choix.

Il serrait sa tasse entre ses mains comme s'il craignait de la lâcher.

— Lieutenant, je me suis repassé la scène mille et une fois, cette nuit. Je n'aurais pas pu agir autrement. Il aurait tué cette femme. Il m'aurait probablement tué ensuite, ainsi que toute personne qui aurait tenté de se mettre en travers de son chemin. J'ai commis des erreurs. J'aurais dû appeler des renforts avant de pénétrer dans le bâtiment. Et avant de vous contacter.

— C'est vrai, concéda-t-elle, contente de constater qu'il avait réfléchi. Mais ça n'aurait rien changé, au bout du compte. En revanche, vous paierez le prix de vos erreurs. Pourquoi n'avez-vous pas appelé des renforts ?

— J'ai réagi instinctivement. Cette femme me semblait en danger. En montant, j'ai demandé aux voisins d'appeler la police. J'aurais dû le faire moi-même. Si je n'avais pas réussi à arrêter l'agresseur, sans renforts en route, il aurait pu y avoir d'autres victimes.

— Bien. Vous avez compris la leçon. Pourquoi vous êtes-vous d'abord adressé à moi ?

— J'étais… Lieutenant, j'étais complètement désemparé. Les deux hommes étaient à terre, j'avais tué l'agresseur, et je…

— Vous étiez sous le choc, déclara-t-elle d'un ton brusque. Vous aviez reçu des coups, vous craigniez de vous évanouir. Votre seule pensée était de prévenir quelqu'un, et vous vous êtes tourné vers le lieutenant avec lequel vous aviez déjà travaillé. Vous me suivez, Trueheart ?

— Oui, lieutenant.

— Vous étiez en détresse physique et psychologique. Le lieutenant, à qui vous avez fait votre rapport, vous a ordonné de sécuriser la scène et d'attendre son arrivée. Ce que vous avez fait.

— Ce n'était pas la procédure d'usage.

— Non, mais ça tiendra. Arrangez-vous pour que ça passe. Je ne vous ai pas recruté dans mon équipe pour rien.

— On m'infligera une suspension de trente jours.

— C'est possible. C'est même probable.

— Je le supporterai. Mais je ne veux pas qu'on me retire mon insigne.

— On ne vous le retirera pas. Courage, Trueheart ! conclut-elle, en se levant. Montrez-leur de quel bois vous êtes fait.

Elle laissa un deuxième message à Morris, puis décida de passer à la DDE, avant de filer à la morgue avec Peabody.

La Division de Détection Électronique était une source inépuisable de surprise et de fascination. Comment réussissaient-ils à travailler, tous autant qu'ils étaient, en arpentant la salle de long en large, un casque sur la tête, ou enfermés dans des boxes à se quereller avec des ordinateurs ?

Quant à leur façon de s'habiller ! McNab, le maigrichon qui avait réussi à séduire Peabody – au grand dam d'Eve –, était le plus excentrique de tous. Mais de peu.

Elle battit en retraite dans le sinistre bureau de Feeney.

La porte était ouverte. Il la fermait rarement, même – et c'était le cas en ce moment – lorsqu'il réprimandait un subordonné indiscipliné.

— Vous croyez que ces ordinateurs sont là pour vous distraire, Halloway ? Ça ne vous gêne pas de jouer à Space Crusader avec les deniers du contribuable ?

— Non, capitaine, je ne...

— On n'est pas dans une cour de récréation !

— Capitaine, c'était ma pause déjeuner, et je...

— Ah, parce que vous avez le temps de déjeuner, vous ? s'exclama Feeney. Stupéfiant, Halloway. Je vous promets que dans les semaines à venir, votre pause déjeuner ne sera plus qu'un lointain souvenir. Vous ne vous en êtes peut-être pas rendu compte, tant vous étiez occupé à sauver l'univers virtuel en dégustant votre sandwich, mais nous sommes débordés. Le taux de criminalité a fait un bond. On a du boulot par-dessus la tête. Je veux le rapport sur Dubreck dans trente minutes.

Halloway parut se ratatiner dans sa combinaison vert pomme.

— Entendu.

— Quand vous aurez terminé, vous assisterez Silby sur les ordinateurs confisqués lors du braquage Stewart. Et quand vous en aurez fini avec ça, vous reviendrez me voir. Allez ! Ouste !

Halloway s'enfuit, en glissant un coup d'œil mortifié à Eve.

— Ah, que ça fait du bien ! soupira Feeney. Qu'est-ce qui t'amène ?

— Il a marqué un bon score, sur Crusader ?

— Cinquante-six mille au niveau commando, rétorqua Feeney. Il a bien failli battre mon record, que je détiens depuis trois ans, quatre mois et vingt-deux jours. L'andouille !

Eve se percha sur le bord de sa table et se servit une pleine poignée de ces amandes qu'il gardait en réserve dans un bol.

— Tu es au courant pour Trueheart ?

— Non. Je ne vois plus le jour, en ce moment. Qu'est-ce qui se passe ? ajouta-t-il, l'air soucieux

Elle le lui raconta. Feeney fourragea dans sa tignasse rousse.

— Il va en baver.

— Ça forge le caractère, marmonna-t-elle. Il m'a dit la vérité, Feeney. Il préférerait avaler un rat vivant plutôt que de me mentir. Mais il y a quelque chose qui cloche. Je vous ai fait porter l'ordinateur de Cogburn. J'aimerais que tu le fasses analyser en priorité. Je sais que tu croules sous le boulot, ajouta-t-elle avant qu'il ne puisse protester, mais j'ai besoin de toutes les munitions possibles pour résoudre cette affaire. Et je suis certaine que le disque dur contient des informations essentielles. Cette histoire de Pureté sent mauvais.

— Je ne peux pas t'assigner McNab. Il est déjà pris.

Son visage s'éclaira.

— Halloway ! Ce garçon n'est pas suffisamment occupé. Je lui confie la mission. Quelques heures supplémentaires lui feront le plus grand bien.

— Et te permettront de préserver ton record.

— Cela va de soi !

Sa joie s'estompa vite.

— Les gars des AI vont sacrément bousculer le môme.

— Je sais. Je vais tenter de lui éviter certains coups.

Elle se leva.

— En attendant, je vais harceler Morris. Si mon intuition est bonne, Trueheart est à peu près tiré d'affaire.

3

Quand Eve repassa chercher Peabody à la brigade, plusieurs des inspecteurs lui lancèrent des regards pleins de sous-entendus.

— Il y a un rat dans le trou, commenta Baxter en la croisant.

D'un signe de la tête, il indiqua son bureau.

— Merci.

Les pouces crochetés dans les poches de son pantalon, elle s'y dirigea.

Le lieutenant Don Webster était assis dans son unique fauteuil, ses chaussures bien cirées posées sur la table encombrée de dossiers. Il buvait une tasse de *son* café.

— Salut, Dallas ! Ça fait un bail !

— C'est curieux, ça ne me paraît jamais assez long, répliqua-t-elle en repoussant ses pieds du bureau. C'est mon café, dans cette tasse ?

Il en but une longue gorgée et soupira d'aise.

— Ce doit être divin de pouvoir boire du vrai café à volonté. Comment va Connors ?

— C'est une visite mondaine ? Parce que je n'ai pas de temps à perdre. Je suis en service.

— Mondaine, non, mais elle pourrait être amicale.

Eve demeura de marbre.

— Tant pis, se résigna-t-il. Cela étant, je dois dire que tu es superbe !

Tendant la main derrière elle, elle ferma la porte.

— Tu as dû recevoir un rapport concernant un incident qui a eu lieu hier entre 19 heures et 19 h 30, impliquant un officier en uniforme affecté au Central. Alors qu'il venait de quitter le Central, il a répondu à...

Webster agita le bras.

— Dallas, j'ai eu le rapport. Je suis au courant. Je sais que l'officier Troy Trueheart subit actuellement une série de tests. Il sera ensuite interrogé par les AI.

— Il a vingt-deux ans, Webster. Il débute, mais c'est un bon flic. J'aimerais que vous soyez indulgents avec lui.

Le visage de Webster se durcit.

— Tu t'imagines que je me lève tous les matins en me demandant combien de flics je vais pouvoir démolir dans la journée ?

— Je ne sais pas à quoi vous pensez, ni toi ni tes collègues.

Elle s'approcha de l'autochef, commanda un café, se retourna.

— Je croyais que tu revenais parmi nous. J'avais cru comprendre que tu voulais redevenir flic.

— Je suis flic.

— Après ce scandale au sein du BAI…

— Justement, c'est pour ça que j'y suis resté, l'interrompit-il calmement. J'ai beaucoup réfléchi, ajouta-t-il en se passant la main dans les cheveux. Je crois en ce Bureau des Affaires Internes, Dallas.

— Comment ? Pourquoi ?

— Le contrôle mutuel. C'est indispensable. Pouvoir et corruption vont de pair. Un flic pourri ne mérite pas son insigne. Mais il mérite que ce soit un autre flic qui le lui supprime.

— Les ripoux ne m'intéressent pas, gronda-t-elle.

Agacée, elle lui arracha sa tasse des mains et but dedans.

— Nom de nom, Webster, tu étais bon sur le terrain !

Il ne put réprimer un sursaut de joie. D'autant qu'Eve était sincère.

— Je suis tout aussi efficace au BAI.

— Être efficace, c'est torturer un bleu comme Trueheart, sous prétexte qu'il a fait ce qu'il devait faire pour se protéger et protéger un civil ?

— Ma première initiative, quand je suis arrivé au BAI, a été d'éliminer tous les chevalets, fouets et autres instruments de torture. J'ai lu le rapport, Dallas. Il est clair que Trueheart était en danger. Mais il y a des failles, des questions. Et tu le sais.

— Je travaille dessus. Laisse-moi avancer dans mon enquête.

— J'adorerais te faire une faveur, histoire que tu me sois redevable. Mais nous devons l'interroger, et il doit faire sa déclaration. Il peut le faire en présence de son représentant. Et tu peux assister à la séance si tu le souhaites, Dallas. Notre but n'est pas de le malmener. Mais quand un flic abat un civil avec son arme de service, il faut absolument écarter toute possibilité de bavure.

— Il n'a rien à se reprocher, Webster. Il est propre comme un sou neuf.

— Dans ce cas, il n'a pas à s'inquiéter. Je m'en occupe personnellement, si ça peut te rassurer.

— Je suppose que oui.

— Tu as prévenu Connors que tu allais m'en parler ? Ou est-ce qu'il va encore se mettre en boule, si bien que je vais devoir lui casser la figure une fois de plus ?

— Ah, c'est donc ça que tu faisais quand on t'a emmené, inconscient, hors de la pièce ?

— Je reprenais mes esprits.

Webster se frotta la mâchoire. Il se rappelait encore le coup de poing de Connors.

— Comme tu voudras, concéda Eve. Et je ne raconte pas tout à mon mari.

Webster lui reprit la tasse de café des mains.

— Tu parles ! Tu es tellement amoureuse que je vois des tourterelles tournoyer au-dessus de ta tête.

Mortifiée, elle riposta :

— Connors n'est pas le seul capable de t'assommer.

— Oui, je te trouve vraiment super, éluda-t-il en souriant. N'aie pas peur, je me contente de regarder. Je ne te toucherai pas. Tu peux me faire confiance : je serai professionnel jusqu'au bout des ongles. Ça te convient ?

— Si je craignais le contraire, je n'aurais pas fait appel à toi.

— C'est noté. Je t'appelle.

Il ouvrit la porte, jeta un coup d'œil par-dessus son épaule – décidément, elle était superbe.

— Merci pour le café.

Restée seule, Eve secoua la tête. Le niveau sonore baissa sensiblement tandis que Webster traversait la salle des inspecteurs. Il n'avait pas choisi la voie la plus facile. Un officier chargé d'en mettre d'autres au pas suscitait la suspicion, la dérision et la peur.

Il avançait sur un chemin glissant. Au fond, elle l'appréciait encore suffisamment pour lui souhaiter de ne pas perdre l'équilibre en cours de route.

Elle consulta sa montre. Trueheart en avait encore pour un bon moment à subir les tests. En attendant, autant aller harceler Morris.

À la morgue, les cadavres s'entassaient un peu partout. En onze ans de carrière, jamais Eve n'en avait vu autant.

Trois civières chargées de corps emballés et étiquetés étaient alignées devant l'une des salles d'autopsie.

« Prenez un numéro, songea-t-elle. Il est trop tard pour vous protéger, mais on finira bien par s'occuper de vous. »

Elle remonta au pas de charge le couloir d'un blanc éclatant, Peabody trottinant à ses côtés.

— Ma foi, j'ai toujours trouvé cet endroit lugubre, mais là, ça dépasse l'imagination ! commenta cette dernière. Pour un peu, on s'attendrait qu'un de ces sacs en plastique se redresse et vous attrape par le bras.

— Patientez ici. Si l'un d'entre eux tente de fuir, prévenez-moi.

— Ce n'est pas drôle, répliqua Peabody.

À l'intérieur, un scalpel laser à la main, Morris était occupé à faire une incision en Y sur le torse d'un des six corps disposés sur les tables.

Son visage sympathique disparaissait derrière ses lunettes de protection. Il portait un bonnet de plastique sur ses longs cheveux tressés et une blouse transparente sur son élégant costume bleu marine.

— À quoi ça sert d'avoir une messagerie si vous ne l'écoutez jamais ? lança Eve en guise de salut.

— Nous avons eu quelques visites imprévues ce matin, suite à un accident d'aérobus. Vous n'avez pas écouté les infos ? Les corps pleuvaient littéralement du ciel.

— Combien ?

— Douze morts, six blessés. Un imbécile en Mini a foncé dans l'aérobus. Le conducteur a réussi à reprendre le contrôle de son véhicule, mais les passagers ont paniqué.

Ajoutez à cela une bagarre au couteau dans un club qui a coûté la vie aux deux participants ainsi qu'à une spectatrice, une femme découverte dans une benne de recyclage, plus les habituels trucidés, accidentés et autres brutalisés, la maison affiche archi-complet.

— J'ai un problème. Un de mes hommes, un débutant, a tiré avec son pistolet paralysant sur un fou, et le fou est mort. Aucune trace de contact direct sur la victime. L'arme a été confisquée, elle était réglée au niveau le plus faible.

— Dans ce cas, il ne l'a pas tué. La seule explication, ajouta Morris en achevant son incision, c'est que le fou en question souffrait de troubles respiratoires ou neurologiques au point que le choc électrique a entraîné son décès.

C'était exactement ce qu'elle voulait entendre.

— Mais alors, on ne peut rien reprocher à mon homme.

— D'un point de vue technique, non. Néanmoins…

— Le point de vue technique me suffit. Soyez gentil, Morris, occupez-vous de mon dossier. C'est la carrière de Trueheart qui est en jeu.

Morris leva la tête et remonta ses lunettes sur son front.

— Le petit au visage angélique, qui aurait pu faire de la publicité pour du dentifrice ?

— En personne. Il passe les tests en ce moment. Ensuite, les gars des AI vont l'interroger. Or, il y a quelque chose qui me tracasse dans cette histoire. Une petite pause lui ferait du bien.

— Je vais voir ça.

— Le corps est là-bas, indiqua-t-elle du pouce. C'est le quatrième de la rangée.

— Laissez-moi lire le rapport préliminaire.

— Je peux…

— Le rapport d'abord, coupa-t-il en se dirigeant vers l'ordinateur. Son nom ?

— Cogburn, Louis K.

Le fichier apparut à l'écran. Morris le parcourut en fredonnant une mélodie enjouée qu'Eve reconnaissait vaguement, et qui, à n'en pas douter, allait l'obséder durant les heures à venir.

— C'était un dealer. Surdose possible ayant entraîné des dommages cardiaques ou neurologiques. Saignement des oreilles, du nez, vaisseaux éclatés dans les yeux. Hmm…

Il revint vers la table où gisait le corps maigre de Louis K. Rechaussant ses lunettes, il se pencha sur lui.

— Enregistrement ! ordonna-t-il, avant de commencer à dicter les éléments préliminaires. On va l'ouvrir, annonça-t-il ensuite. Vous tiendrez le coup ?

— Oui, si c'est rapide.

— On ne doit jamais presser un génie, Dallas.

Morris s'empara d'une scie à crâne et la brancha.

Eve se demandait souvent comment on pouvait choisir un pareil métier, et surtout, comment on parvenait à l'exercer dans la joie et la bonne humeur. Enfin, ici, au moins, il faisait frais, songea-t-elle en allant inspecter le contenu du miniréfrigérateur. Elle prit un tube de Canada Dry, et rejoignit Morris.

— Pourquoi…

— Chut !

Elle grimaça, mais obtempéra. En général, lorsqu'il travaillait, Morris était plutôt bavard. Là, il œuvrait en silence, se concentrant à la fois sur le cerveau de Cogburn et les images numériques apparues sur le moniteur à ses côtés.

Eve avait beau fixer l'écran, elle ne voyait que des formes bizarres et des couleurs vives.

— Vous avez effectué une recherche sur le passé médical de ce type ?

— Oui. Rien à signaler. Il n'a subi aucune intervention et n'a vu aucun médecin depuis deux ans.

— Son cerveau a littéralement explosé, et ce n'est pas le résultat d'un tir de pistolet paralysant. Pas de tumeur visible. Pas de caillots. S'il avait succombé à une embolie, il y en aurait… Tout ce que je constate, c'est qu'il y a eu une sévère pression intracrânienne. Le cerveau est anormalement enflé.

— Était-ce le cas avant l'incident ?

— Je ne peux pas le confirmer pour l'instant. Ça va prendre un peu de temps… C'est fascinant ! On dirait un ballon de baudruche qui a éclaté. À mon avis, le tir paralysant n'y est pour rien. C'est un problème d'ordre interne.

— Donc, médical.

— Je n'affirmerai rien encore. Je dois d'abord procéder à un certain nombre d'analyses. Je vous appelle dès que j'ai du nouveau.

— Donnez-moi au moins quelque chose à me mettre sous la dent.

— Ce que je peux vous dire, c'est que le cerveau de ce type était en mauvais état, et ce, bien avant l'intervention de Trueheart. Il serait mort de toute façon dans l'heure qui suivait. Dès que j'en saurai davantage, je vous préviendrai. À présent, déguerpissez ! Laissez-moi travailler en paix.

Eve ignora les scellés sur la porte de l'appartement de Cogburn. Lorsqu'elle poussa le battant, la puanteur atroce qui l'assaillit lui fit l'effet d'un coup de poing.

— Beurk !

— Beurk ! renchérit Peabody en se pinçant le nez.

— Ouvrez la fenêtre, ordonna Eve.

— Qu'est-ce qu'on cherche ?

— L'examen préliminaire de Morris tend à indiquer que la victime avait un problème de santé. Nous allons vérifier s'il prenait des médicaments en douce. À en juger par le désordre, il était malade. C'est ce qui m'a frappée, dès le départ. C'est un minable, mais un minable ordonné, organisé. En temps normal, il prend soin de son nid. Mais ces derniers jours, il semble avoir négligé les tâches domestiques… tout en continuant son business. Vous souffrez, vous crevez de chaud, vous êtes irritable. Un voisin vous harcèle, vous craquez. Cela a un sens.

— Oui, mais au fond, peu importe de savoir pourquoi il s'en est pris à son voisin.

— C'est toujours important, contra Eve. Ralph Woodster est mort. Cogburn a payé de sa vie. Pour quelle raison ?

Elle ouvrit les tiroirs qu'elle avait déjà inspectés la veille.

— Peut-être qu'il en voulait depuis toujours à Woodster. Peut-être qu'il avait envie de sauter sa copine, ou qu'il lui devait de l'argent. Et voilà qu'au moment où il est malade comme un chien, Ralph déboule chez lui en hurlant.

Elle s'accroupit, balaya le fond de la penderie du faisceau de sa lampe-stylo.

— Toujours est-il qu'il a pété les plombs. Son cerveau était peut-être en train de frire. D'après Morris, c'était un homme mort.

— Quand bien même, Trueheart est dans le collimateur des AI, marmonna Peabody en consultant sa montre. Il a dû en finir avec les tests, il va maintenant subir un interrogatoire en règle.

— Certes, mais il se sentira mieux s'il s'avère qu'il n'est pour rien dans le décès de Cogburn. Si on arrive à le prouver, il ne sera même pas suspendu. Quoi qu'il en soit, tout ça est très étrange, ajouta-t-elle en fronçant les sourcils. Ça ne me plaît pas du tout.

— C'est quoi, cet air que vous fredonnez ?

Eve se tut, jura, et se redressa.

— Je n'en sais rien. Sacré Morris ! Il me l'a fichu dans la tête. Allons frapper aux portes.

Curieux comme la plupart des gens perdaient l'ouïe ou la capacité à aligner trois phrases cohérentes dès qu'ils étaient en présence d'un flic.

Plus de la moitié des portes auxquelles Eve frappa demeurèrent closes, et les sons en provenance de l'intérieur, soigneusement étouffés. Ceux qui daignaient lui ouvrir ne se montraient guère plus utiles, leurs réponses allant de « je sais rien » à « j'ai rien entendu ».

Au rez-de-chaussée, appartement 11F, la patience d'Eve Dallas fut enfin récompensée.

La blonde était jeune, jolie, et à moitié endormie. Elle portait un minuscule slip blanc et un débardeur à bretelles fines. Elle bâilla ostensiblement, puis cligna des yeux lorsque Dallas lui colla son insigne sous le nez.

— J'ai payé ma licence. Elle est encore valable six mois, et je viens de passer la visite médicale obligatoire. J'ai reçu l'agrément.

— C'est bon à savoir.

Pour une compagne licenciée, celle-ci paraissait encore bien fraîche. Elle n'en était sans doute qu'à sa première année d'exercice.

— Je ne suis pas là pour ça mais pour l'incident qui a eu lieu hier au quatrième.

— Ah, oui ! Ça alors, c'était quelque chose ! Je me suis cachée dans mon armoire jusqu'à ce que les cris cessent.

J'étais morte de trouille. Il paraît qu'il y a eu une grosse bagarre, avec des morts et des blessés.

— Connaissiez-vous l'une ou l'autre des victimes ?

— Plus ou moins.

— Pouvons-nous entrer, mademoiselle...

— Euh... Reenie. Reenie Pike – enfin Pikowski, mais Pike, c'est plus facile et plus sexy. Euh... oui, bien sûr, entrez. Mon coach m'a dit que je devais toujours coopérer avec la police.

Elle était la Trueheart de sa profession, songea Eve. Enthousiaste et innocente en dépit de son activité.

— C'est une excellente attitude, Reenie.

— Bon, mais excusez-moi, je n'ai pas fait le ménage. En général, je dors la journée, surtout depuis qu'il fait si chaud. Le concierge n'a pas réparé le système de climatisation. Ce n'est pas normal.

— Je pourrai peut-être lui en toucher deux mots, proposa Eve en pénétrant à l'intérieur.

— Vraiment ? Ce serait génial. Vous comprenez, je travaille dans la rue. C'est dur de ramener les clients ici, parce qu'on étouffe, mais la plupart d'entre eux rechignent à prendre une chambre d'hôtel, alors...

Le décor était spartiate, le plan des lieux, rigoureusement identique à celui de Cogburn, au quatrième. Des vêtements de couleurs vives gisaient un peu partout, plusieurs perruques étaient abandonnées pêle-mêle sur le canapé, et un véritable arsenal de produits cosmétiques trônait sur la commode.

La chaleur était intenable.

— Que pouvez-vous me dire sur Louis Cogburn ?

— Il allait droit au but. Il détestait les préliminaires.

— C'est très intéressant, Reenie, mais je ne parlais pas de ses préférences sexuelles. Cela dit, était-ce un client régulier ?

— Si on veut, murmura-t-elle en ramassant quelques habits qu'elle jeta dans l'armoire. Une fois tous les quinze jours, depuis que j'ai emménagé. Il était très poli, et il trouvait ça génial d'avoir une compagne licenciée dans l'immeuble. Il m'a proposé un échange de services, mais je lui ai répondu que je préférais qu'il me paie en espèces. Primo, j'économise pour obtenir un statut de call-girl ;

deuxio, la drogue, ce n'est pas mon truc. Oups ! lâcha-t-elle en plaquant la main sur sa bouche. Je n'aurais pas dû dire ça. Remarquez, ça n'a plus grande importance, vu qu'il est mort.

— Nous savons que Cogburn était un dealer. S'était-il déjà disputé avec d'autres voisins, avant le drame d'hier ?

— Oh, non ! Jamais. Il était vraiment très discret, très aimable.

— Vous a-t-il parlé de Ralph Wooster ou de Suzanne Cohen ? D'un éventuel problème ou de griefs envers eux ?

— Non, non. Je connais un peu Suzy. Enfin, pas tant que ça. C'est plutôt du genre : « Salut ! comment ça va ? » Il y a quelques jours, on s'est assises ensemble dehors, devant l'entrée, parce que c'était insupportable à l'intérieur. Elle est gentille. Elle m'a raconté que Ralph et elle comptaient se marier. Elle travaille à la supérette, au coin de la rue. Lui, il était gorille dans un club. Je ne sais plus lequel. Je pourrais peut-être aller la voir à l'hôpital ?

— Je suis sûre que cela lui ferait très plaisir. Avez-vous remarqué quoi que ce soit de différent chez M. Cogburn, ces derniers temps ?

— Oui… Au fait, vous voulez une boisson fraîche ? J'ai de la limonade.

— Non, merci. Mais servez-vous.

— Je boirais volontiers un verre d'eau, intervint Peabody. Si ça ne vous ennuie pas.

— Pas du tout ! C'est difficile d'être flic ?

— Parfois, répondit Eve, le regard sur les fesses rondes et fermes de Reenie, qui s'était penchée devant son réfrigérateur. Mais on y découvre… toutes les facettes de la condition humaine.

— Moi aussi, en tant que CL.

— Qu'avez-vous remarqué de différent chez M. Cogburn récemment ?

— Eh bien…

Reenie revint avec un verre d'eau pour Peabody, et sirota son soda avant de répondre.

— Tiens ! Le jour où Suzy et moi étions sur le perron. Louis K. est arrivé. Il était en piteux état, trempé de sueur, la chemise sortie du pantalon, les cheveux en bataille. Alors je lui ai dit un truc du genre : « Il fait chaud, hein ? »

Et il m'a répondu, furieux : « Ferme ta gueule, si tu sais dire que des conneries ! »

Elle eut une moue boudeuse.

— Ça m'a blessée, vous savez. Pourtant, Louis K. n'était pas méchant, et il paraissait vraiment mal en point, alors je lui ai dit : « Louis, tu as l'air vanné. Je peux t'offrir un verre ? » Sur le moment, j'ai cru qu'il allait m'insulter de nouveau, et Suzy s'est raidie. Puis tout à coup, il s'est frotté le visage et s'est excusé : il ne supportait pas la chaleur, il avait mal au crâne, et blablabla. Je lui ai proposé de lui filer des médicaments, mais il a refusé. Il préférait s'allonger en attendant que ça passe.

Elle marqua une pause, comme si elle revivait la scène.

— Et voilà, conclut-elle.

— L'avez-vous revu ensuite ?

— Non. Mais je l'ai entendu, hier matin. Il m'a réveillée à force de cogner sur la porte du concierge en le traitant de tous les noms parce qu'il n'avait pas réparé la clim. Il débitait des jurons à la file, ce qui ne lui ressemblait pas du tout, mais le concierge n'a pas bronché. Louis K. est remonté chez lui, au lieu de sortir, comme à son habitude.

— Il est retourné dans son appartement...

— Oui, et ça, c'est plutôt bizarre, parce que Louis K. était très... euh... discipliné dans son boulot. Maintenant que j'y pense, ça faisait plusieurs jours qu'il ne sortait plus... Bref, j'étais en train de m'habiller, hier, quand j'ai entendu le vacarme, au quatrième. J'ai jeté un coup d'œil dans le hall, et j'ai aperçu un flic super mignon qui se précipitait vers l'escalier. Il demandait que quelqu'un appelle les secours. J'aurais dû le faire, mais j'étais trop effrayée.

— Vous avez entendu l'officier de police réclamer des renforts ?

Reenie baissa le nez.

— Oui, je suis désolée, j'aurais dû réagir, mais je me suis dit que quelqu'un d'autre le ferait. J'avais tellement peur, vous comprenez. De toute façon, ça n'aurait pas changé grand-chose, parce que tout s'est passé si vite. Ce flic, c'est un vrai héros. Si vous le voyez un de ces jours, félicitez-le de ma part. Je m'en veux beaucoup de ne pas avoir bougé.

— Je lui transmettrai le message, promit Eve.

Plutôt que de rédiger son rapport, Eve décida de se rendre directement chez le commandant Whitney pour lui parler en tête à tête. Son assistante ne lui accorda que cinq minutes, mais Eve s'en contenta.

— Merci de m'accorder cet entretien, commandant.

— Soyez brève, Dallas.

Il continua de lire les documents affichés sur son écran, le visage impassible.

— Il s'agit de l'incident dans lequel est impliqué l'officier Trueheart, attaqua-t-elle. Selon mes informations, la victime souffrait d'un problème de santé qui serait à l'origine de son décès. Morris procède à des analyses, mais selon lui, le sujet serait mort de toute façon dans l'heure.

— Il m'en a touché deux mots, en effet. Vos collègues sont très loyaux envers vous, Dallas.

— Commandant, l'officier Trueheart a sans doute fini sa séance de tests. Les résultats ne seront communiqués que demain matin. Je souhaite que l'interrogatoire des AI soit suspendu afin de laisser à l'enquête le temps de démontrer clairement s'il est justifié ou nécessaire.

Whitney se tourna enfin vers elle, le visage fermé.

— Lieutenant, avez-vous des raisons de penser que l'intervention des AI pourrait jeter de l'ombre sur l'initiative prise par votre agent ?

— Non, commandant.

— Dans ce cas, laissez faire. Laissez faire ! insista-t-il avant qu'elle ne puisse protester. Que ce garçon se défende par lui-même. Ce sera tout bénéfice pour lui. Votre soutien est une chose. De là à le couver comme une mère poule...

— Je ne le...

Les mots moururent sur ses lèvres. Whitney avait raison.

— Puis-je vous parler en toute franchise, commandant ?

— À condition d'être rapide.

— Je me sens responsable parce que c'est moi qui ai recruté Trueheart. Il y a quelques mois, il a été gravement blessé au cours d'une de mes opérations. Il suit les ordres à la lettre, et il a du cran. Mais il est encore jeune et n'a pas le cuir tanné. Je ne veux pas qu'il prenne plus de coups qu'il n'en mérite.

— S'il n'est pas capable de le supporter, autant qu'il s'en rende compte tout de suite. Vous le savez bien, Dallas.

— Si la victime était malade avant l'incident, on pourrait passer outre la suspension de trente jours. Ce genre de sanction est toujours très déstabilisante sur le plan émotionnel et psychologique. Trueheart n'a fait que répondre à un appel au secours. Il n'a pas hésité à prendre des risques.

— Il a négligé de demander des renforts.

— En effet, commandant. Cela ne vous est-il jamais arrivé ?

Whitney haussa les sourcils.

— Si c'est le cas, je méritais une sanction.

— Je le sanctionnerai.

— Je réfléchirai à la suspension quand j'aurai toutes les données en main et que je les aurai étudiées, Lieutenant.

— Merci, commandant.

Dans son box, Halloway travaillait sur l'ordinateur de Cogburn. En râlant.

Une partie de Crusader pendant la pause déjeuner, et voilà le résultat ! On vous refilait les boulots les plus ennuyeux. Qui se souciait des données stockées sur le disque dur d'un dealer minable – et mort, qui plus est ! Que comptait faire Feeney ? Rameuter les mères des mômes que Cogburn avait abordés dans les cours de récré ?

4 heures ! soupira-t-il en avalant un comprimé pour calmer sa migraine. Quatre heures, à tripatouiller cette machine d'un autre âge, à éplucher des documents sans intérêt, tout ça parce que ce gros bonnet de Dallas était venue pleurer dans le giron de ce gros bonnet de Feeney !

Il s'adossa à son fauteuil, se frotta les yeux.

Impossible de faire sauter les verrous pour accéder à cette fichue transmission « Pureté ». Ce n'était pas Cogburn qui avait généré le message. Celui-ci venait d'ailleurs. Et alors ?

Pureté Absolue. Une marque de lait corporel pour nourrissons, probablement.

Son mal de crâne empirait à chaque seconde. Il étouffait littéralement. Cette satanée clim avait sans doute rendu l'âme, une fois de plus. Décidément, à part lui, plus personne ne faisait son boulot

Repoussant son siège, il quitta son poste en quête d'un peu d'air frais et d'un verre d'eau.

Il bouscula des collègues en chemin, ce qui lui valut quelques insultes en retour.

Devant la fontaine à eau, il but longuement tout en surveillant ses camarades du coin de l'œil.

Regardez-moi ça ! Ils grouillaient comme des fourmis autour de leur nid. C'est rendre un sacré service à l'humanité que d'en écraser quelques-uns.

McNab surgit devant lui.

— Salut, Halloway ! Ça baigne ? Il paraît que tu as écopé d'une mission merdique.

— Va te faire foutre, connard !

McNab devint écarlate, puis il remarqua le visage luisant de sueur de Halloway, son extrême pâleur, et il ravala sa colère.

— Tu as l'air épuisé. Tu devrais prendre une pause.

Halloway termina son verre d'eau.

— Fiche-moi la paix avant que je m'énerve vraiment.

— C'est quoi, ton problème ?

Jusqu'ici, Halloway et lui s'étaient plutôt bien entendus. Pourquoi une telle agressivité ?

— Si tu veux, enchaîna McNab, on peut aller régler ça à la salle de musculation.

Feeney apparut à son tour. La tension était palpable.

— McNab, ça fait dix minutes que j'attends votre rapport. Halloway, si vous avez le temps de traîner devant la fontaine à eau, je peux vous trouver du boulot. Filez !

— Plus tard, marmonna Halloway entre ses dents.

La tête en feu, il regagna son poste de travail en titubant.

4

Peabody sur ses talons, Eve fit un saut à l'hôpital pour interroger Suzanne Cohen. La jeune femme, terriblement abattue, ne cessait de pleurer.

Son témoignage n'apporta pas grand-chose de plus. Sa version de l'incident sur le perron était identique à celle de Reenie, de même que sa description de Louis K.

— C'est toujours ainsi, non ? observa Eve. Chaque fois qu'un individu provoque un bain de sang, les gens affirment qu'il était discret et réservé. J'aimerais qu'on me dise une fois, une seule, que c'était un maniaque qui bouffait des serpents vivants.

— Il y a eu ce type, l'an dernier, qui a croqué des têtes de pigeons avant de se jeter du toit de son immeuble.

— Oui, mais il n'a tué que lui-même. N'essayez pas de me remonter le moral avec des mangeurs de pigeons.

Son communicateur bipa.

— Dallas !

— J'ai pensé que vous voudriez être au courant, commença Morris. Je continue les analyses, mais jusqu'à présent, cela n'a rien donné.

— Ah, voilà qui me remonte le moral !

— Patience, Dallas. Patience.

Son regard brillait comme s'il venait de rencontrer le Seigneur en personne, nota Eve.

— Ce que nous avons, en revanche, est digne de figurer dans toutes les publications médicales du pays. Le cerveau de ce type est fascinant. On dirait qu'il a été attaqué de l'intérieur. Pourtant, il n'y a ni tumeur, ni masse suspecte, ni trace de maladie en tant que telle.

— Cependant, il est abîmé.

— C'est peu dire ! Comme si quelqu'un y avait déposé des bombes microscopiques. Bim ! Bam ! Boum ! Rappelez-vous, je l'avais comparé à un ballon trop gonflé.

— En effet.

— Imaginez un ballon dans un espace confiné – en l'occurrence, un crâne. Le ballon enfle régulièrement. L'espace reste le même. La pression augmente, augmente, augmente. Les capillaires explosent. Ping ! Ping ! Ping ! Le nez saigne, les oreilles saignent jusqu'à ce que… Pop !

— Jolie métaphore.

— Ce pauvre garçon devait souffrir de migraines épouvantables. J'ai envoyé des échantillons de tissus au labo pour une analyse approfondie, et je prends contact avec un neurologue.

— Est-ce que ça pourrait expliquer son soudain accès de violence ?

— Je ne peux le confirmer pour l'instant. Mais la souffrance a dû le pousser à bout. La douleur est un système d'alerte naturel. Aïe ! J'ai mal. Quelque chose ne va pas. Une douleur excessive cependant peut rendre fou. Un corps invasif comme une tumeur du cerveau, par exemple, peut engendrer des comportements aberrants. Or, de toute évidence, ce cerveau-là était envahi.

— Par quoi ?

— Pour l'heure, ça ressemble à une sorte de virus neurologique. De là à poser un diagnostic précis, il va me falloir un peu de temps.

— Très bien, donnez-moi ce que vous aurez quand vous pourrez.

Elle coupa la communication.

— J'ai l'impression qu'on sort du domaine strictement policier pour passer à un problème d'ordre médical. Nous découvrirons la vérité. Le sujet, souffrant d'un désordre neurologique inconnu à ce jour, agresse et tue son voisin, puis s'attaque à un autre. L'intervention de la police entraîne le décès de l'agresseur. Il faut absolument que Trueheart tienne le coup face aux AI.

— Vous allez lui faire savoir que Louis K. était déjà presque mort avant qu'il ne tire ?

— Oui, mais il faut d'abord qu'il subisse l'épreuve de l'interrogatoire. Whitney a raison. Si je prends sa défense, il risque de passer pour un faible.

— Il ne l'est pas, vous savez, fit Peabody avec un petit sourire. Il est simplement… pur.

— Oui, eh bien, sa pureté a été quelque peu souillée, et ce n'est probablement pas plus mal. Nous allons passer à la DDE, histoire de voir s'ils ont trouvé quelque chose sur l'autre « Pureté ». Je suis pressée d'en finir.

Dans son box, Halloway, ruisselant de sueur, enrageait. Il ne savait pas qu'il était en train de mourir, mais il savait, il *savait* qu'il se faisait exploiter.

Il ne se rappelait plus exactement pourquoi il avait ce vieil ordinateur sur sa table. Mais il se rappelait, oh oui ! il se rappelait la façon dont Feeney l'avait humilié.

Quant à McNab… ce salaud se moquait de lui derrière son dos. Il lui avait même ri au nez ! Pourquoi se récupérait-il toujours les missions les plus intéressantes ? Elles revenaient à Kevin, fils de Colleen Halloway. Ce serait le cas, d'ailleurs, si ce fourbe de McNab ne léchait pas les bottes de Feeney à la moindre occasion.

Ils lui liaient les mains, ils l'empêchaient d'avancer. Tous les deux, pensa-t-il en s'essuyant la figure de l'avant-bras. Ils cherchaient à le détruire.

Mais ils ne s'en sortiraient pas comme ça !

Seigneur ! Il n'avait qu'une envie : rentrer chez lui et se coucher. Se retrouver seul dans son appartement, au frais, loin du bruit, de la chaleur, de la douleur.

Sa vision se brouilla, tandis qu'il fixait les entrailles de la machine que Feeney lui avait ordonné d'examiner.

Et il vit les tripes de McNab, luisantes sous ses mains.

Régler leur différend à la salle de musculation ? Il lâcha un grognement qui ressemblait à un sanglot. Tu parles ! Qu'ils aillent au diable, tous autant qu'ils étaient. Il se leva, empoigna son arme. Dégaina.

Ils allaient régler ça ici et maintenant.

Eve s'engagea sur le tapis roulant.

— Je n'ai pas besoin de vous, Peabody.

— Lieutenant, je suis votre loyale assistante. Je me sens obligée de rester à vos côtés.

— Si vous vous imaginez que vous allez m'accompagner à la DDE dans le seul but de flirter avec McNab, vous vous fourrez le doigt dans l'œil, ma loyale assistante.

— Ça ne m'a jamais traversé l'esprit !

— Ah, vraiment ?

— D'ailleurs, je pourrai en profiter pour récolter les premiers renseignements à propos de l'ordinateur de Cogburn et vous rédiger cette partie du rapport. En ma qualité d'assistante loyale et consciencieuse.

— Beau pot-de-vin, Peabody. Je suis fière de vous.

— J'ai été à bonne école.

Elles empruntèrent la passerelle qui menait à la DDE, et se dirigèrent vers la section des inspecteurs. Et ce fut le chaos.

Cris, claquements d'armes, bruits de pas précipités. Le pistolet au poing, Eve se mit à courir.

Un flic apparut sur le seuil, tandis que d'autres surgissaient de partout.

— Il l'a abattu ! Seigneur ! Il l'a zappé ! Appelez les secours !

— Qui est à terre ?

— Je… mon Dieu ! C'est McNab.

Eve agrippa Peabody, qui s'élançait déjà en avant.

— Arrêtez ! ordonna-t-elle. Officier à terre ! Officier à terre ! aboya-t-elle dans son communicateur. DDE, salle des inspecteurs… Bon sang, qu'est-ce qui s'est passé ?

— Je n'en sais rien ! C'est Halloway… Il s'est avancé jusqu'au box de McNab. Il l'a zappé, tout le monde a commencé à courir et à crier. Quant à Halloway, il hurlait à pleins poumons et tirait en rafales. Il a pris le capitaine. Je l'ai vu prendre le capitaine.

— Restez ici ! commanda Eve. Les autres, écartez-vous ! Nous avons une prise d'otage potentielle, et au moins un blessé. Sécurisez les lieux et envoyez-moi un négociateur. Peabody, informez le commandant de la situation.

— Oui, lieutenant.

Des larmes perlèrent au coin de ses yeux.

— McNab.

— Nous allons entrer. Dégainez votre arme, fit Eve à voix basse. Si vous ne vous sentez pas de taille, dites-le. Vous ne me serez d'aucune utilité si vous ne tenez pas le coup.

— Ça va aller. Nous devons intervenir.

— Ne tirez pas, l'avertit Eve. Ne tirez pas !

Elle avança prudemment, scrutant les lieux. Les flics étaient éparpillés un peu partout, plusieurs postes de travail, explosés, fumaient encore. Elle aperçut quelques hommes serrés les uns contre les autres, sur le sol, devant le box de McNab. Le ventre noué, elle s'approcha.

— Je suis le lieutenant Dallas. Je commande jusqu'à l'arrivée de Whitney. Vous tous, éloignez-vous de cette porte, lança-t-elle aux hommes rassemblés devant le bureau de Feeney.

— Il est là-dedans avec le capitaine !

— Éloignez-vous, nom de nom ! Plus vite que ça ! Dans quel état est McNab ?

Elle le voyait, à présent, inconscient, le teint pâle. Elle ne dit rien quand Peabody s'accroupit auprès de lui pour vérifier son pouls.

— Il est vivant, annonça son assistante, un trémolo dans la voix. Le pouls est faible.

— Inspecteur Gates !

Une femme aux cheveux poivre et sel sortit du groupe.

— J'ai vu Halloway s'approcher du box. J'ai eu une impression bizarre, puis tout à coup, j'ai aperçu l'arme. J'ai crié. McNab s'est retourné, il a bondi de son siège, et Halloway a tiré alors qu'il était à terre.

— L'équipe médicale est en route. Il me faut quelqu'un pour surveiller le bureau de Feeney. Et trouvez-moi un appareil pour que je puisse communiquer avec lui. Peabody, évaluez le nombre de blessés et leur état.

Elle tenta d'établir la liaison avec le communicateur de Feeney. Les bips se succédèrent, encore et encore. Elle attendit, le cœur battant.

— Ici le putain de capitaine Halloway ! rugit ce dernier.

Son visage, presque aussi blême que celui de McNab, remplit l'écran. Le blanc de ses yeux était strié de rouge, et un mince filet de sang s'échappait de son nez.

— C'est moi qui commande ! cria-t-il.

Il recula, et Eve vit qu'il tenait son arme contre le menton de Feeney.

Un seul tir, pensa-t-elle, pétrifiée, et Feeney serait mort.

— Ici le lieutenant Dallas.

— Je sais qui vous êtes ! glapit-il. Désormais, je suis votre supérieur. Qu'est-ce que vous voulez ?

— C'est ce que vous voulez qui m'intéresse, Halloway.

— *Capitaine* Halloway !

— Capitaine.

Son regard rencontra celui de Feeney. En une fraction de seconde, ils échangèrent des dizaines de messages.

— Si vous voulez bien m'expliquer ce que vous voulez, monsieur, et ce qui vous pose problème, nous devrions tout arranger dans le calme. Vous ne voulez pas faire de mal au capitaine Feeney. Si vous lui faites du mal, je ne pourrai pas vous aider à obtenir ce que vous souhaitez.

— Il faut que vous nous parliez, fiston, intervint Feeney d'un ton posé. Dites-nous ce qui vous tracasse.

— C'est vous qui me tracassez, et je ne suis pas votre fiston. Alors, fermez-la ! *Fermez-la !*

Du bout de son arme, il poussa la tête de Feeney en arrière et coupa la transmission.

Eve n'avait qu'une envie : se ruer dans le bureau. Son instinct et son expérience lui dictèrent de n'en rien faire.

— Débrouillez-vous pour qu'on puisse voir ce qui se passe là-dedans ! Je veux tout ce qu'on a sur Halloway. S'il est marié, appelez sa femme. Contactez sa mère, son frère, son pasteur. La personne qu'il sera le plus susceptible d'écouter. Ceux qui n'ont rien à faire ici, dehors. Qui connaît bien Halloway ?

Après un bref silence, Gates prit la parole.

— On croyait tous le connaître. Tout ça n'a aucun sens, lieutenant.

— Parlez-lui, ordonna Eve, en pointant le doigt sur la machine dont elle venait de se servir. Restez calme et gentille. Demandez-lui ce qu'il veut, ce qu'on peut faire pour lui. Ne le critiquez surtout pas. Ne dites rien qui puisse le mettre en colère. Faites durer la conversation.

Elle se détourna, s'éloigna de quelques pas, et sortit son communicateur.

— Commandant.

— J'arrive, dit-il, le visage de marbre. Où en est-on ?

Elle lui fit un bref compte rendu.

— Un négociateur est en route, annonça-t-il. De quoi avez-vous besoin ?

— De tireurs d'élite. On va pouvoir observer ce qui se passe dans le bureau, mais pour l'heure, il m'est quasiment impossible de déterminer où est la cible. En général, Feeney remonte son store, mais il l'a peut-être baissé. Faire irruption dans la pièce ou les y enfermer est trop risqué.

— Je serai là dans deux minutes. Faites-le parler. Qu'on découvre ce qu'il veut.

— Oui, commandant.

Elle revint vers Gates, qui pianotait sur le clavier d'un mini-ordinateur.

Il ne m'écoute pas. Il est incohérent, il mélange tout. Il a l'air malade.

Eve opina et jeta un coup d'œil sur le communicateur.

— Ça va, capitaine Halloway ? Vous avez besoin de quelque chose ?

— J'ai besoin de respect. Je refuse qu'on m'ignore.

— Je ne vous ignore pas. Vous avez toute mon attention. Cependant, j'ai un peu de mal à me concentrer. Si vous pouviez éloigner légèrement votre arme, nous pourrions discuter.

— Pour que vous défonciez la porte ? ricana-t-il. Sûrement pas.

— Personne ne va entrer. Il n'y a aucune raison qu'on ne puisse pas régler cette affaire dans le calme. Feeney va vous promettre de rester assis et de coopérer. N'est-ce pas, Feeney ?

Ce dernier comprit le message. « Reste où tu es le plus longtemps possible. »

— Bien sûr !

— Il fait chaud, ici. Il fait trop chaud !

De sa main libre, Halloway essuya le sang qui coulait de son nez.

Eve se figa.

— Je vais demander qu'on règle la climatisation.

Hors écran, elle fit un signe à Gates.

— On va rafraîchir la pièce. Sinon, vous vous sentez bien, Halloway ?

— Non ! Non, je ne me sens pas bien. Ce salaud m'oblige à travailler jusqu'à en perdre la vue. Ma tête…

Il agrippa une poignée de cheveux et tira dessus.

— … ma tête me fait un mal de chien. Je suis malade. Il m'a rendu malade.

— On peut vous faire examiner par un médecin. M'autorisez-vous à vous en envoyer un, Halloway ? Vous semblez souffrant.

— Fichez-moi la paix.

Une larme roula sur sa joue, rouge de sang.

— Laissez-moi tranquille. Je veux réfléchir !

Il coupa la communication.

— Rapport ! ordonna Whitney, juste derrière Eve.

— Il est malade. Il présente les mêmes symptômes que Cogburn. C'est incompréhensible, commandant, mais il est en train de mourir, et il pourrait bien emporter Feeney avec lui. Nous devons absolument le sortir de là. Il faut qu'il voie un médecin.

— Lieutenant… Ah ! Commandant ! s'exclama un autre inspecteur en les rejoignant. On a branché les caméras d'observation.

D'un même mouvement, Whitney et Eve se penchèrent sur un écran. À présent, elle voyait le bureau de Feeney dans son ensemble – les stores étaient baissés. Les tireurs d'élite disposés à l'extérieur ne pourraient pas intervenir. Feeney était dans son fauteuil, les bras attachés aux accoudoirs.

Halloway allait et venait derrière lui, le visage méconnaissable, maculé de sang. Il s'arrachait les cheveux d'une main, agitait son arme de l'autre.

— C'est moi qui dirige, ici, gronda-t-il en flanquant un grand coup de pied dans le siège de Feeney. Vous, vous êtes vieux et stupide, et j'en ai jusque-là de recevoir vos ordres.

Feeney répondit d'un ton mesuré :

— Je ne savais pas que vous m'en vouliez à ce point. Qu'est-ce que je peux faire pour arranger les choses ?

— Vous voulez arranger les choses ? Vous voulez arranger les choses ?

Il cala le canon de son pistolet sous le menton de Feeney, et Eve dut se retenir pour ne pas se précipiter dans la pièce.

— On va rédiger un mémo, voilà ce qu'on va faire.

— D'accord, d'accord, murmura-t-elle en laissant échapper un soupir de soulagement. Occupez-le.

— Lieutenant, le négociateur est là.

— Mettez-le au courant, Dallas, fit Whitney. On décidera ensuite des mesures à prendre.

Elle résuma la situation au nouveau venu, puis l'installa devant le communicateur. Alors qu'elle se retournait, elle aperçut Connors sur le seuil.

— Qu'est-ce que tu fiches ici ?

— Flash infos.

Il se garda de lui avouer la terreur qu'il avait ressentie quand il avait entendu parler de tirs d'armes, d'officiers à terre et d'une prise d'otage en cours au Central. D'un coup d'œil, il embrassa la salle.

Sa femme était indemne. Feeney manquait à l'appel.

— Feeney ?

— C'est l'otage. Je n'ai pas de temps à te consacrer.

Il posa la main sur son bras avant qu'elle ne s'éloigne.

— En quoi puis-je me rendre utile ?

Elle ne se fatigua pas à lui demander comment il avait réussi à franchir les barrières de sécurité. Il n'était pas homme à se laisser arrêter par ce genre d'obstacles. Elle ne lui demanda pas non plus comment il comptait l'aider dans ce secteur infesté de flics dont le métier était de mettre un terme aux situations de crise.

Connors savait mieux que quiconque surmonter les situations de crise.

— McNab est blessé.

— Merde !

Pivotant sur lui-même, il découvrit Peabody, agenouillée sur le sol, avec l'équipe des premiers secours.

— Je ne sais pas où il en est. Je me sentirais mieux si je savais, quel que soit le verdict.

— Entendu, répliqua-t-il d'une voix blanche de fureur. Lieutenant, si c'est de l'argent qu'il exige, je mets tous les fonds nécessaires à la disposition du département.

— J'apprécie, mais ce n'est pas une histoire de fric. Occupe-toi de Peabody. Mon principal souci, pour l'instant, c'est de sortir Feeney de là vivant. Connors ! Attends !

Elle se passa la main dans les cheveux.

— Trouve le box de Halloway. Débranche l'ordinateur sur lequel il travaillait. Mais surtout, n'y touche pas, et ne t'en approche pas plus que nécessaire.

Dans le bureau de Feeney, Halloway se mit à hurler. Des lames de couteau rouillées lui lacéraient le cerveau. Il le sentait saigner.

— Vous voulez discuter avec moi ? Alors montez la clim ! C'est une vraie fournaise ici. Continuez à me laisser rôtir sur place, et je descendrai ce bon à rien. Mais ce n'est pas à toi que je parlerai, idiote ! Passe-moi Dallas. Tu as dix secondes !

Gates fit signe à Eve, qui se précipita vers elle.

— Je suis là, Halloway.

— Est-ce que je ne vous ai pas demandé de baisser la clim ? Je ne vous ai pas donné un ordre précis ?

— Si, capitaine. Je l'ai exécuté.

— Ne me mentez pas. Vous voulez que je commence par ses mains ?

Il appuya son arme sur le dos d'une des mains de Feeney.

— Je demande immédiatement qu'on monte encore la clim, fit Eve. Écoutez-moi, Halloway. Regardez Feeney. Il ne transpire pas. Vous pouvez vérifier le thermostat. Il est à dix-neuf degrés.

— N'importe quoi ! Je suis en train de frire !

— C'est parce que vous êtes malade. Vous avez une sorte de virus, une infection. Vous avez la migraine, n'est-ce pas, Halloway ? Et vous saignez du nez. C'est l'infection qui vous fait souffrir. Vous avez besoin d'assistance médicale. Laissez-nous vous aider. Ensuite, on réglera tout ça.

— Entrez donc, espèce de salope ! Venez régler ça avec moi.

— Je peux venir. Avec des médicaments.

— Allez au diable !

— Halloway, je peux aussi venir les mains vides. Vous auriez deux otages. C'est vous qui commandez. Vous savez que Feeney est un ami à moi. Je ne ferai rien pour mettre sa vie en péril. Je peux vous apporter des médicaments pour vous soulager, tout ce que vous voulez.

— Foutez-moi la paix !

Il coupa la communication.

— Ce n'est pas en lui proposant un deuxième otage qu'on va résoudre le problème, intervint le négociateur. Les sacrifices ne servent à rien.

— En temps normal, je serais d'accord avec vous, mais cet homme a toutes les cartes en main, et il refusera d'écouter les discours habituels. Primo, c'est un flic, et il connaît la routine. Deuxio, il souffre d'un désordre neurologique qui affecte son comportement, son jugement et ses actions.

— C'est moi qui suis responsable de la négociation.

— Il ne s'agit pas d'un concours, nom de Dieu ! Je ne cherche pas à vous piquer votre boulot. Je veux simplement que ces deux collègues sortent de là entiers. Commandant, je suis désolée, je n'ai pas le temps de tout vous expliquer. L'état de santé physique et mental de Halloway se détériore rapidement. Je ne sais pas à quel moment il va perdre complètement la tête. Mais soyez sûr qu'il emportera Feeney avec lui.

— Les tireurs d'élite sont en position. Ils pourront le neutraliser à l'aide d'un visuel à l'écran.

— Un seul tir, et il est mort. C'est ce qui est arrivé à Cogburn. Halloway porte toujours un insigne, commandant. Il a perdu le contrôle. Je veux lui donner une chance de s'en sortir vivant.

— Si vous entrez, on aura trois flics morts sur les bras, déclara le négociateur.

— Ou vivants, s'entêta-t-elle. Je peux le rassurer. Il souffre atrocement. Si les médecins sont là, il les réclamera. Commandant, c'est Feeney qui m'a formée. Il faut que j'y aille.

Whitney la regarda droit dans les yeux.

— Parlez-lui. Dépêchez-vous.

Elle perdit de précieux instants à discuter, mais elle n'avait pas le choix. Ce dont Halloway avait besoin, c'était non seulement d'être reconnu, mais aussi conforté dans sa supériorité.

— Il pourrait te tirer dessus au moment où tu franchiras la porte, murmura Connors pendant que les secouristes préparaient les médicaments et les seringues.

— En effet.

— Mais tu veux y aller sans gilet pare-balles et sans arme.

— C'est ce qui a été décidé. Je sais ce que je fais.

— Tu sais ce que tu as à faire. Il y a là une différence subtile et dangereuse. Eve ?…

Il posa la main sur son bras, et dut faire un effort surhumain pour ne pas l'entraîner à sa suite. Hors d'ici.

— Je sais combien tu tiens à Feeney. N'oublie pas combien je tiens à toi.

— Je ne risque pas de l'oublier.

— McNab est dans un état grave. Le pronostic des médecins est réservé, mais il a repris connaissance brièvement, juste avant qu'ils l'emmènent à l'hôpital. C'est plutôt bon signe.

— Très bien.

Elle ne pouvait pas penser à McNab maintenant.

— Trois autres personnes ont été blessées, poursuivit-il. Juste par curiosité, j'aimerais savoir comment un homme seul peut abattre quatre flics sans prendre le moindre coup.

— Bon sang, Connors ! Nous sommes à la DDE. La moitié des flics dans cette salle sont soit des fonctionnaires couverts de lauriers soit des bons à rien. Quand ils dégainent, c'est leur mini-ordinateur, pas une arme.

Le médecin s'approcha avec un sachet en plastique rempli de médicaments.

— Lieutenant, voici ce que vous m'avez demandé. La seringue avec le point rouge contient le tranquillisant. Efficace en cinq secondes. L'autre ne contient qu'un placebo. Les cachets sont des antalgiques standard, sauf celui muni d'un trait jaune. Celui-là est un autre tranquillisant. Ça devrait suffire pour le neutraliser.

— Parfait. Je reviens dans quelques minutes, promit-elle à Connors.

— J'y compte bien.

Indifférent aux regards, il l'attira contre lui et l'embrassa.

— Doux Jésus ! Plus tard, d'accord ? marmonna-t-elle, touchée malgré elle, avant de se retourner vers le communicateur. Capitaine Halloway, j'ai vos médicaments, annonça-t-elle en montrant le sachet. Antalgiques, cachets ou intra-veineuse. Le médecin me dit que la piqûre devrait lutter contre l'infection et vous soulager rapidement.

Elle leva les bras et pivota lentement sur elle-même.

— Je ne suis pas armée. Je sais que c'est vous qui commandez. Je veux simplement vous donner ce dont vous avez besoin pour résoudre le problème comme vous le souhaitez.

Une fois de plus, il essuya le sang qui coulait de son nez. Il se balançait d'avant en arrière, comme pour chasser la douleur. Ses cheveux blonds étaient hérissés, sa combinaison vert pomme, trempée de sang et de sueur.

— Entrez, Dallas, je vous en prie ! ironisa-t-il avec un sourire hideux, tout en posant le canon de son arme contre le menton de Feeney. Je vais vous montrer exactement ce dont j'ai besoin pour résoudre le problème comme je le souhaite.

Il marqua une pause, émit une sorte de sifflement, puis plaqua sa paume contre son œil.

— Ne coupez pas la transmission. Je veux vous voir approcher. Si quelqu'un vous file une arme, il est mort. Gardez les mains en l'air.

De nouveau, il se cacha l'œil.

— Aïe ! Ma tête !

— J'ai des médicaments. Ils vont vous soulager, répéta Eve en se dirigeant lentement vers le bureau de Feeney.

De part et d'autre de la porte, deux policiers de la brigade spéciale d'intervention, armés de lasers, patientaient.

— Capitaine, il faudrait m'ouvrir.

— Le premier qui bouge, je le descends.

— Je viens seule. Je ne suis pas armée. Je n'ai rien d'autre sur moi que des médicaments. C'est vous qui gérez la situation. Tout le monde le sait.

— Il était temps !

Halloway poussa le verrou.

Une seule erreur, songea Eve, et ce serait un carnage. Elle pénétra dans la pièce, les mains en l'air.

— Je suis seule, capitaine Halloway.

Elle referma la porte derrière elle.

Jetant un coup d'œil à Feeney, elle lut la colère et la frustration sur son visage. Il avait un hématome sous le menton.

— Posez le sachet sur le bureau, ordonna Halloway avant d'humecter ses lèvres craquelées. Reculez d'un pas. Les mains derrière la tête.

— Oui, capitaine.

— Pourquoi y a-t-il deux seringues ?

— Le médecin m'a dit que vous auriez peut-être besoin de deux injections pour être tout à fait soulagé.

— Venez par ici. Lentement.

Elle l'entendit souffler, tel un animal en grande souffrance.

Il avait à peine trente ans et, quelques heures auparavant, Feeney l'avait réprimandé parce qu'il combattait des extraterrestres virtuels.

La manche gauche de sa combinaison était écarlate à force d'essuyer le sang qui dégoulinait de son nez. Il empestait la sueur et la fureur.

— Combien de fois avez-vous dû coucher avec ce salaud pour être promue lieutenant ?

— Le capitaine Feeney et moi-même n'avons jamais été intimes.

— Menteuse !

Il la gifla si brusquement, et avec une force telle, qu'elle perdit l'équilibre, et tomba en arrière sur une chaise.

— Combien de fois ?

— Le nombre de fois nécessaire. Je n'ai pas compté.

Il hocha vivement la tête.

— C'est comme ça que ça marche...

— Tout le monde sait que vous avez gagné vos galons grâce à vos mérites.

— Pour ça, oui.

Il extirpa un cachet bleu du sachet.

— Comment savoir si ce n'est pas du poison ? Tenez ! ajouta-t-il en le fourrant dans la bouche de Feeney. Avalez-le ! Allez ! Avalez, sinon, je la bute.

Il visa Eve.

Elle était près d'eux, mais pas suffisamment pour voir s'il s'agissait du cachet avec le trait jaune. Elle attendit, compta les secondes. Mais le regard de Feeney demeura clair. Sa voix aussi lorsqu'il déclara :

— Halloway, nous souhaitons tous résoudre ce problème. Il faut que vous nous disiez exactement ce que vous voulez afin que tout le monde s'en sorte.

— La ferme !

Il fit glisser le canon de son arme sur la joue de Feeney d'un geste aussi nonchalant que violent. Puis il prit un autre cachet dans le sac en plastique et le mâcha comme un bonbon.

— Il y a peut-être du poison dans les seringues. Prenez-en une. Prenez-en une, répéta-t-il en engloutissant un deuxième cachet. On va faire un petit test.

— Oui, capitaine.

Eve fit semblant de trembler.

— Je suis désolée. Je suis un peu nerveuse. Voulez-vous que je vous fasse l'injection, ou préférez-vous vous en charger vous-même ?

— Allez-y ! Non ! ajouta-t-il alors qu'elle commençait à se lever. Restez où vous êtes. Piquez-vous. Si vous survivez à ça, vous aurez peut-être une petite chance.

Sans le quitter du regard, elle enfonça l'aiguille dans son bras.

— Je suis vos ordres, capitaine. Je regrette que vous ne souffriez tant. C'est difficile de réfléchir en toute lucidité, quand on a mal. Dès que les médicaments vous auront soulagé, j'espère que nous pourrons régler cette situation selon vos désirs.

— Si vous voulez passer capitaine, vous allez devoir coucher avec moi. C'est moi qui commande, maintenant. Debout ! Debout ! Donnez-moi cette fichue seringue. Ces cachets sont *nuls* !

Elle s'avança vers lui. Il saignait des oreilles, à présent. Le regard rivé au sien, elle lui tendit la seringue.

— Ce produit-là sera beaucoup plus efficace.

Elle posa le pouce sur le poussoir.

— C'est du poison ! hurla-t-il en s'écartant brusquement. C'est du poison ! J'ai la tête qui explose ! Je vais vous flinguer, tous !

Elle perçut des bruits de pas précipités derrière la porte, imagina les tireurs d'élite en train de prendre position. C'était un flic, se répéta-t-elle. Elle bondit sur lui, détourna son arme juste avant que le coup parte. Dans le feu de l'action, elle lui ficha l'aiguille dans l'épaule et actionna la pompe.

— Ne tirez pas ! Ne tirez pas ! cria-t-elle, tandis que Halloway courait autour de la pièce en gémissant et en s'arrachant les cheveux. Je l'ai désarmé !

La porte s'ouvrit à la volée. Elle s'interposa entre Halloway et les lasers.

— J'ai dit : ne tirez pas, nom de nom !

Elle pivota sur elle-même. Plus de cinq secondes s'étaient écoulées, pourtant, le tranquillisant n'avait fait aucun effet. Halloway se jetait contre les murs, secoué de sanglots. Puis son corps se mit à tressaillir, comme s'il avait été atteint par un tir de pistolet paralysant.

Une gerbe de sang jaillit de son nez. Il plongea en avant.

— Appelez un médecin ! ordonna Eve en courant s'agenouiller près de Halloway.

Elle avait trop souvent été confrontée à la mort pour ne pas la reconnaître. Elle vérifia pourtant son pouls.

— Merde !

Elle abattit le poing sur son genou, tourna la tête, rencontra le regard de Feeney.

— On l'a perdu.

5

— Il ne t'a pas loupé, commenta Eve en s'accroupissant auprès de Feeney, que le médecin était en train de soigner.

Elle fit la moue en examinant la fine balafre qui lui barrait la joue.

— Ça faisait un moment que tu n'avais rien pris dans la figure, hein ?

— Je ne prends pas autant de risques que certaines personnes. On va devoir discuter, toi et moi, Dallas. Ajouter un otage…

— J'ai l'air d'un otage ? Je ne me suis pas retrouvée attachée à mon fauteuil dans mon bureau, que je sache.

Feeney poussa un profond soupir.

— Tu as eu de la chance. Et cette sacrée chance…

— … est un bonus ajouté à un solide travail de policier. Quelqu'un m'a dit ça, un jour.

Elle lui sourit, posa une main réconfortante sur la sienne. Il la lui pressa en retour.

— Ne t'imagine pas que je me sente redevable, grommela-t-il. Pas pour un coup de pot. Et assure-toi que ton mari a bien compris que ces histoires de coucheries, c'était du blabla.

— Il doit être en train de ruminer sa jalousie, et de planifier sa vengeance, mais je tâcherai de le calmer.

Il opina. Puis son sourire s'estompa, tandis qu'il détournait le regard.

— On s'est fait prendre le pantalon baissé, Dallas. Je n'ai rien vu venir.

— C'était impossible. Impossible, répéta-t-elle, avant qu'il ne puisse protester. Il était malade, Feeney. Un virus, une infection. Je ne sais pas quoi, au juste. Morris travaille dessus. C'est exactement ce qui est arrivé au type que Trueheart a descendu. C'est dans l'ordinateur. C'est forcément dans l'ordinateur.

Dieu, qu'il était las ! Éreinté, à bout.

— Ce sont des conneries de science-fiction, Dallas. Que ça fatigue les yeux, d'accord, mais le reste…

— Tu as mis Halloway sur l'ordinateur de Cogburn. Or, à la fin de la journée, il avait les mêmes symptômes que Cogburn. C'est le cours d'introduction à la déduction, Feeney, science-fiction ou pas. Il y a quelque chose dans cette machine, et elle va rester en quarantaine jusqu'à ce qu'on obtienne des réponses.

— C'était un gentil garçon. Pas toujours très discipliné, mais gentil et efficace. Je lui ai passé un savon ce matin, mais il en avait besoin. Cet après-midi, je l'ai vu s'en prendre à McNab, et…

Feeney se frotta les tempes.

— Mon Dieu !

— Ils s'occupent de McNab. Il s'en sortira. Il est plus solide qu'il n'en a l'air, pas vrai ?

— Quatre morts, un blessé. Je veux savoir pourquoi.

— Tu n'es pas le seul.

Elle jeta un coup d'œil vers le box de Halloway, sur le vieil ordinateur démonté.

« La Pureté Absolue », songea-t-elle.

Elle retourna dans le bureau de Feeney. La dépouille de Halloway était déjà enfermée dans une housse en plastique. Le sang qui avait jailli lors de sa chute avait éclaboussé le mur beige.

Elle s'adressa au médecin qui lui avait préparé le sachet de tranquillisants.

— Qu'en pensez-vous ?

Il contempla le corps emballé d'un air pensif.

— Une sorte de rupture. Du diable si je comprends ! Je n'ai jamais rien vu de pareil, pas sans un sévère traumatisme crânien préalable, en tout cas. Le légiste pourra vous en dire davantage. Peut-être qu'il avait une tumeur au cerveau. Ou bien il a succombé à une embolie, une hémorragie interne massive. Il était sacrément jeune. À peine trente ans, je suppose.

— Vingt-huit.

Sa fiancée, en voyage d'affaires à East Washington, était en route. Ses parents et l'un de ses frères avaient pris le premier avion à Baltimore.

Connaissant Feeney, l'inspecteur Kevin Halloway serait enterré avec les honneurs dus à un policier tué en service.

Car c'était bien cela, pensa-t-elle, tandis que les brancardiers l'emportaient. Il faisait son boulot, et il en était mort.

Comment ? Pourquoi ?

— Lieutenant.

Elle se tourna vers la porte, et Whitney.

— Commandant.

— Je veux votre rapport le plus tôt possible.

— Vous l'aurez.

— Ce qui s'est passé ici… murmura-t-il, son regard errant sur le mur maculé de sang. Vous avez des réponses ?

— Plus de questions que de réponses, avoua-t-elle. Il faut que Morris procède immédiatement à l'autopsie. Je suis à peu près certaine qu'il constatera les mêmes dégâts que chez Cogburn. L'ordinateur de Cogburn est vraisemblablement l'une des pistes, mais il faut d'abord envisager des mesures de sécurité draconiennes avant de l'examiner. Ce que je peux affirmer, c'est que l'inspecteur Halloway n'est en rien responsable dans cette affaire.

— Je vais devoir en parler avec le préfet Tibble et le maire, avant de contacter les médias. Pour l'heure, je vous laisse gérer cet aspect. La version officielle sera que l'inspecteur Halloway souffrait d'une maladie encore indéterminée, cause de son comportement aberrant, puis de son décès.

— Pour autant que je sache, c'est la stricte vérité.

— Je veux qu'on fasse toute la lumière sur cette affaire. Vous vous y consacrerez en priorité. Toutes les autres enquêtes dont vous êtes chargée devront être confiées à vos collègues.

Il s'éloigna, revint sur ses pas.

— L'inspecteur McNab a repris connaissance. Son état est désormais stabilisé.

— Merci, commandant.

En quittant la DDE, Eve aperçut Connors, négligemment adossé contre le mur, en train de pianoter sur son mini-ordinateur.

Il leva les yeux, lui tendit la main.

— Tu ne pouvais pas faire plus.

— Non, concéda-t-elle. Mais n'empêche qu'il est mort. Et que c'est moi qui lui ai mis le canon sur la tempe. Je ne le savais pas, je ne pouvais pas le savoir, mais au bout du compte, c'est exactement ce que j'ai fait. Et j'ignore de quelle arme il s'agit.

Elle haussa les épaules.

— Enfin… McNab va un peu mieux, il s'est réveillé. J'avais envie de faire un saut à l'hôpital avant de rentrer à la maison.

— Tu veux l'interroger ?

— Je veux d'abord lui offrir un stupide bouquet de fleurs.

Connors s'esclaffa et faillit porter la main d'Eve à ses lèvres, mais elle la lui retira vivement.

— Ma chérie, je ne vois pas ce qui te gêne. Il n'y a rien de mal à montrer son affection en public.

— Le public, c'est une chose. Les flics, c'en est une autre.

— Comme si je ne le savais pas, murmura-t-il.

Il l'accompagna jusqu'au parking souterrain.

— Je viens avec toi. L'un d'entre nous doit être là pour nourrir ou réconforter Peabody.

— Je te laisse t'en charger, déclara Eve en se glissant derrière le volant. Tu es bien meilleur que moi au petit jeu des « là, là, tout va s'arranger ».

Il lui caressa les cheveux. Il éprouvait le besoin de la toucher.

— Elle a bien tenu le coup.

— Oui, c'est vrai.

— Ce n'est pas facile, quand quelqu'un qu'on aime est blessé ou risque de l'être.

Eve lui coula un regard noir.

— Si on cherche la facilité, mieux vaut s'accrocher à un bureaucrate plutôt qu'à un flic.

— Certes. En fait, je pensais à toi : cela a dû être terrible de voir Feeney menacé de mort pendant près d'une heure.

— Il était parfaitement calme. Il sait gérer…

Une bouffée de frayeur rétroactive la submergea. À la sortie du parking, elle freina, posa le front sur le volant.

— D'accord. D'accord, j'ai eu très peur. Seigneur ! Il savait où pointer son arme. Un mouvement brusque, et c'en était fini. Feeney serait tombé, et je n'aurais rien pu faire.

— Je sais.

Connors passa le véhicule en mode automatique, programma l'adresse de l'hôpital, puis se pencha pour masser la nuque d'Eve, tandis que la voiture se faufilait dans le flot de la circulation.

— Je sais, mon amour.

— On s'est regardés, on savait tous les deux. Il suffisait d'une fraction de seconde, et tout était fichu. On n'aurait même pas eu le temps d'échanger deux mots.

Elle se cala contre l'appuie-tête et ferma les yeux.

— J'ai insisté pour qu'il fasse examiner cet ordinateur en priorité. Je sais, je *sais* que ce qui est arrivé, ou aurait pu arriver, n'est pas ma faute. Mais ça ne change rien. Feeney a des bleus partout. Combien de fois a-t-il vu défiler sa vie en accéléré ? Combien de fois a-t-il pensé qu'il ne reverrait jamais sa femme, ses enfants, ses petits-enfants ?

— Quand on fait ce métier, on en accepte les risques. Je connais quelqu'un qui n'a de cesse de me le rappeler.

Elle ouvrit les yeux et le dévisagea.

— Tu dois être très tenté de remettre cette personne à sa place.

— Oh oui ! Mais chaque fois, murmura-t-il en lui effleurant la joue, quelqu'un me devance.

Elle lui sourit.

— Quand je ne reçois pas une claque deux fois par mois, je me sens mal. Ne t'inquiète pas, je vais bien.

— Je sais.

Lorsqu'ils pénétrèrent dans le hall de l'hôpital, elle s'était ressaisie. Au point qu'elle était prête à mordre quand une douzaine de journalistes qui campaient déjà sur place fondirent sur elle.

— Il paraît que vous avez participé avec le négociateur à la libération du capitaine Ryan Feeney ?

— Sans commentaire.

— Selon une source policière, l'inspecteur Kevin Halloway aurait tiré sur plusieurs de ses collègues, pris le capitaine Feeney en otage au sein même de la Division de Détection Électronique, puis aurait été tué.

Elle les bouscula pour passer, renversant une caméra au passage.

— Sans commentaire ! glapit-elle.

— Avez-vous abattu l'inspecteur Halloway en tentant d'obtenir la libération du capitaine Feeney ?

Eve pivota sur elle-même, les yeux luisants de colère.

— Le commandant Whitney, ainsi que le préfet et le maire donneront une conférence de presse d'ici une heure. Je ne suis ici que pour rendre visite à un ami blessé.

— Pourquoi a-t-il fait ça ? hurla quelqu'un, alors qu'elle se frayait un chemin jusqu'aux ascenseurs. Quel genre de flics employez-vous donc, là-bas ?

— Le genre de flics qui se sont engagés à protéger et à servir, même les vautours de votre espèce. Nom de Dieu ! grommela-t-elle en entrant dans la cabine.

Elle flanqua un grand coup de poing dans le mur. À ses côtés, une vieille dame à demi cachée par un bouquet de fleurs se ratatina sur elle-même.

— Je ne vais tout de même pas me laisser bouffer par ces imbéciles !... Zut ! J'ai oublié l'étage.

— Douzième, répondit Connors. Et vous, madame ? ajouta-t-il avec un sourire charmeur à l'adresse de la vieille dame.

Celle-ci avait aperçu le pistolet d'Eve sous sa veste.

— Peu importe, murmura-t-elle.

— Ne vous inquiétez pas, la rassura Connors. Elle est de la police. Quel magnifique bouquet !

— Oui, euh... ma petite-fille vient d'avoir un bébé. Un garçon.

— Félicitations ! Vous allez donc à la maternité, j'imagine. Alors, c'est au sixième... J'espère que la mère et l'enfant vont bien.

— Très bien, merci. C'est mon premier arrière-petit-enfant. Ils l'ont appelé Luke Andrew.

Les portes s'ouvrirent au sixième, et elle glissa un regard prudent à Eve. Portant ses fleurs comme un bouclier, elle sortit.

— Quoi ? J'ai l'air de quelqu'un capable de piétiner les vieilles dames juste pour m'amuser ?

Connors inclina la tête de côté.

— À vrai dire...

— Tiens ta langue.

— Ce n'est pas ce que tu me disais hier soir.

Malgré elle, Eve se mit à rire, et gagna la chambre de McNab d'un pas plus léger. Mais son visage s'assombrit dès qu'elle vit Peabody, assise à son chevet, et McNab dans le lit.

Il paraissait si jeune, les yeux clos, le teint blême sur les draps blancs. On lui avait enlevé tous ses bijoux. Sans ses boucles d'oreilles, il semblait nu, vulnérable.

Que ses épaules étaient maigres ! nota Eve avec un sursaut d'inquiétude. Ses longs cheveux blonds déployés sur l'oreiller paraissaient presque trop brillants.

Eve détestait les hôpitaux. Ils faisaient de vous une pauvre chose, impuissante et seule, sur un matelas trop étroit, à la merci de dizaines d'appareils qui mesuraient le moindre souffle.

— On ne peut pas le sortir de là ? s'entendit-elle demander. On ne peut pas...

— Je m'en occupe, lui chuchota Connors à l'oreille.

Bien sûr, il arrangerait tout, pendant qu'elle restait là, figée sur le seuil de la pièce. Agacée contre elle-même, elle s'avança.

— Peabody.

Celle-ci redressa vivement la tête. Eve se rendit compte qu'elle avait pleuré. Sa main glissa sur le drap pour couvrir celle de McNab.

— Il est dans les vapes. Le médecin prétend qu'il va bien. Il a pris un sacré coup, mais... Merci de m'avoir laissé l'accompagner.

— J'ai entendu dire qu'il s'était réveillé.

— Oui, il...

Les mots moururent sur ses lèvres, et Peabody prit une profonde inspiration.

— Il va et il vient. Son discours était vague, mais cohérent. Ils n'ont détecté aucun traumatisme crânien. C'est surtout le cœur qui a souffert et, si j'ai bien compris, ce qui les préoccupe, c'est que les battements demeurent irréguliers. De plus, il a tout le côté gauche paralysé. D'après eux, ça ne devrait pas durer, mais pour l'instant, il ne peut bouger ni la jambe ni le bras.

— Vais avoir... drôle de démarche.

La voix était pâteuse. Tous trois fixèrent McNab. Il n'avait pas ouvert les yeux, mais les coins de sa bouche étaient légèrement remontés, dans une tentative de sourire qui bouleversa Eve.

— Vous êtes avec nous, McNab ?

— Ouais.

Il essaya d'avaler.

— Oui, lieutenant, présent à l'appel. Peabody ?

— Je suis ici.

— Si je pouvais boire un peu d'eau. Ou une bière...

— De l'eau, trancha Peabody, qui porta aussitôt un gobelet à ses lèvres.

Il sirota deux gorgées à la paille, puis détourna la tête.

— Je ne sens pas l'odeur des fleurs. Quand un type se retrouve à l'hôpital, les gens sont censés lui apporter des fleurs.

Eve vint se poster d'un côté du lit.

— C'était mon intention, mais j'ai dû bousculer quelques reporters en chemin.

Cette fois, il ouvrit les yeux.

— Vous avez réussi à sauver le capitaine ? Je ne me souviens pas...

— Il passera vous voir dès qu'il en aura terminé avec la paperasse. Il va bien.

— Halloway ?

— Il n'a pas survécu.

— Seigneur ! souffla McNab en refermant les yeux. Que s'est-il passé ?

— Dites-le-moi.

— Je... C'est très embrouillé.

— Prenez le temps de vous retaper. Nous en reparlerons plus tard.

— Vous me fichez déjà la paix ? Je dois être en piteux état. Peabody, si je casse ma pipe, je te lègue toute ma collection de vidéos.

— Ce n'est pas drôle.

— D'accord, d'accord, tu pourras prendre toutes les boucles d'oreilles, aussi. Mais ma cousine Sheila risque d'être furieuse. Est-ce que quelqu'un pourrait m'aider à m'asseoir ?

— Le médecin a dit que tu devais te reposer.

Cependant, Peabody était déjà en train d'incliner le lit en position assise.

— Si je casse ma pipe...

— Tu vas te taire, oui ?

Il parvint à sourire.

— Si tu me collais un pain ?

— D'accord, murmura-t-elle avant de déposer un baiser sur sa bouche.

Jetant un coup d'œil de côté, elle constata qu'Eve fixait ostensiblement le plafond.

— Désolée, grommela-t-elle. J'essaie seulement de faire plaisir au mourant.

— Pas de problème.

Connors, qui avait disparu quelques minutes, reparut et s'approcha du lit.

— C'est fou le nombre de jolies femmes qui travaillent à cet étage, Ian, lança-t-il. Vous ne vous en êtes pas encore rendu compte, j'imagine.

— Je n'ai pas perdu la vue.

— Dans ce cas, vous allez sans doute rechigner à changer de lieu. Summerset, bien que très efficace, est nettement moins attirant.

— Pardon ? Hein ?

— Le lieutenant a pensé que vous seriez mieux ailleurs. Nous avons une chambre pour vous à la maison, mais nous manquons de personnel féminin.

— Vous m'emmèneriez... chez vous ?

Ses joues se colorèrent légèrement.

— Le médecin veut vous examiner d'abord, mais nous devrions pouvoir vous transporter d'ici une heure ou deux. Si cela vous convient.

— Je ne sais pas quoi dire. C'est génial. Lieutenant...

— Oui, oui, éluda Eve, en se balançant d'un pied sur l'autre. Vous vous réjouirez sans doute beaucoup moins quand vous serez entre les mains de Summerset. Bon, j'ai des trucs à faire, ajouta-t-elle en se détournant.

— Il semblait malade, lâcha McNab.

Eve s'arrêta net.

— Halloway ?

— Oui. Je rentrais d'une mission sur le terrain, et il se tenait près de la fontaine à eau. Il s'est énervé. Il était méchant, agressif. Ça ne lui ressemblait pas. Il était parfois pénible, un peu prétentieux, mais dans l'ensemble, on s'entendait bien.

Il soupira, paupières closes.

— Je n'y comprends rien. Il s'est attaqué à moi comme s'il voulait en découdre. Ce n'était pas tant ses paroles – vous savez ce que c'est, en général, on s'envoie des vannes. Mais là…

— C'était différent, acheva Eve.

— Oui. C'est son ton qui m'a surpris, et la façon dont il me regardait. Il m'a tellement agacé que je lui ai proposé d'aller régler ça en salle de musculation. C'est là que le capitaine est intervenu. Halloway n'était vraiment pas dans son assiette. Il ruisselait de sueur, il avait les yeux rouges, exorbités. À force de lire les écrans, on fatigue, mais pas à ce point. Je suis retourné à mon box, lui au sien. Et j'ai oublié l'incident.

— Vous lui avez parlé, ensuite ? Vous l'avez vu discuter ou se disputer avec quelqu'un d'autre ?

— Non. J'avais un rapport à terminer, et des recherches à faire pour deux autres missions que j'avais repoussées parce qu'elles promettaient d'être mortellement ennuyeuses. Je suis allé me chercher un café, j'ai plaisanté avec Gates. Ensuite, j'ai été coincé par une communication avec une femme convaincue que son ordinateur était possédé par des extraterrestres. Des plaintes de ce genre, on en a sans arrêt. Je venais de couper la transmission, quand j'ai entendu quelqu'un hurler. À la DDE, ça crie tout le temps, mais là, j'ai tout de suite compris que c'était grave. Je me suis retourné pour voir ce qui se passait.

Il se tut, tandis que le moniteur bipait à toute allure. Les battements de son cœur s'accéléraient. Il n'en pouvait plus.

— Très bien, déclara Eve. Ça suffit pour aujourd'hui.

— Non. Non, maintenant, je me rappelle la scène. Il est venu vers moi. Je n'ai pas percuté tout de suite. Après tout, pourquoi Halloway se jetterait-il sur moi, l'arme au poing ? Ça ne rimait à rien. Son visage… Il… il était comme fou, et il tirait déjà dans tous les sens. Un collègue a hurlé. J'ai voulu me lever. Je n'avais pas mon pistolet : je ne le porte jamais quand je travaille. J'imagine que mon intention était de plonger derrière un meuble pour me protéger. Et vlan ! J'ai reçu deux éléphants en pleine poitrine, et je suis tombé dans les pommes. Il en a atteint combien ?

— Il y a eu trois autres blessés, mais ils ont pu repartir. Vous êtes le plus sérieusement touché.

— C'est bien ma veine. Halloway n'était pas un mauvais bougre. On se chamaillait de temps en temps, mais ça n'avait rien de dramatique. On se respectait. Il aimait son boulot, et il était amoureux d'une petite. Parfois, il râlait après Feeney. Il le trouvait vieux jeu, mais tout le monde râle après des supérieurs. Je ne comprends pas quelle mouche l'a piqué. C'est vraiment bizarre.

— Vraiment bizarre, renchérit Eve.

— J'aimerais participer à l'enquête.

Eve n'en était pas étonnée. À sa place, elle aurait réagi de même.

— Il y aura une réunion chez moi, demain matin à 9 heures. En attendant, vous avez intérêt à vous retaper.

— Oui, lieutenant. Merci.

— On va devoir remplir l'autochef de bouillie d'avoine et autres nourritures gastronomiques pour invalides. À plus tard !

— Excellente, l'idée de la bouillie d'avoine, commenta Connors, tandis que tous deux remontaient le couloir.

— Je trouve aussi.

Il paraissait enchanté.

— Lieutenant Dallas !

Pivotant sur elle-même, Eve vit Peabody se ruer vers eux. Elle eut un mouvement de recul lorsque son assistante l'étreignit avec fougue.

— Merci ! Merci !

Embarrassée, Eve lui tapota maladroitement le dos.

— De rien.

— Son cœur a cessé de battre. Pendant le transfert. Ils ont été obligés de le ranimer. Ça n'a duré que quelques secondes, mais je me suis dit : « Qu'est-ce que je vais devenir ? Qu'est-ce que je vais devenir ? » Il est vraiment insupportable.

Sur ce, Peabody fondit en larmes.

— Mon Dieu ! Euh... Connors, fit Eve en regardant son mari d'un air suppliant.

— Allons, allons, intervint-il en entraînant doucement Peabody vers une petite salle d'attente, à l'écart.

Il la força à s'asseoir et lui essuya les joues avec un mouchoir.

Eve les rejoignit en traînant des pieds. Elle s'installa à côté de Peabody et lui frotta la cuisse.

— S'il apprend que vous pleurez sur son sort, il ne se sentira plus. Il est déjà assez difficile à vivre comme ça.

— Je sais. Désolée. Ce doit être tout ce qu'il vient de nous raconter. Ça m'a embrouillé l'esprit.

— C'est une véritable épidémie, en ce moment.

Peabody laissa échapper un petit rire tremblant et posa la tête sur l'épaule de Connors.

— Vous êtes formidables, tous les deux. Sérieusement. C'est super de l'accueillir chez vous le temps qu'il se remette.

— Oui, bon, soupira Eve. Il risque de se montrer terriblement exigeant. Et je vous préviens, je n'ai pas l'intention de jouer les infirmières. Vous allez devoir vous y coller.

Les lèvres de Peabody frémirent. Un sanglot la secoua.

— Ah, non ! Ne recommencez pas ! C'est un ordre.

— Oui, lieutenant... Je vais me passer la tête sous l'eau froide avant de retourner à son chevet. Je m'arrangerai pour qu'il ne vous ennuie pas, Dallas, je vous le promets.

— J'y compte bien.

Eve resta assise un moment après le départ de Peabody.

— Toi, épargne-moi tes commentaires sur mon cœur d'artichaut ! prévint-elle.

— Ça ne me viendrait même pas à l'esprit, se défendit Connors. Lieutenant Sentimental.

Elle lui décocha un coup d'œil furieux, mais se leva calmement.

— Allons-nous-en d'ici.

Elle le laissa conduire, parce qu'elle avait besoin de réfléchir. L'électronique n'était pas son fort. Elle menait même une guerre perpétuelle contre la technologie et, jusqu'ici, elle avait perdu pratiquement toutes les batailles.

Feeney était capitaine de la DDE parce que c'était un bon flic, et parce que cet univers le passionnait. Elle savait aussi qu'elle pourrait s'appuyer sur McNab, à condition qu'il récupère physiquement. Il apportait une contribution fraîche et innovante dans ce domaine.

De plus, après les événements de la journée, elle savait que toute l'équipe de la DDE, flics, administrateurs et droïdes, se montrerait coopérative.

Mais elle disposait d'un atout supplémentaire, assis à ses côtés.

Elle avait beau être sa femme, et les affaires, son passe-temps favori. Bon, d'accord, rectifia-t-elle en réprimant un sourire, deuxième passe-temps favori. Mais l'électronique était sa maîtresse bien-aimée.

— Il faut absolument analyser l'ordinateur de Cogburn, commença-t-elle. Il faut le démonter et examiner chaque pièce, chaque circuit, chaque carte. Et nous devons agir vite pour éviter que la personne chargée de cette mission ne se transforme tout à coup en tueur fou. Tu as une idée ?

— J'en ai quelques-unes. Je pourrais prendre le temps de les affiner si j'étais officiellement rattaché à l'enquête. En tant que consultant expert, civil.

— J'y songerai quand tu me les auras exposées.

— Je te les exposerai, quand tu y auras songé.

Elle émit un vague grognement, puis tenta de joindre Morris sur son communicateur.

L'examen préliminaire du corps de Halloway révélait la même pression intercrânienne que chez Cogburn. Inexplicable.

Les premiers tests effectués sur les tissus du cerveau de Cogburn indiquaient la présence d'une infection virale non identifiée.

Eve fronça les sourcils tandis que le véhicule franchissait le portail de la propriété.

— Les ordinateurs peuvent-ils être infectés par des virus ?

— Pas des virus biologiques, répondit Connors. Un ordinateur malade peut contaminer d'autres machines, mais pas son opérateur.

— Pourtant, c'est ce qui s'est passé.

Elle en avait l'absolue certitude.

— Une programmation subliminale destinée à manipuler le cerveau ? suggéra-t-elle. On a déjà connu ça.

— En effet. Comme je te l'ai dit, j'ai quelques idées, conclut-il en garant la voiture dans le garage.

Eve émergea dans ce qu'elle considérait comme l'entrepôt de Connors. Elle ne comprendrait jamais comment un seul homme pouvait avoir besoin de vingt automobiles, trois motos-jet, un minicoptère et deux tout-terrain. Sans compter tout ce qu'il possédait ailleurs.

— Je vais demander au commandant de t'accorder un statut de consultant civil. Temporaire.

— J'aimerais vraiment qu'on me donne un insigne, cette fois-ci.

Il lui attrapa la main.

— Allons nous promener.

— Hein ?

— Allons-nous promener. La soirée est belle, et c'est probablement la dernière dont nous pourrons profiter en tête à tête avant un bon moment. J'ai envie de prendre l'air avec vous, lieutenant.

Il se pencha et l'embrassa.

— Ou peut-être que j'ai tout simplement envie de toi.

6

Ça ne l'ennuyait pas de marcher, bien qu'un rythme plus soutenu lui eût davantage stimulé le cerveau.

Or, ils se promenaient tranquillement, si bien qu'à deux reprises, elle ralentit le pas pour rester à la hauteur de Connors.

Au fond, elle admirait cette capacité qu'il avait à réduire les gaz. Il savait passer de l'action et du stress à la détente, sans effort visible. Un talent qu'elle n'avait jamais appris à maîtriser.

L'air était lourd et humide. Un véritable hammam. Cependant, la lumière blanche, aveuglante de l'après-midi avait cédé la place aux lueurs dorées du crépuscule, si douces qu'on avait presque envie de les caresser.

Même la chaleur était plus supportable, dans ce paradis. Elle se laissait aspirer par les pelouses, les arbres et les fleurs, au lieu de rebondir sur l'asphalte pour vous fouetter le visage.

Pourtant, derrière la façade apparemment sereine de son mari, Eve sentait comme un malaise, une tension.

— Que se passe-t-il ?

— L'été ne dure jamais longtemps, répondit-il en la guidant vers un sentier qu'elle n'était pas certaine d'avoir déjà emprunté. Autant en profiter. Les jardins sont magnifiques. Surtout à cette heure-ci.

Sans doute, mais ils l'étaient toujours, lui semblait-il, quelle que soit la saison. L'hiver soulignait les formes et les textures. À présent, tout n'était que couleurs et parfums. Spectaculaire ici, avec ces plantes exotiques couronnées de corolles aux couleurs vives ; charmant, là, avec ces entrelacs de buissons et ces plates-bandes à l'anglaise. Un foisonnement proche de la perfection sans qu'on n'ait jamais l'impression que la main humaine était intervenue.

— Qui s'occupe de tout ça ? demanda-t-elle soudain.

— Une armée d'elfes, évidemment, s'esclaffa-t-il en l'entraînant sous une tonnelle couverte de rosiers grimpants.

— Importées d'Irlande ?

— Naturellement.

— Il fait frais, ici.

Elle leva les yeux. Les derniers rayons de soleil s'immisçaient à travers la voûte fleurie. Elle fronça le nez.

— Ça sent...

Les roses, forcément, mais ce n'était pas si simple.

— Ça sent le romantisme.

Elle se tourna vers lui en souriant, mais il ne lui rendit pas son sourire.

— Quoi ? fit-elle en jetant instinctivement un coup d'œil par-dessus son épaule, comme si une menace les guettait. Un serpent, par exemple... Qu'y a-t-il ?

Comment lui expliquer ce qu'il éprouvait à la voir là, dans ce décor splendide, à la fois émerveillée et troublée par tant de beauté ? Grande, mince, ses cheveux blonds en désordre, portant son arme comme d'autres arboreraient un rang de perles. Avec aisance et fierté.

— Eve...

Secouant la tête, il s'avança vers elle, posa son front contre le sien, et laissa courir ses mains le long de ses bras.

Comment lui expliquer ce qu'il avait ressenti en la regardant pénétrer dans ce bureau, désarmée, pour affronter un fou furieux ? Conscient qu'il risquait de la perdre.

Il savait qu'elle avait affronté la mort un nombre incalculable de fois. Lui aussi. Tous deux avaient du sang sur les mains.

Au cours de ses cauchemars, d'une violence inouïe, il l'avait réconfortée. Il l'avait accompagnée à travers les drames de son passé.

Aujourd'hui, c'était différent. Elle avait agi avec pour seules armes son courage et sa présence d'esprit. De n'avoir d'autre choix que de rester à l'écart et d'attendre, d'accepter qu'elle ne faisait que son devoir, avait fait naître en lui une peur sans nom.

Il savait qu'il valait mieux, pour l'un comme pour l'autre, ne pas le lui dire.

De toute façon, Eve comprenait. Il y avait en lui des zones d'ombre qu'elle ne comprenait pas, en revanche, au fil du temps, elle avait appris à comprendre l'amour. Ce fut elle qui lui offrit ses lèvres.

Il aurait voulu être tendre. La tendresse lui semblait s'accorder avec les roses, sa gratitude de l'avoir là, auprès de lui, indemne. Mais un flot d'émotions tumultueuses le submergea. Il fourra le poing sous son chemisier comme s'il lançait un hameçon dans la mer en furie. La tempête l'emporta.

Eve crut qu'il allait déchiqueter son chemisier.

Mais ses doigts se déployèrent dans son dos, le lui caressèrent en un geste possessif, puis il lui encadra le visage de ses deux mains.

L'orage assombrissait ses yeux d'ordinaire si bleus. Le souffle coupé, Eve sentit son pouls s'accélérer en réponse.

— J'ai besoin de toi, souffla-t-il en enfouissant les doigts presque brutalement dans ses cheveux Tu n'imagines pas à quel point… Parfois je ne le veux pas. Je ne veux pas de cette fureur en moi. Mais je n'y peux rien.

Il réclama sa bouche en un baiser féroce, avide, désespéré.

Eve s'abandonna sans la moindre hésitation. Parce qu'il se trompait, pour une fois. Elle connaissait ce besoin, et la frustration qu'on ressentait de ne pouvoir le contrôler.

La même guerre faisait rage en elle.

Il lui ôta son holster, le jeta de côté. Eve se lova contre lui en gémissant tandis qu'il lui mordillait le creux de la gorge.

Au loin, un oiseau gazouillait gaiement. Le parfum des roses les enveloppait. L'air, si frais un instant plus tôt, était redevenu moite.

Il lui arracha son chemisier, et ses mains aux longs doigts habiles l'explorèrent fébrilement. Elle fondait littéralement sous ses caresses. Mais lorsqu'elle voulut le déshabiller à son tour, il l'empoigna, lui cala les bras derrière le dos.

— Je veux te prendre, murmura-t-il d'une voix rauque. À ma façon.

— Je veux...

— Tu auras ce que tu veux, mais plus tard. Moi d'abord, ajouta-t-il en détachant l'agrafe de son pantalon.

Il la voulait nue.

Il se pencha sur elle, goûta ses lèvres.

— Enlève tes boots.

— Lâche-moi.

Il plongea la main dans son pantalon tout en resserrant son étreinte.

— Les boots.

Eve protesta, mais elle s'exécuta, étourdie de désir.

Elle était brûlante, tremblante.

Il voulait la toucher, toucher chaque centimètre carré de sa peau. Quand il s'agenouilla devant elle, elle craqua.

Désormais, elle était à lui. Dans ce jardin, dans ce paradis. Elle lui appartenait corps et âme.

Tout tournoyait autour d'elle. Les baisers fiévreux de Connors la grisaient. Exquis supplice... Son plaisir s'amplifiait, bouillonnait dans son sang, envahissait sa chair. C'était bon, c'était insupportable.

Mais Connors ne s'arrêtait plus.

— Je ne peux pas. Je ne peux pas.

— Moi, je peux.

Elle tremblait de la tête aux pieds. Il l'allongea sur le sol, lui cloua les bras au-dessus de la tête pour l'immobiliser.

— Tu te rappelles la première fois ? Tu me disais que tu ne pouvais pas, mais tu l'as fait.

— Viens en moi, supplia-t-elle en creusant les reins.

— Bientôt... J'aime te regarder quand tu t'abandonnes ainsi.

Elle s'arqua vers lui, frémissante, le souffle court, le cœur prêt à exploser.

Connors s'écarta, se déshabilla.

Eve l'attendit, nue dans l'herbe, vaincue. Elle ne portait que sa chaîne, où pendaient un diamant en forme de larme et une médaille toute simple de Saint-Jude. C'était Connors qui lui avait offert ces symboles. Le fait qu'elle ne les quitte plus le bouleversait.

Il se mit à califourchon sur elle, laissa courir ses mains sur sa poitrine, sa gorge, son visage.

— Eve.

Elle se perdit dans son regard si incroyablement intense.

— Je te veux en moi. C'est ce que tu souhaites entendre ?

Il plongea en elle, lui arrachant un petit cri.

— Plus fort, supplia-t-elle. *Plus fort…*

Connors tressaillit, puis perdit pied d'un coup.

— Avec moi, murmura-t-il en emmêlant ses doigts aux siens. Jouis avec moi !

Ses oreilles bourdonnaient encore, lorsqu'il bascula sur le dos, l'entraînant avec lui.

La tempête s'était calmée. Il lui caressa le dos avec une infinie douceur.

— Quelle promenade !

Il esquissa un sourire.

— Oui. Un peu d'air frais, ça fait toujours du bien.

— C'est sûr, railla-t-elle. Je comprends mieux pourquoi les gens se précipitent à la campagne dès qu'ils ont besoin de se reposer et de se détendre.

— Je me sens très reposé et très détendu.

Elle redressa la tête, le dévisagea.

— Ah oui ?

Il savait ce qu'elle lui demandait. Il savait qu'elle comprendrait.

— Oui. Je suppose qu'on ferait mieux de rentrer. Ils ne vont pas tarder à nous amener McNab, et Summerset n'est pas au courant.

— Je te laisse le soin de l'en informer.

— Espèce de lâche !

— J'assume !… Bon sang, où est passé mon chemisier ? Tu l'as mangé ?

— Pas que je sache, fit-il en lançant un coup d'œil autour de lui. Tiens ! Là ! Accroché au rosier.

— Ah, les nombreux usages d'un jardin, commenta-t-elle. Stimulation visuelle et olfactive, lit d'amour et penderie, tout en un !

Connors se releva en riant.

Dès qu'ils furent à l'intérieur, Eve fonça droit vers l'escalier. Elle avait du travail, se dit-elle. Ce n'était pas qu'elle cherchait à éviter la conversation que Connors s'apprêtait à avoir avec Summerset. Enfin pas seulement.

Pour commencer, elle allait prendre contact avec le commandant. La réticence qu'elle avait affichée vis-à-vis de l'éventuelle participation de Connors à l'enquête n'était qu'une feinte. Elle avait déjà prévu de l'intégrer dans son équipe, officiellement.

De là à lui fournir l'occasion de s'en vanter...

— L'autorisation est déjà accordée, lui annonça Whitney. Feeney en a fait la demande. J'apprends que l'inspecteur McNab a pu quitter l'hôpital et doit séjourner chez vous.

— En effet.

— J'ai parlé avec ses parents. Ils ne vont sans doute pas tarder à vous joindre.

— Ah...

Elle réfléchit aussitôt au meilleur moyen de refiler le bébé à Summerset.

— Il est jeune et en bonne forme. D'après moi, il sera sur pied d'ici un jour ou deux. Je travaillerai essentiellement depuis chez moi, commandant. À moins que Feeney n'y voie un inconvénient, j'aimerais que l'on transfère l'ordinateur de Cogburn ici.

— C'est à vous d'en décider. Nous avons une réunion demain avec le préfet Tibble, le maire Peachtree et Chang, l'attaché de presse. 14 heures, à *La Tour*. Votre présence est indispensable.

— Bien, commandant.

— Apportez-moi des réponses, lieutenant.

Lorsqu'il coupa la communication, elle s'assit à son bureau. Elle n'avait peut-être pas encore les réponses, mais elle avait une foule de questions.

Elle prit quelques notes, vérifia les précédentes, tria le tout, en rédigea de nouvelles.

Cogburn, Louis K. – dealer dans les cours de récréation. Possibilité de remonter à la source de l'achat de l'ordinateur ? Analyser les données afin de savoir combien de temps il l'utilisait – par semaine, combien d'heures par jour.

Explosion de violence soudaine manifestée sous la forme d'un usage primaire de la force physique. Aucun témoignage indiquant des accès préalables.

Symptômes physiques apparus plusieurs jours avant l'incident, selon les témoins.

Rapport du médecin légiste : pression intercrânienne anormale, gonflement important, tissus abîmés. Phase terminale. Symptômes physiques : migraine, saignements du nez et des oreilles, transpiration abondante.

Halloway, inspecteur Kevin. Employé par la DDE, affecté à l'examen de l'ordinateur de Cogburn. Vérifier pendant combien d'heures il a travaillé dessus.

Accès brutal de violence manifesté envers ses collègues. Principales cibles, McNab et Feeney. Respectivement collègue et supérieur direct.

Méthodes en accord avec la personnalité des sujets ? Consulter Mira.

Absence de tendance à la violence avant les faits.

Rapport du médecin légiste : résultats des examens préliminaires, identiques à ceux de Cogburn. Symptômes, idem.

Arme du crime = ordinateur.

Car il s'agissait bel et bien d'un crime. La technologie en était l'instrument. Mais le motif ?

— Dallas ?

— Hein ?

Elle leva les yeux, repoussa ses cheveux en arrière, et fixa Feeney d'un air éberlué.

— Je croyais que tu étais rentré, s'étonna-t-elle.

— J'ai accompagné McNab.

Il paraissait épuisé.

— Retourne chez toi, Feeney. Repose-toi.

— Tu peux parler ! riposta-t-il en désignant sa pile de notes. Je voulais simplement m'assurer que McNab était bien installé. C'est gentil à toi de l'accueillir. Il a l'air plutôt enjoué.

Feeney se laissa tomber dans un fauteuil.

— Merde, Dallas ! Merde ! Il est à moitié paralysé !

— C'est temporaire. Tu sais que ça peut arriver.

— Je sais aussi que ça peut être permanent, grommela-t-il. Il n'a que vingt-six ans ! Tu le savais ?

L'estomac d'Eve se noua.

— Non.

— Ses parents sont en Écosse. Ils y passent presque tous les étés. Ils allaient prendre le premier avion, mais McNab les en a dissuadés. Je pense qu'il préfère éviter qu'ils ne le voient dans cet état. Au fond, il craint de ne pas guérir complètement.

— Ce n'est pas en imaginant le pire qu'on va l'aider.

— Je sais. Je revois sans arrêt Halloway, son expression quand il est tombé. J'ai dû avertir sa famille aussi, ajouta Feeney avec un soupir. Je ne savais pas quoi leur dire. Et ces reporters à la noix, et mes hommes – mes enfants.

— Feeney. Tu viens de subir une épreuve épouvantable. C'est différent quand ça arrive sur le terrain. Tu devrais consulter le psy du département.

Il lui lança un regard noir, et elle grimaça.

— Bon, d'accord, venant de moi, ça paraît bizarre. Mais nom de nom, tu as été pris en otage, tu as été menacé avec ton arme personnelle, par un de tes subordonnés. Tu l'as vu mourir. Il y a de quoi être perturbé ! Vraiment, tu devrais en discuter avec un psy... ou Mira. À ta place, j'irais voir Mira. Elle saura faire preuve de discrétion.

— Je n'ai pas envie de répandre mes tripes, grogna-t-il, furieux. Juste de me remettre au boulot.

— Entendu, concéda-t-elle. Ce n'est pas ce qui va manquer. Si ça ne t'ennuie pas, j'aime autant m'y atteler ici. Première étape : trouver une sorte de protection ou de filtre pour cet ordinateur. Personne n'y touche tant que ce n'est pas fait.

— Comment veux-tu qu'on conçoive la bonne protection si on ne sait pas ce qu'on est censé bloquer ?

— C'est un problème. Mais je compte sur toi et l'expert consultant, civil, que tu as déjà engagé, pour y parvenir.

Il faillit sourire.

— Je pensais bien que ça risquait de te mettre en rogne. Mais tu sais aussi bien que moi qu'il est le meilleur.

— Alors mets-le au boulot, et trouvez-moi une solution.

Elle contourna son bureau et alla s'accroupir devant lui.

— Rentre chez toi, Feeney. Bois une bière, bavarde avec ta femme. C'est une femme de flic, mais elle ne sera pas rassurée tant qu'elle ne t'aura pas vu. Et réciproquement. J'ai besoin de toi. Avec toute ta tête.

— Les mômes d'aujourd'hui s'imaginent qu'ils savent tout sur tout, murmura-t-il après un bref silence.

Il lui prit la main, la serra brièvement. Puis il se leva et sortit.

Eve demeura immobile quelques instants, puis regagna son bureau.

Elle demanda le fichier de Cogburn et celui de Halloway. Elle recherchait d'éventuelles connexions entre les deux, quand son communicateur bipa.

— Dallas.

Le visage de Baxter remplit l'écran, mais derrière lui, elle devina les mouvements sur une scène de crime.

— J'ai quelque chose à vous montrer.

— Je suis sur un dossier prioritaire, Baxter. Je ne prends aucune autre affaire. Débrouillez-vous.

— Ceci va vous intéresser. Vic est un homme de cinquante-trois ans. Au premier coup d'œil, on croirait que quelqu'un l'a agressé. Après un rapide examen, on constate qu'il a tout fait lui-même. Y compris se trancher la gorge.

— Je n'ai pas le temps de...

— Abondant saignement *post mortem*. Du nez et des oreilles. Et regardez-moi ça !

Il se retourna. Eve eut un aperçu d'une vaste pièce, totalement dévastée. Puis elle remarqua l'ordinateur sur le sol, l'écran allumé, face au plafond.

OBJECTIF PURETÉ ABSOLUE ATTEINT

— Que personne ne touche à cette machine ! J'arrive.

Elle s'élança vers la porte, lâcha un juron, revint à sa table prendre un mémo.

— Écoute, on vient de m'appeler, dit-elle dans le micro tandis qu'elle traversait le bureau de Connors. Je rentrerai... quand je pourrai. Désolée.

Elle jeta le document sur sa console et fila.

Chadwick Fitzburgh avait vécu – plutôt bien, d'ailleurs – dans un duplex du Lower East Side. Profession : unique héritier, mâle et célibataire, de la famille Fitzburgh. Ce qui signifiait qu'il fréquentait les milieux mondains, portait le smoking avec élégance, jouait au polo et savait, en cas de nécessité, discuter actions en bourse.

Toutes les affaires familiales tournaient autour de l'argent, sous toutes ses formes. Et les Fitzburgh en avaient beaucoup.

Ses hobbies ? Les voyages, la mode, le casino, et les jeunes garçons.

Baxter lui énuméra ces données de base, pendant qu'Eve examinait le corps ensanglanté du défunt Chadwick Fitzburgh.

— On est tombé sur son nom en effectuant une recherche de routine. Pédophile connu. Il traînait dans les clubs et surfait sur le Net. Il avait une préférence pour les adolescents de quatorze à seize ans. Il commençait par leur offrir une boisson alcoolisée, du Zoner, ce qu'ils voulaient, puis les attirait ici en leur promettant monts et merveilles. Ensuite, il sortait ses joujoux. Il avait un faible pour les menottes. Il les prenait, qu'ils soient consentants ou non. À en juger par le nombre de vidéos, il devait les filmer. Ça se terminait par une poignée de billets, une tape sur la tête, et l'interdiction formelle de parler, sous prétexte qu'ils auraient plus de problèmes que lui.

Baxter contempla le cadavre.

— La plupart d'entre eux le croyaient.

— S'il figure dans nos fichiers, cela signifie que l'un au moins a parlé.

— Oui. Il a été dénoncé quatre fois au cours des deux dernières années.

Baxter sortit un paquet de chewing-gums de sa poche, lui en offrit un.

— Du moins, à New York, enchaîna-t-il, tandis qu'Eve se servait. Il a été condamné. L'argent de la famille et l'intervention de cracks du barreau lui ont permis de s'en tirer chaque fois. Ce type était une ordure. Sans lui, le monde ne s'en portera que mieux.

Eve grommela vaguement tout en chaussant des minilunettes de protection pour observer de plus près la blessure à la gorge. Une plaie béante.

— Il n'y a pas trace d'hésitation, observa-t-elle.

— Quand il faut y aller, il faut y aller.

D'un doigt enduit de Seal-It, elle tourna la tête de Fitzburgh. Son oreille était pleine de sang coagulé.

— Il surfait sur le Net ?

— Ça figure dans une des dépositions. En tout cas, c'est par ce biais qu'il a rencontré l'un des plaignants. Il recherchait des garçons en quête d'identité sexuelle. Sa salle de jeux est là-haut. La pièce est entièrement décorée de cuir noir. Menottes, fouets, bâillons et autres objets de torture plus ou moins mécaniques. Matériel vidéo de première classe.

Baxter rangea son carnet.

— Au début, on a pensé qu'il était avec un môme, et que celui-ci avait été pris d'un coup de folie. Tout est saccagé, et il conservait un véritable arsenal de produits illicites. Mais d'après les disques de sécurité, personne n'est venu ou sorti depuis trois jours. Pas même le mort.

— Qui vous a alerté ?

— Sa sœur. Elle habite à Saint-Thomas. Les îles, vous devez connaître, maintenant. Eau turquoise, sable blanc, femmes nues. J'échangerais volontiers cette chaleur contre quelques jours là-bas.

Il poussa un soupir las, puis s'accroupit aux côtés d'Eve en prenant soin de ne pas tremper ses manches dans le sang.

— Bref, notre ami devait s'y rendre aujourd'hui. N'ayant pas de nouvelles, la sœur s'est inquiétée, elle a tenté de le joindre. Il lui a répondu en hurlant et en l'insultant. Il saignait du nez. Elle s'est dit qu'il était blessé, qu'il avait été agressé. Elle a appelé les secours.

— J'aurais besoin de lui parler, d'obtenir une déposition officielle.

Eve se tourna vers Baxter.

— Je vais devoir récupérer cette affaire, ajouta-t-elle.

— Je m'en doutais. Tout le monde est au courant de ce qui s'est arrivé à la DDE.

Il parcourut la pièce du regard, fronça les sourcils en s'arrêtant sur l'ordinateur.

— Qu'est-ce qui se passe, bordel ?

— Je réunis une équipe pour le découvrir, répliqua-t-elle en se redressant. Vous voulez être des nôtres ?

— Un peu, oui.

— C'est réglé. Il me faut des copies des disques de sécurité, le fichier de Fitzburgh, les coordonnées de sa sœur.

Nous interrogerons les voisins, la famille, les éventuels associés. Il s'agit de déterminer quand il a été... infecté.

Elle se gratta le front.

— Il faudra aussi visionner sa collection de films.

— Chic, alors ! ironisa Baxter. Mon passe-temps préféré : regarder un porc abuser de petits garçons.

— Peut-être que l'un d'entre eux est un as de l'informatique. Faites transporter cet ordinateur chez moi.

— On s'installe chez vous ? fit-il, visiblement enchanté. Génial !

— Que personne n'y touche ! Éteignez-le, et ne le rallumez que sur mes ordres. Même chose pour tous les appareils électroniques que vous trouverez dans cet appartement. On va fouiller les lieux de fond en comble. Expédiez le corps chez Morris, faites-le passer en priorité.

— Compris. Au fait, où est votre ombre ?

— Mon ombre ?

— L'inestimable Peabody. Elle est radieuse, ces temps-ci.

— Baxter, vous seriez séduit par un nœud dans un tronc d'arbre.

— Seulement après une longue et dure journée. Comment se fait-il qu'elle ne soit pas avec vous ?

— Elle est à... elle est juste... Elle est avec McNab.

Le visage de Baxter s'assombrit.

— Comment va-t-il ?

— Pas trop mal. Il est réveillé, conscient, positif. Il...

Elle fourra les mains dans ses poches.

— Il a du mal à bouger du côté droit.

— Comment ça ?

Mais Baxter avait déjà deviné.

— Et merde ! Quelle saloperie ! C'est temporaire, non ? Ça ne va pas durer ?

— C'est ce qu'affirment les médecins.

Ils demeurèrent un instant silencieux.

— Allez, au boulot ! ordonna Eve brusquement.

7

En rentrant chez elle, elle trouva Connors dans son bureau. Avisant une tasse de café près de la console, elle s'en empara et en avala le contenu d'un trait.

— Un mort, annonça-t-elle. Pédophile. Il s'est tranché la gorge. Avant ça, il a pété un plomb et a complètement saccagé son appartement. Morris va m'annoncer une pression intra-crânienne anormale. Le message Pureté était affiché sur son ordinateur.

— Il n'y en avait qu'un ?

— Je n'en sais encore rien. Je fais transférer ses appareils ici. Il faut absolument que je sache comment ils ont été infectés. Comment cela peut-il provoquer l'explosion d'un cerveau humain ?

— Et pourquoi ? suggéra-t-il.

— Pureté, murmura-t-elle en s'asseyant. Nettoyer la saleté, créer la pureté absolue. Le monde sera meilleur sans eux, ajouta-t-elle, répétant le commentaire de Baxter.

— Un groupe de justiciers dotés d'un savoir technologique supérieur, acquiesça Connors. Halloway n'est qu'un soldat tombé au combat. Les deux autres victimes s'en prenaient aux enfants.

— Oui, c'étaient des ordures de la pire espèce.

— Ils sont désormais de ton ressort.

— En effet. Je vais devoir rechercher les victimes connues de mes victimes. Des jeunes doués en informatique. Ou des membres de leur famille. Il se pourrait qu'on tombe sur quelqu'un dont le gamin a été approché à la fois par Cogburn et par Fitzburgh.

— Chadwick Fitzburgh ?

Connors ramassa sa tasse, grogna en constatant qu'elle était vide, puis se dirigea vers l'autochef.

— Saloperie de saloperie…

— Hé, ce n'est pas parce que j'ai bu ton café que ça te donne le droit de m'insulter !

— Fitzburgh. Un vrai salaud. Il y a longtemps qu'on aurait dû lui trancher la gorge.

— Si je comprends bien, tu le connaissais.

— Suffisamment pour le trouver répugnant sur tous les plans.

Son ton, son expression étaient très différents de ceux de Baxter, un peu plus tôt. Nettement plus menaçants.

— Sa famille est fortunée, enchaîna Connors. Le dessus du panier. Des gens trop bien pour traiter des affaires avec un minus comme moi. Cela leur est pourtant arrivé, ajouta-t-il en lui faisant face. Jusqu'à ce que le scandale éclate. Alors, c'est moi qui n'ai plus voulu traiter avec eux. J'ai beau sortir des caniveaux de Dublin, j'ai des principes.

— Refuser de négocier avec lui est une chose, et je t'en félicite. Le tuer en est une autre.

— Il s'est tranché la gorge lui-même, non ? Il aurait mieux fait de commencer par se couper les couilles. Mais la vie n'est pas toujours poétique.

Un grand froid envahit Eve.

— Personne n'a le droit de juger, d'enfiler la cagoule du bourreau, sans suivre les procédures.

— Par moments, lieutenant, je t'en veux de respecter autant la loi. Tiens, prends mon café. Je vais boire un verre à la santé de Fitzburgh.

Il fonça vers le bar.

— Si tel est ton point de vue, tu ne pourras pas m'aider dans cette affaire.

— C'est mon point de vue, confirma-t-il en sélectionnant une bouteille de vin millésimé. Mais ça ne signifie pas que je ne peux pas t'aider. Ne me demande pas de pleurer sa mort, c'est tout. Je ne te demanderai pas de t'en réjouir.

Ce n'était pas la première fois qu'ils se retrouvaient dans des camps opposés, songea-t-elle. Mais cette fois, le terrain était très glissant.

— Quoi qu'il ait fait, quelqu'un l'a assassiné. C'est la loi qui désigne le coupable et choisit la sanction.

— N'es-tu pas en train de me juger, en ce moment même ? rétorqua-t-il.

— Je n'en sais rien, avoua-t-elle, le ventre noué. Ce que je sais, en revanche, c'est que je n'ai pas envie que ceci devienne une affaire personnelle entre nous.

— Nous sommes d'accord, dit-il d'un ton vif. Je ferai mon possible pour t'aider à découvrir le coupable. Je m'en tiendrai là.

— Tu penses que le tuer c'était bien ?

— Je pense qu'il vaut mieux qu'il soit mort. Nuance.

— Je dois rédiger mon rapport pour la réunion de demain.

Ils en resteraient donc là, songea Connors. Pour l'heure.

— Tu devrais demander à Peabody de te donner un coup de main, suggéra-t-il. Ça lui changerait les idées.

— Comment va McNab ?

— Il a eu l'air déçu quand Summerset lui a servi un repas léger plutôt que le steak-frites dont il rêvait. Il a le moral, mais il est un peu tendu. La paralysie n'a pas évolué.

— Cela peut mettre jusqu'à vingt-quatre heures. En général, on recouvre l'usage de ses membres au bout de trois heures, mais… Merde !

— S'il le faut, nous ferons appel à un spécialiste. Il existe une clinique, en Suisse, où ils obtiennent d'excellents résultats dans ce domaine.

Elle opina. Voilà un homme qui était convaincu que le meurtre, dans certaines circonstances, pouvait être une solution. Ou, du moins, que le résultat valait bien un toast. Mais il était capable aussi – et il le ferait – de mettre son temps et son argent à la disposition d'un ami.

— Je vais voir Peabody.

Il était près de 2 heures du matin quand elle envoya Peabody se coucher. La porte entre son bureau et celui de Connors était à présent fermée. Le rai de lumière qui filtrait au-dessous indiquait qu'il s'y trouvait encore.

Il travaillait. Sans doute s'avançait-il pour le lendemain. Afin d'avoir plus de temps à lui consacrer.

Elle fit quelques allers et retours devant la porte. Elle regrettait de ne pas pouvoir confronter ses idées avec quelqu'un d'autre.

Elle frappa un coup sec, et entra.

— Désolée, je voulais juste te dire que je vais me coucher. La réunion est à 9 heures.

— Mmm... murmura-t-il en continuant de lire les données sur son écran. Contre-proposition, quatre point six millions, USD. Ferme. Conditions : dix pour cent à l'accord verbal, quarante à la signature, le solde à la remise des clés.

Il jeta un coup d'œil sur sa montre.

— ... Midi demain, heure locale, sans quoi la négociation est terminée. Transmettre.

Il se tourna vers Eve, la gratifia d'un sourire.

— Je suis à toi tout de suite.

— Qu'est-ce que tu achètes ?

— Oh ! Juste une petite villa en Toscane avec un vignoble mal géré.

— Ça fait beaucoup d'argent pour une petite villa et un vignoble mal géré.

— Ne t'inquiète pas, mon amour. Il restera de quoi t'offrir de nouveaux rideaux pour la cuisine.

— Ce n'est pas la peine que je m'intéresse à tes activités si chaque fois tu te moques de moi.

Le sourire de Connors s'élargit.

— Tu as parfaitement raison. C'est inadmissible. Tu veux étudier le devis de restauration ? Je peux aussi te proposer le rapport financier du...

— Va te faire voir !

— Euh... un peu plus tard, d'accord ? Je voudrais en finir avec ça. Si tout se passe bien, je pense qu'on aura aussi de quoi changer le canapé du salon.

— Je vais me coucher avant d'avoir les côtes brisées à force de rire. 9 heures précises, camarade.

Elle pivota sur ses talons, puis retint un juron tandis que son communicateur bipait.

— Quoi, encore ? grommela-t-elle en fonçant au pas de charge jusqu'à l'appareil.

— Dallas ? aboya-t-elle. Qu'y a-t-il ?

— C'est toujours un plaisir de voir votre visage enjoué, Dallas ! roucoula Nadine Furst, de Channel 75, en battant des cils.

— Je n'ai aucun commentaire à faire, Nadine. Aucun. Fichez-moi la paix.

— Attendez ! Ne coupez pas ! Premièrement laissez-moi vous dire à quel point je suis blessée que vous n'ayez pas remarqué mon absence, aujourd'hui. Je suis de retour en ville depuis à peine vingt minutes.

— Et vous m'appelez à 2 heures du matin pour me prévenir que vous êtes bien rentrée ?

— Deuxièmement, enchaîna Nadine posément, en triant mon courrier et les messages accumulés depuis mon départ, je suis tombée sur ceci.

Elle brandit un disque.

— Le contenu est très, très chaud, et je pense qu'il vous intéressera.

— Si vous recevez des films pornos, c'est à la Brigade des mœurs qu'il faut vous adresser.

— Cela vient d'un groupe qui s'appelle les Chercheurs de Pureté.

— Ne touchez pas à votre ordinateur, ordonna Eve. Débranchez-le immédiatement. Ne vous en approchez pas. J'arrive.

— Écoutez...

Mais Eve avait déjà raccroché et se ruait vers la porte.

— Je t'emmène, décréta Connors en lui emboîtant le pas. Ne discute pas. Je réussirai peut-être à dénicher un indice sur le disque ou sur sa machine.

— Je n'avais pas l'intention de discuter. J'allais juste te suggérer de prendre ton véhicule le plus rapide.

Ils atteignirent le domicile de Nadine en moins de huit minutes.

— Donnez le disque à Connors, commanda Eve en franchissant le seuil. Je vous emmène au centre médical le plus proche.

— Une petite minute ! protesta Nadine en repoussant Eve quand celle-ci fit mine de la saisir par le bras. Le disque n'est pas infecté. Ils l'ont bien précisé. Lâchez-moi ! Ils veulent qu'on parle d'eux dans les médias. Ils veulent que la population connaisse leur dessein.

Eve s'écarta, chassa de son esprit l'image cauchemardesque de son amie en train de mourir, le cerveau en bouillie.

— Ils veulent que vous diffusiez l'enregistrement ?

— Il n'y a que du texte. Ils veulent que je fasse un reportage. C'est mon métier, après tout, ajouta-t-elle en se frottant le bras là où Eve l'avait empoignée. Je devrais vous remercier de vouloir sauver ma peau, mais là, je vais avoir un sacré bleu.

— Vous survivrez. Il me faut le disque.

Nadine arqua ses sourcils impeccablement épilés. Son joli minois affichait une expression aussi déterminée que celle de Dallas. Elle était plus petite qu'Eve, plus ronde, sans doute plus douce. Mais lorsqu'elle avait un projet d'émission en tête, rien ne l'arrêtait.

— Vous ne l'aurez pas.

— Je mène une enquête pour homicide.

— Et moi, je suis journaliste. La liberté de l'information, Dallas, vous en avez peut-être entendu parler ? Ce disque m'a été envoyé personnellement.

— J'obtiendrai un mandat pour vous le confisquer. Si vous continuez à faire obstruction à la justice en retenant des pièces à conviction, je vous boucle.

Nadine dut se hisser sur la pointe des pieds pour que son regard soit à la hauteur de celui d'Eve.

— Je ne fais obstruction à rien du tout, et vous le savez très bien. J'aurais pu passer directement à l'antenne, sans vous avertir, alors du calme !

— Mesdames ! Mesdames ! intervint Connors en s'interposant entre elles. Respirez à fond. Les arguments avancés par les deux parties sont valables. Commençons donc par visionner le disque.

— Rien ne garantit qu'il ne soit pas infecté, s'entêta Eve. On devrait faire ça dans un lieu sécurisé.

— Ne dites pas de bêtises ! rétorqua Nadine en secouant sa crinière blonde. Ils n'ont rien contre moi. Ils veulent seulement ce que je peux leur donner : une ouverture sur le public. Si vous aviez lu le texte, vous comprendriez, Dallas. Ils en sont au tout début.

— Très bien, jetons-y un coup d'œil. Et si nous nous mettons tous à saigner des oreilles, eh bien, la plaisanterie se sera retournée contre nous.

Nadine les précéda à travers le salon jusqu'à un vaste coin bureau au décor sobre. Elle s'assit devant son ordinateur.

— Afficher le disque.

— Je vous avais demandé de débrancher votre machine.

— Lisez, nom de nom !

Chère mademoiselle Furst,

Nous sommes le groupe Les Chercheurs de Pureté, et nous prenons contact avec vous parce que nous croyons que vous avez du respect pour le bien-être public. Nous tenons à ce que vous sachiez combien nous admirons votre dévouement. Nous ne vous voulons aucun mal. Ce disque est vierge de tout virus. Il ne vous arrivera rien, nous vous en donnons notre parole.

Nous ne cherchons que la pureté de la justice. Une justice qui n'est pas, ne peut pas toujours être respectée par une législation trop souvent obligée d'ignorer la victime, pour aider le criminel. Nos forces de police, nos tribunaux, même notre gouvernement ont les pieds et les poings liés par la corde glissante de lois compliquées, conçues pour protéger ceux qui s'en prennent aux innocents.

Nous avons fait vœu de servir les innocents.

Certains trouveront nos méthodes critiquables. D'autres les trouveront effrayantes. Aucune guerre ne peut ni ne doit être menée sans faire naître la peur et le désarroi.

Mais la plupart les estimeront justes, d'autant qu'elles conduiront à la victoire tous ceux qui se sentent perdus au sein d'un système qui renie le bien commun.

Quand vous recevrez ce message, la première exécution aura eu lieu. Louis K. Cogburn était un danger public, un homme qui n'hésitait pas à corrompre nos enfants. Il les chassait jusque dans les cours de récréation et les parcs de notre ville pour leur proposer des produits illicites.

Il a été accusé, jugé et condamné.

Il a été exécuté.

En ce qui concerne Louis K. Cogburn, l'objectif Pureté Absolue a été atteint.

Il a été infecté grâce à une technologie imaginée et développée par nos soins.

Vous, les innocents, serez épargnés. Nous ne sommes pas des terroristes, mais des gardiens qui ont choisi de servir leurs voisins, quel qu'en soit le coût.

D'autres ont été accusés, jugés et condamnés. Nous conti-
nuerons à traquer tous ceux qui abusent des innocents,
jusqu'à ce que la Pureté Absolue règne sur New York.

Nous vous demandons de transmettre ce message à la
population, et de lui assurer que nous travaillons dans le
seul but de préserver les victimes que la loi ne peut protéger.

Nous espérons que vous accepterez de faire le lien entre
les médias et nous.

Les Chercheurs de Pureté

— Impressionnant, non ? commenta Eve. Ils ne prennent
pas la peine de mentionner Ralph Wooster, qui s'est fait
défoncer le crâne, ni Suzanne Cohen, qui a été battue. Ils
ne parlent ni du flic mort ni de celui qui risque de rester
paralysé à vie. Ils n'évoquent que la pureté de leurs objec-
tifs. Que comptez-vous faire ?

— Mon boulot, répliqua Nadine.

— Vous allez diffuser ce tissu de sottises ?

— Oui. C'est une information, et mon boulot, c'est de la
communiquer.

— Vos taux d'audience vont grimper en flèche.

— Je ne relèverai pas cette remarque, fit Nadine après
un bref silence. Parce que vous avez un mort parmi les
vôtres, et un autre – que je considère comme un ami – qui
est blessé. Vous êtes ici en ce moment, à lire ce texte avant
qu'il ne passe à l'antenne, parce que je vous respecte, parce
que vous aussi je vous considère comme une amie, et
parce qu'il m'arrive de croire que la justice ne connaît pas
de raccourcis. Si vous vous élevez contre ma décision, alors,
je me serai trompée sur votre compte.

Eve se détourna et flanqua un coup de pied dans un petit
canapé. Nadine grimaça.

— Vous êtes la seule journaliste que je puisse supporter,
sur le plan professionnel, plus de dix minutes d'affilée.

— Je suis très touchée.

— Quant à notre amitié, c'est une autre affaire. Concen-
trons-nous sur le plus urgent pour l'instant. Vous exercez
votre métier avec talent, et vous êtes honnête.

— Merci. Je vous renvoie la pareille.

— Cela ne signifie pas pour autant que l'idée de vous
entendre divulguer ces salades me fait bondir de joie. Des

gardiens, tu parles ! On ne peut pas mettre une auréole sur la tête d'un meurtrier.

— Excellent ! Je peux vous citer ?

Une lueur de colère dansa dans les prunelles d'Eve.

— Ceci reste entre vous et moi.

— Entre vous et moi, promit Nadine calmement. Mais vous allez souhaiter vous exprimer de manière officielle très vite. J'aurai besoin de vous interviewer, ainsi que Whitney, Tibble, Feeney et McNab. J'aimerais rencontrer l'entourage de Halloway. Sa famille, ses amis, ses collègues. Je veux aussi une déclaration du maire.

— Vous voulez aussi que je vous emballe le tout dans du papier cadeau, Nadine ?

Celle-ci crispa les poings sur ses hanches.

— C'est mon domaine, et j'en connais les règles. Si vous voulez un reportage équilibré et si vous espérez en tirer un quelconque bénéfice, je dois pouvoir m'entretenir avec les principaux protagonistes.

— Eve, murmura Connors en posant la main sur son épaule. Elle a raison. La majorité des téléspectateurs sera fascinée par ce groupe. Les gens vont considérer Cogburn et Fitzburgh...

— Fitzburgh ? interrompit Nadine. C'est à Chadwick Fitzburgh que vous faites allusion ? Il est mort ?

— Taisez-vous, grommela Eve. Laissez-moi réfléchir.

— Et moi, laisse-moi finir, dit Connors. Ils vont découvrir qui sont les personnes que les membres du groupe ont exécutées, et ils vont penser : au fond, ils l'ont bien mérité ; ce n'étaient que des prédateurs à l'affût de nos enfants.

— Comme toi, rétorqua-t-elle malgré elle.

Impassible, il inclina la tête de côté.

— Si tu espères que je vais pleurer la disparition d'un fumier comme Fitzburgh, tu risques d'être déçue. La nuance, c'est que j'ai vu un jeune flic claquer aujourd'hui. J'ai vu ce qui est arrivé à Ian, ce qui aurait pu arriver à Feeney. Et à toi. Du coup, les affirmations pompeuses, égocentriques et puériles de ce groupe apparaissent sous un jour différent. Mais certaines personnes vont les considérer comme des héros.

— L'héroïsme ne se gagne pas par télécommande.

— Si vous continuez à me débiter ce genre de répliques officieusement, se plaignit Nadine, je vais fondre en larmes.

— Alors présentez-les comme des lâches, répliqua Connors. Montrez au public le désarroi de la famille de Halloway : leur fils est une victime innocente. Un flic mort en service par leur faute. Montrez-leur McNab, jeune, enthousiaste, cloué dans un lit. Servez-vous des médias aussi complètement, aussi habilement qu'ils le feront.

— Il faut que je les retrouve et que je les arrête, intervint Eve. Je n'ai pas le temps de jouer à Qui veut faire de l'Audimat !

— Lieutenant, tu dois faire les deux.

— J'ai besoin de ce disque.

Nadine l'éjecta et le lui tendit.

— Voici l'original. J'en ai déjà fait une copie.

Elle sourit, tandis qu'Eve le lui arrachait des doigts.

— C'est un tel plaisir de travailler avec vous, ajouta-t-elle.

— Je ne vous dirai rien officiellement tant que je n'aurai pas discuté de tout ça avec Whitney.

— Allez-y, appelez-le. En attendant, que diriez-vous d'un petit café ?

— Je vous donne un coup de main, proposa Connors qui la suivit hors de la pièce.

Eve prit quelques instants pour se calmer. Nadine avait raison. Elle n'avait pas le choix : elle était obligée d'en passer par les médias.

Elle utilisa le communicateur de Nadine pour réveiller le commandant.

— Ça n'en finit pas, constata Nadine en remplissant sa deuxième tasse de café.

— De toute façon, vous n'auriez pas pris l'antenne à cette heure-ci. Vous allez attendre 6 heures, afin de vous assurer un taux d'écoute maximum, de couper l'herbe sous le pied de tous vos concurrents et de bouleverser leur premier journal.

— Vous êtes perspicace.

— J'ai une certaine expérience en matière de manipulation.

— Je lui accorde encore dix minutes. Ensuite, il faut que je joigne la chaîne, que je bloque un studio, et que j'appelle un expert en électronique. Vous n'accepteriez pas, par hasard, de...

— Non. Eve ne me le pardonnerait jamais. En revanche, je peux vous soumettre quelques noms, si vous n'avez personne.

— Je pensais à Mya Dubber.

— Elle s'y connaît, et elle a le don d'expliquer le jargon technique en termes simples.

— Elle travaille pour vous, n'est-ce pas ?

— En free-lance, oui.

Incapable de rester plus longtemps assise, Nadine se leva et arpenta la pièce.

— Ça commence à m'énerver ! J'ai des recherches à effectuer, un papier à rédiger, des entretiens à organiser. Cette affaire va faire la une. À qui le tour ? Ce sera l'une des grandes questions. Et la population continuera de suivre les informations jusqu'à ce qu'on lui fournisse une réponse.

— Mon flic va s'acharner à la trouver afin qu'il n'y ait plus aucune victime.

— Et elle mérite tout notre respect. C'est d'ailleurs pour ça qu'elle passe si bien dans les médias. En tout cas, je vous remercie de me soutenir.

— Je ne l'ai pas fait pour vous, mais pour Eve.

— Je sais. Merci quand même... Alors ? ajouta-t-elle en entendant cette dernière arriver.

— Vous aurez droit à une interview avec moi et à une autre avec Whitney dans les plus brefs délais. Le maire va rédiger une déclaration écrite, qui sera peut-être lue par son adjoint. Ce n'est pas encore décidé. Nous n'allons pas ennuyer la famille de Halloway avec tout ça maintenant. Ils sont déjà assez bouleversés. Si, demain matin, ils acceptent de vous parler, nous organiserons une rencontre. Il en va de même pour Feeney. Il a eu une dure journée, je ne veux pas le réveiller à cette heure-ci. Vous pourrez interroger McNab chez nous, à condition que les médecins donnent leur accord. Je vous préviendrai dès que possible. Tibble fera lui aussi une déclaration écrite et répondra éventuellement à vos questions, une fois qu'il aura toutes les données en main. Profitez-en, Nadine, car vous n'aurez pas mieux.

— Prenez un café. J'ai un appel à passer, et il faut que je me change. Je vous vois au studio avec Whitney. Dans une heure.

Elle surmonta l'épreuve, respectant la version officielle du département de bout en bout. Si Nadine n'était pas emballée par le contenu de l'interview, elle savait que le discours comptait moins que l'image du lieutenant Eve Dallas, pâle, épuisée et parfaitement maîtresse d'elle-même.

À la grande surprise d'Eve, le maire Steven Peachtree apparut à l'instant où elle terminait. À quarante-trois ans, il respirait à la fois la jeunesse, le dynamisme et le sérieux. Il paraissait très digne, en costume gris, chemise bleue et cravate.

Il entra d'un pas alerte, le visage grave, entouré d'une ribambelle d'assistants en costume chic, qu'il ignora comme on ignore son ombre.

— Commandant.

Il salua Whitney. En le voyant de plus près, Eve constata qu'il avait les yeux cernés.

— J'ai pensé qu'il valait mieux que j'intervienne personnellement, et très vite. Il paraît que vous avez aussi consulté Chang en ce qui concerne les déclarations officielles.

— C'est exact. Nous devons présenter un front uni.

— Je suis tout à fait d'accord. À 8 heures, un attaché de presse aura mis au jour les déclarations de toutes les parties. Lieutenant, ajouta-t-il en hochant la tête à l'adresse d'Eve.

— Monsieur.

— Il est indispensable de frapper vite et fort. Je veux que mon bureau soit tenu au courant de la situation au fur et à mesure de son évolution.

Il jeta un coup d'œil vers le studio, avant de reprendre :

— Nous allons la maîtriser. Nous ne dirons à Mlle Furst et aux autres que ce qui nous semble nécessaire pour la bonne information de la population.

— Nous ne sommes pas son unique source.

— J'en suis conscient, répondit-il, d'une voix à la fois profonde et froide. Mais nous réagirons. Là-dessus, je sais que nous pouvons compter sur Chang. Vous travaillerez directement avec lui et mon adjoint Franco pour tout ce qui concerne les relations médias.

Il consulta sa montre. Fronça les sourcils.

— Donnez-moi des nouvelles !

Il les quitta pour aller se faire maquiller.

— Il est très doué pour ce genre d'exercice, confia Whitney à Eve. Il saura donner une impression de force, de calme et de gravité. C'est indispensable à ce stade de l'enquête.

— Ce qui me paraît indispensable, c'est d'arrêter les membres du groupe Les Chercheurs de Pureté.

— Ça, c'est votre priorité, lieutenant. Mais vous avez aussi d'autres responsabilités. Les obsèques de l'inspecteur Halloway auront lieu demain à 10 heures. Avec tous les honneurs qui lui sont dus. Je tiens à ce que vous y assistiez.

— Je serai là, commandant.

— La réunion d'aujourd'hui est repoussée à 13 heures. Allez dormir, lui lança-t-il avant de sortir. La journée promet d'être longue.

De retour chez elle, Eve tomba à plat ventre sur le lit et sombra dans un profond sommeil trois heures durant.

L'alarme de sa montre la réveilla, avec ses bips stridents. Elle rampa hors du lit dans l'obscurité, chancela jusqu'à la douche, et se laissa masser par les jets d'eau chaude pendant vingt bonnes minutes.

Lorsqu'elle revint dans la chambre, Connors se levait.

— Je t'ai réveillé ? Tu aurais pu dormir une demi-heure de plus.

— Ça va. Quant à toi, tu me sembles en meilleure forme qu'à 4 heures ce matin. Pourquoi ne pas nous commander un petit déjeuner, pendant que je prends ma douche ?

— J'avais l'intention de manger un beignet dans mon bureau.

— Mais tu as changé d'avis, répliqua-t-il en pénétrant dans la salle de bains. Parce que tu t'es rappelé que ton corps avait besoin d'énergie. Et parce que c'est le seul moyen d'éviter que je ne te force à avaler un sachet de protéines, ce qui te mettrait de fort mauvaise humeur. Des œufs brouillés, ce serait meilleur, non ?

Elle montra les dents, mais il avait déjà disparu.

Elle mangerait, décida-t-elle, parce qu'elle avait faim.

Lorsque Connors appela Summerset sur la ligne intérieure pour lui demander des nouvelles de McNab, elle s'efforça de rester optimiste : apparemment, le patient avait passé une bonne nuit.

Quand ledit patient apparut, en fauteuil roulant électronique, elle dut ravaler un sursaut de désespoir.

— Bonjour ! s'exclama-t-il d'un ton un peu trop enjoué. Quand je serai de nouveau sur pied, je m'achèterai un fauteuil comme celui-ci. C'est super !

— Interdiction de faire la course dans les couloirs.

Il sourit.

— Trop tard.

— Nous allons attendre Feeney pour faire le point, annonça Eve.

— On a vu le journal de Channel 75, lieutenant, intervint Peabody, qui se tenait derrière McNab, le regard sombre. On a déjà une bonne idée de la situation.

— J'ai besoin d'un café.

Eve fit signe à Connors de s'occuper de McNab, puis, d'un coup de pouce, désigna la cuisine.

— Il va falloir vous ressaisir, Peabody, chuchota-t-elle. Il n'est pas stupide.

— Je sais. Ça va. C'est juste que, quand je le vois dans ce machin, j'ai peur. Son état n'évolue pas. Il paraît qu'il devrait ressentir des fourmillements, comme quand on a le pied engourdi à force d'être resté assis dessus. C'est le signe que les nerfs réagissent. Mais, jusqu'ici… rien.

— Parfois, il faut un peu de temps.

— Il fait semblant de prendre ça à la légère, mais il est paniqué.

— S'il peut feindre le contraire, alors vous aussi. Et si vous voulez régler leur sort à ceux qui l'ont mis dans ce fauteuil – provisoirement – vous devez absolument garder la tête sur les épaules.

— Je sais.

Peabody aspira une grande bouffée d'air et se redressa.

— J'y arriverai.

— Très bien. Commandez donc le café.

Eve sortit, se figea en apercevant Feeney sur le seuil de son bureau. Il fixait le dos de McNab avec un mélange de chagrin, de pitié et de fureur.

Elle s'apprêtait à attirer son attention, mais il redescendit sur terre brusquement, et son expression changea du tout au tout.

— Qu'est-ce que c'est que ça ? gronda-t-il. Vous simulez la maladie, maintenant ? Évidemment, vous vous êtes débrouillé pour récupérer un jouet au passage.

— Ça en jette, hein ?

— Si vous me roulez sur le pied, je vous écrabouille. Baxter arrive. Il y a du café ?

— Oui, acquiesça Eve.

À 9 h 30 elle avait exposé la situation. À 9 h 45, elle avait comblé les failles, et à 10 heures, elle ajouta une hypothèse de départ.

— L'un au moins des personnages clés de ce groupe a été personnellement touché par un crime, sans doute un crime commis sur un enfant. Ils sont probablement plusieurs. Pour démarrer une entreprise de ce genre, il faut des esprits qui se ressemblent. Ils possèdent des connaissances supérieures, et pour l'heure inconnues, en matière d'électronique, et doivent être en relation avec une espèce de consultant médical. Ils ont vraisemblablement des contacts au sein de la police ou du système judiciaire. Ou des deux. Ils sont organisés, habiles, et ils ont soif de reconnaissance.

— Si certains d'entre eux partagent les mêmes idées, intervint Baxter, il se peut aussi que l'un ou plusieurs autres se soient joints à eux par goût du risque, du sang, ou tout simplement, parce qu'ils sont fêlés.

— Je suis d'accord. Mettez-vous à la recherche de fous furieux qui pourraient correspondre à un autre profil du groupe. Ils vont reprendre contact avec Nadine. Ils veulent l'attention – et l'approbation – de la population.

— Et ils vont l'avoir ! déclara Feeney en avalant une gorgée de café. C'est exactement le genre d'événement qui excite les foules, incite les gens à discuter dans la rue, à imprimer des tee-shirts, à prendre parti.

— On ne peut pas arrêter le train des médias, on va donc faire de notre mieux pour qu'il reste sur la voie. Nadine souhaite s'entretenir avec McNab et toi. Tu peux te défiler, Feeney, ajouta-t-elle vivement, sachant que c'était précisément ce qu'il comptait faire. Mais tu ne diras rien que je n'aie déjà dit ou pensé. Le département, quant à lui, est convaincu de l'utilité de la démarche.

— Tu crois que je vais me prêter à ce jeu-là ? explosa-t-il en reposant bruyamment sa tasse sur la table. Tu crois que je vais passer devant les caméras et leur raconter ce qui s'est passé hier, leur parler de ce garçon ?

— Votre intervention permettra aux gens de comprendre vraiment ce qui est arrivé à Halloway, fit remarquer Connors d'un ton posé. Ils le verront tel qu'il était : un bon flic en train de faire son boulot. Tué en service par une bande de malades qui se prennent pour les anges gardiens de la justice.

— Moi, j'aimerais en parler.

McNab était sanglé dans son fauteuil. Il avait beau essayer, il ne pouvait l'ignorer. Il n'était pas simplement assis, il était attaché. Sans quoi, il serait tombé en avant comme une poupée de chiffon. Cette pensée le faisait frémir, de même que la peur d'y être condamné à vie.

— Si les gens écoutent, ils comprendront que ce n'est pas lui qui m'a descendu. C'est celui qui a infecté l'ordinateur sur lequel il travaillait. Si j'en suis là, ce n'est pas à cause de lui, il ne mérite pas qu'on l'accuse à tort. J'accepte de me prêter à l'interview. Je voudrais dire ce que j'ai à dire.

— Comme vous voudrez, marmonna Feeney.

— Le département a fait des déclarations. Vous devrez les lire attentivement auparavant, expliqua Eve en regagnant son bureau, histoire de se ressaisir. Vous pourrez vous exprimer à votre guise, mais ils souhaitent que vous respectiez certains termes. Il est essentiel que nous présentions un front uni dans cette affaire. Nadine viendra ici… À présent, revenons-en à nos moutons. Nous devons déterminer la nature du virus informatique, mais pas avant d'avoir trouvé une protection contre ledit virus.

— Je me suis penché sur la question, déclara Connor. Et je me suis permis de faire appel à un conseiller technique.

Il se tourna vers le communicateur intérieur.

— Summerset, faites-le monter.

— Tu aurais dû m'en parler avant, protesta Eve.

108

— Le cas exige des connaissances très spécifiques. J'ai quelqu'un d'exceptionnel à vous proposer. Et je ne pense pas que vous ayez à vous inquiéter en ce qui concerne sa loyauté.

Eve pivota vers la porte. Et arrondit les yeux.

— Pour l'amour du ciel, Connors, je ne vais tout de même pas engager un môme !

8

— Le génie n'a pas d'âge.

Ainsi parla Jamie Lingstrom en s'avançant sur sa paire d'aéroboots.

Ses cheveux blonds étaient coupés court, hérissés sur le haut du crâne, avec une mèche lui tombant sur le front. Son seul piercing – à première vue – était un anneau au sourcil gauche. Son visage s'était affiné depuis leur dernière rencontre, et sa bouche se tordait en un rictus moqueur.

Il avait toujours eu un penchant pour l'insolence.

Son grand-père était flic. Il s'était fait descendre alors qu'il enquêtait officieusement sur une secte. La secte avait tué la sœur de Jamie, et avait bien failli sacrifier Eve.

Il avait grandi d'au moins cinq centimètres. Il avait seize ans, non, dix-sept. Et comme tous les adolescents de son âge, il aurait dû être ailleurs que chez elle, à la fixer d'un air goguenard.

— Pourquoi n'es-tu pas à l'école ?

— Je travaille surtout chez moi, en alternance. Je fais des petits boulots, à condition que les contrats passent par l'établissement scolaire et tout le tralala.

Eve se tourna vers Connors.

— C'est une de tes sociétés.

— En fait, j'en ai plusieurs en contrat avec des programmes éducatifs. Après tout, la jeunesse d'aujourd'hui est l'espoir de demain.

— Si tu le dis...

Les pouces crochetés dans les poches avant de son jean trop large, troué aux genoux, Jamie balaya la pièce du regard.

— Alors, quand est-ce qu'on commence ?

— Toi ! grommela Eve en agitant l'index sous le nez de Connors. Là-bas !

Elle lui indiqua son bureau, l'y précéda, claqua la porte derrière eux.

— À quoi joues-tu ?

— Je t'ai trouvé un assistant expert !

— C'est un gamin.

— Un gamin brillant. Tu te rappelles comment il a court-circuité notre système de sécurité avec un décodeur de sa conception ?

— Oui, bon, il a eu de la chance.

— La chance n'avait rien à voir là-dedans.

Depuis, cet outil avait été adapté et développé.

— C'est un as de l'électronique. Il possède un instinct rare.

— J'aimerais qu'il conserve son cerveau au moins jusqu'à sa majorité.

— Je ne lui permettrai pas de faire quoi que ce soit qui le mette physiquement en péril.

— Nous n'en avions l'intention ni l'un ni l'autre, à l'automne dernier, n'empêche qu'il a bien failli y passer. En outre, c'est presque un membre de la famille de Feeney.

— Justement. Cela remontera le moral de Feeney de travailler avec lui. Comprends-moi, Eve, nous avons besoin de quelqu'un comme lui. Quelqu'un à l'esprit ouvert et vif. Il ne nous dira jamais qu'une chose est impossible sous prétexte qu'elle n'a jamais été faite avant. Il envisagera toutes les possibilités. Il veut devenir flic, ajouta Connors avant qu'elle puisse intervenir.

— Oui, je m'en souviens, mais…

— Il est très décidé. À moins que je ne réussisse à l'attirer dans l'une de mes entreprises, moyennant un beau pactole… Ce que je tenterai, forcément. Pour le moment, il envisage de s'inscrire à l'Académie dès ses dix-huit ans, l'année prochaine.

— Et alors ! Tu espères profiter de cette mission pour le convaincre d'aller à l'université, afin de le récupérer ensuite, pas vrai ?

Connors la gratifia d'un sourire charmeur.

— C'est une bonne idée ! Mais, pour être franc, il me semble que cette expérience lui serait utile. Et j'insiste : nous avons besoin de lui.

— Oui, mais…

— Écoute, j'ai accepté d'être ton expert consultant en dépit d'honoraires pathétiques, et à la condition de pouvoir sélectionner moi-même un assistant technique. C'est mon choix.

Elle exhala bruyamment, alla se poster devant la fenêtre. Revint sur ses pas.

— Je ne sais pas m'y prendre avec les ados.

— Comporte-toi avec lui comme avec n'importe qui. Donne-lui des ordres et, s'il a le malheur de protester, ou s'il ne s'y met pas assez vite, lance-lui un de tes regards noirs et agonis-le d'injures. Ça marche à tous les coups.

— Tu crois ?

— Attends voir, murmura-t-il en lui soulevant le menton. Là, ton regard… il me glace les sangs.

— D'accord, tu peux le garder, céda-t-elle. Mais il est à l'essai. Et tu peux dire adieu à tes honoraires pathétiques.

— Ah, bon ?

— De surcroît, tu le paieras de ta poche.

Connors en avait toujours eu l'intention, mais il connaissait les règles du jeu.

— C'est totalement injuste ! protesta-t-il. Je vais contacter immédiatement mon représentant au sein du département.

— Tu n'en as pas, rétorqua-t-elle en se dirigeant vers la porte. Tu n'as que moi.

— Pour mon bonheur et mon malheur, répliqua-t-il dans son dos.

Elle rejoignit Feeney et McNab. Jamie s'était accroupi entre eux pour leur montrer un objet mystérieux.

— Il décodera tous les systèmes déjà sur le marché, et ceux qui ne le sont pas encore. Ensuite, il…

Il redressa vivement la tête, puis se leva en fourrant l'objet dans sa poche.

— Bon, alors ? C'est d'accord ou pas ?

Connors s'approcha de lui et tendit la main.

Jamie se voûta, ressortit l'objet de sa poche.

— J'ai juste emprunté un, pour affiner deux ou trois fonctions.

— Ne me provoque pas, Jamie. Et si tu continues à emprunter du matériel, tu perdras tous tes privilèges.

— C'était mon prototype !

Et les royalties qui en découleraient, songea Connors, feraient du gamin un homme riche. Il se contenta cependant de hausser un sourcil.

— C'est bon, pas de panique, marmonna Jamie en regardant alternativement Connors et Eve.

Devant eux, il se sentait toujours un peu mal à l'aise. Il ignorait lequel des deux avait le pouvoir.

Avec ses parents, avant le divorce, c'était son père qui commandait. Ensuite, surtout après la mort d'Alice, il avait dû se prendre en charge.

Mais avec Eve et Connors, il n'était jamais très sûr.

— Quel est le verdict ? s'enquit-il.

— Tu seras l'assistant technique de Connors. À l'essai, précisa Eve. La moindre incartade, le moindre faux pas, et je t'écrase comme un cafard. Bien, est-ce que tu vois toutes les personnes rassemblées ici ?

— Oui. Et alors ?

— Primo, nous sommes tous tes supérieurs. Ce qui signifie que tu dois obéir aux ordres de chacun d'entre nous, même si on te demande de te mettre sur la tête et de siffler. C'est clair ? Deuxio, enchaîna-t-elle avant qu'il ne commence à râler, toute donnée, toute information, toute conversation, toute initiative proposée, entreprise ou discutée, *tout* ce qui concerne cette enquête est strictement confidentiel. Pas un mot, pas même à ton meilleur ami, ta mère, la fille que tu rêves de voir toute nue ou ton caniche.

— Je ne suis pas du genre à parler à tort et à travers ! s'indigna-t-il. Je sais comment ça marche. Et je n'ai pas de caniche. Quant aux filles nues, j'en ai déjà vu. Y compris vous.

— Attention, fiston, menaça Connors.

— Tu as une grande gueule. Ça, je ne l'avais pas oublié, grommela Eve en tournant délibérément autour de lui. J'aime bien l'impertinence, à certaines conditions. Aussi, plutôt que de te tirer les oreilles pour te les nouer derrière la tête, j'ignorerai ce commentaire. Baxter, emmenez-le dans la salle de travail. Montrez-lui l'installation. S'il touche à quoi que ce soit, brisez-lui les doigts.

— Compris. On y va, petit ?

Alors qu'ils franchissaient le seuil, Baxter se pencha vers Jamie.

— Comment tu t'es débrouillé pour la voir toute nue ?

— On n'est pas sortis de l'auberge, murmura Eve.

— Le jeu en vaut la chandelle, la rassura Connors. Crois-moi.

— C'est un bon garçon, Dallas, renchérit Feeney en se levant. Intelligent et loyal. Nous l'encadrerons.

— J'y compte bien. Je vous le confie. Nadine et sa caméra seront là dans une vingtaine de minutes. Elle n'est jamais en retard. Ça vous convient de répondre à ses questions quelque part au rez-de-chaussée ?

— Ça me va, acquiesça McNab, avant de se tourner vers Feeney. J'ai hâte d'en avoir fini, pour me mettre au boulot.

— Elle ne monte pas ici, prévint Eve. Elle ne s'approche pas du môme. Au moindre signe de progrès, bipez-moi. J'ai un rendez-vous en ville à 13 heures. Je travaillerai ici jusque-là.

— Allez, McNab ! tonna Feeney en posant une main encourageante sur l'épaule valide de son collègue. Montrons à ce gamin ce dont nous sommes capables, à la DDE.

— Renvoyez-moi Baxter, lança Eve. Il faut que je lui trouve un poste de travail.

— Je m'en charge, proposa Connors.

— Parfait. Et quoi qu'il y ait au fond de ta poche, arrange-toi pour que ça y reste, camarade.

Il la gratifia d'un sourire si suggestif que Peabody en déglutit.

— Peabody, chassez les images lubriques de votre tête ! ordonna Eve. On a du boulot.

Elle la chargea d'effectuer des recherches de probabilités. Quand on avait affaire aux huiles et aux bureaucrates, plus on avait de données et de paperasse, mieux c'était.

De son côté, Eve se mit en quête d'agresseurs d'enfants ayant réussi à échapper à la justice.

Comment un si grand nombre parvenait-il à passer entre les mailles du filet ? se demanda-t-elle.

Elle fit machine arrière, à l'affût d'éventuelles connexions entre les uns et les autres, entre l'un ou plusieurs et soit Cogburn, soit Fitzbuhr.

Qui se ressemble s'assemble, songea-t-elle. C'était agaçant de devoir se baser sur des numéros de dossiers plutôt que sur des noms, mais la plupart des fichiers étaient scellés. Les victimes mineures l'exigeaient souvent.

Se basant sur des nombres, des rapports d'incidents et des descriptions, elle procéda à un tri et lança une recherche de probabilités.

Sa liste finale comprenant plus de vingt-cinq possibilités, elle se concentra sur les liens secondaires.

Douze des victimes mineures avaient eu la même assistante sociale.

Clarissa Price, née le 16/05/2021, Queens, New York. N° de carte d'identité 8876-LHM-22. Mère, Muriel Price. Père inconnu. Célibataire. Employée depuis le 01/02/2043 au Service enfants, division Manhattan. Niveau B.

Études : maîtrise de sociologie et de psychologie, université de New York.

Casier judiciaire vierge.

— Visuel ! commanda-t-elle.

Une photo de Clarissa Price apparut à l'écran. C'était une jolie métisse, à l'air sérieux et compétent. Rares étaient celles qui duraient si longtemps dans ce métier sans accuser le coup. Mais la peau de Clarissa était lisse. Ses cheveux auburn étaient attachés sur la nuque.

Eve chercha ses coordonnées, les copia, sauvegarda les données. Puis elle repartit à la chasse.

Cette fois, elle tomba sur un flic.

L'inspecteur Thomas Dwier avait arrêté Cogburn quatre ans plus tôt, pour possession de drogues avec intention de les vendre. Mais il avait bâclé la procédure, emmenant Cogburn au poste sans s'assurer qu'il avait des produits illicites sur lui. L'arrestation n'avait pu avoir lieu.

Il avait eu plus de chance avec un dealer qui fournissait les adolescents d'un quartier huppé de la ville. Au bout du compte, le dealer avait pu repartir libre après avoir payé une amende.

Il était tombé sur Fitzburgh, aussi, suite à une plainte déposée pour enlèvement et viol. Affaire sans suite.

Dix-huit mois plus tôt, Dwier avait rejoint une équipe chargée de coincer une pédophile. La femme en question dirigeait une crèche. Le procès avait abouti à un acquittement.

Mary Ellen George. Comme par hasard, d'après les archives, elle avait été l'une des associées de Chadwick Fitzburgh.

— En selle, Peabody ! lança Eve en fourrant les disques dans son sac. On a deux ou trois personnes à voir avant la réunion à *La Tour*.

— Mary Ellen George. Je me souviens encore de son procès, murmura Peabody.

Assise dans le siège passager, elle parcourait les documents qu'Eve avait accumulés.

— Vous avez cru à sa comédie ? reprit-elle.

— Quelle comédie ?

— Le côté institutrice innocente et effondrée.

Peabody observa Dallas à la dérobée.

— Vous ne l'avez pas vue à la télévision ?

— Je ne regarde jamais ces idioties.

— Vous avez sûrement aperçu les flashes, lu les comptes rendus dans la presse.

— J'évite le plus possible les flashes et autres comptes rendus dans la presse.

— Mais enfin, lieutenant, vous devez bien suivre les nouvelles !

— Pourquoi ?

— Eh bien… pour vous tenir au courant de l'actualité.

— Pourquoi ?

— Parce que… parce que…

Perplexe, Peabody se gratta le crâne.

— Parce que nous vivons dans le monde.

— En effet. Nous n'y pouvons absolument rien. À présent, dites-moi en quoi le fait de suivre l'actualité fera de moi un être meilleur.

— Ça vous permet d'être informée.

— Si vous voulez mon avis, c'est un cercle vicieux. Je ne m'y intéresse pas parce que, par définition, les événements qui ont lieu aujourd'hui seront du passé demain.

— J'ai mal à la tête. Je sais que votre discours comporte des failles, mais je n'arrive pas à mettre le doigt dessus.

— Ne vous faites pas de souci, ce n'est pas grave. Pour l'heure, nous allons interroger Clarissa Price.

Se garer aux alentours des Services de protection de l'enfance de la division de Manhattan tenait du miracle. Les emplacements sur deux étages mis en place par la ville le long de la rue étaient remplis de véhicules qui semblaient ne pas avoir bougé depuis cinq ans. Eve en repéra au moins trois aux pneus plats comme des crêpes, et un quatrième au pare-brise tellement sale qu'il aurait fallu une pioche pour le nettoyer.

Elle se rangea en double file et afficha son panneau *En service*.

L'immeuble de douze étages était un bloc de béton trapu qui n'avait pas dû être entretenu depuis sa construction, juste après les Guerres urbaines.

Eve consulta la liste des résidents.

— C'est au sixième.

Elles passèrent devant un réceptionniste affalé sur son bureau, et s'engouffrèrent dans l'ascenseur. Question sécurité, ce n'était pas au point.

Au sixième, Eve nota que quelqu'un avait tenté de donner une illusion de gaieté. Sous la fenêtre, on avait disposé des meubles pour enfants de couleurs vives et des jouets en plastique. En face trônaient deux consoles de jeux vidéo accaparées par une paire d'adolescents boudeurs habillés de noir.

L'un d'eux leva la tête, devina qu'elle était flic, s'attarda un instant sur l'uniforme de Peabody, puis les ignora toutes les deux.

Eve s'approcha de lui, attendit qu'il croise son regard et se pencha :

— Sors ce couteau de ta botte, tout doucement, donne-le-moi, et je promets de ne pas te dénoncer pour port d'arme illégale.

Il eut un rictus moqueur.

— Allez vous faire foutre !

Eve plaqua la main sur sa jambe avant qu'il ait le temps de réagir.

— Si tu me cherches, tu me trouveras. Sinon, je vais me contenter de te confisquer ce poignard et te laisser passer ton heure obligatoire à raconter des conneries à ton assistante sociale.

Elle l'arracha de la botte du gamin et le glissa dans la sienne.

— Belle lame. Bien équilibrée.

— Il m'a coûté soixante-quinze dollars.

— Tu t'es fait avoir, mon pote. Il ne les vaut pas.

Tournant les talons, elle se dirigea vers l'hôtesse d'accueil, une jeune femme à l'expression enjouée. Elles étaient toujours jeunes et enjouées, parce qu'elles tenaient rarement le coup plus d'un an avant de prendre leurs jambes à leur cou, leurs illusions envolées.

— J'aimerais voir Clarissa Price, annonça Eve en posant son insigne sur le comptoir.

— Mlle Price est en séance de thérapie familiale. Elle devrait avoir terminé d'ici une dizaine de minutes.

— Parfait. Nous allons l'attendre.

Eve alla délibérément s'asseoir à côté du garçon au couteau.

Il réussit à feindre l'indifférence pendant vingt secondes, puis craqua.

— Comment vous avez fait pour le voir ?

— Je ne vais tout de même pas te révéler mes secrets.

— Allez !

Elle avait déjà remarqué les hématomes sur ses poignets – récents – et, lorsqu'il changea de position, elle aperçut des marques de brûlures anciennes sur son épaule, à demi masquées par son débardeur.

Sur ce point, elle-même avait été épargnée. Pas de cicatrices. Pas de traces. Son propre père n'aurait pas pris le risque de diminuer la valeur de la marchandise.

— Quand tu m'as vue, tu as reculé la jambe droite et tourné la cheville, pour vérifier que la lame était bien cachée sous ton pantalon. Si tu te fais arrêter avec ça, ils te jetteront chez les délinquants juvéniles. Tu es déjà allé en prison ?

Il haussa les épaules. Non, pensa Eve. Pas encore.

— Moi, si. Quelle que soit ta situation actuelle, elle est forcément meilleure que derrière les barreaux.

Sur ce, elle se leva et partit à la recherche d'un distributeur de boissons.

Le temps qu'elle obtienne un mauvais café, l'hôtesse vint la prévenir que Mlle Price avait cinq minutes à lui consacrer avant son prochain rendez-vous.

Son bureau était exigu, mais là encore, on s'était efforcé de le rendre agréable. Des dessins d'enfants encadrés couvraient deux des murs. Les dossiers étaient soigneusement empilés sur la table, auprès d'un vase de marguerites fraîches. Dans son fauteuil, Clarissa paraissait aussi lisse et compétente que sur sa photo d'identité.

— Je suis désolée de vous avoir fait attendre, commença-t-elle. Je crains que Lauren n'ait pas bien saisi votre nom.

— Dallas. Lieutenant Dallas.

— Nous nous sommes déjà rencontrées sur le terrain ?

— Non. Je suis de la brigade des homicides.

— Je vois. De quoi s'agit-il ? Un de mes gamins ?

— Pas directement, non. Vous avez travaillé avec des mineurs ayant été en contact avec un dealer, Louis K. Cogburn, et un pédophile notoire, Chadwich Fitzburgh.

— J'ai aidé des enfants exploités par ces individus, en effet. Ils sont morts, ajouta-t-elle d'un ton neutre. J'ai vu le reportage sur Channel 75, ce matin. Un groupuscule mystérieux en revendique la responsabilité.

— Des terroristes, rectifia Eve. Ils ont aussi à leur actif le décès d'un civil innocent et d'un officier de police. Vous regardez beaucoup la télévision ? Excusez-moi, fit Eve, s'autorisant un mince sourire, c'est juste que j'étais en grand débat avec mon assistante au sujet des mérites des journaux télévisés, et de la nécessité ou non, de se tenir au courant de l'actualité.

— Je mets Channel 75 tous les matins, et souvent le soir, avoua Clarissa Price en lui retournant son sourire. De quel côté cela me place-t-il ?

— Le sien, répliqua Eve en désignant Peabody du pouce. Quoi qu'il en soit, je suis chargée de cette enquête, et je recherche des connexions éventuelles entre les membres du groupe Les Chercheurs de Pureté et des mineurs agressés par Cogburn et/ou Fitzburgh, ainsi que d'autres prédateurs d'enfants que ces gens ont peut-être ciblés. Les fichiers des victimes sont pour la plupart scellés, et nombre de celles qui ont atteint leur majorité ont exigé qu'ils le restent. C'est pourquoi je sollicite votre aide.

— Je ne peux pas briser le sceau de la confidentialité, lieutenant.

Elle agita une jolie main fine, dépourvue de bagues.

— Si ces dossiers sont inaccessibles, c'est pour une bonne raison. Ces enfants ont été traumatisés. Vous faites votre métier, mais je fais le mien. Le mien est de les protéger et de les soutenir dans l'espoir qu'ils guériront un jour.

— Les scellés peuvent être brisés, mademoiselle Price. Ça prendra du temps, mais je peux obtenir un mandat.

— Je comprends. Quand vous aurez cette autorisation, je vous aiderai du mieux que je pourrai en respectant la loi. Mais je me retrouve face à ces victimes jour après jour, et c'est déjà suffisamment difficile de gagner la confiance d'un enfant détruit par un adulte, de gagner la confiance de sa famille. Je ne pourrai rien pour vous tant que je n'en aurai pas reçu l'ordre officiel.

— Avez-vous eu des contacts personnels avec Cogburn ou Fitzburgh ?

— Sur le plan professionnel, uniquement. J'ai rédigé des déclarations à leur sujet. C'est-à-dire, sur les dommages psychologiques infligés aux mineurs dont je m'occupais, et qui avaient eu affaire à eux. Je ne leur ai jamais parlé, et je ne pleurerai pas leur disparition.

— Mary Ellen George.

Le visage de Clarissa s'assombrit.

— Elle a été acquittée.

— Le devait-elle ?

— Les jurés ont pensé que oui.

— L'avez-vous connue ?

— Oui. J'ai eu l'occasion d'inspecter sa crèche. J'ai coopéré avec la police qui a fini par l'arrêter. Elle était très convaincante. Très… maternelle.

— Mais elle ne vous a pas convaincue.

— Mon métier, comme le vôtre, exige un minimum d'intuition. Je savais ce qu'elle était, lâcha-t-elle, les traits crispés de dégoût. On gagne certaines batailles, on en perd d'autres. C'est dur, mais si on ne passe pas tout de suite à autre chose, on finit par se brûler les ailes. Je vais devoir vous laisser. J'ai un rendez-vous, et je suis déjà en retard.

— Merci de nous avoir accordé un peu de temps, fit Eve en se levant. J'obtiendrai le mandat, mademoiselle Price.

— Je serai à votre disposition, le moment venu.

Une fois dehors, Eve ignora l'embouteillage qui s'était formé derrière son véhicule. Elle ignora aussi les coups d'avertisseur, injures et gestes obscènes qui l'accueillirent.

— Elle s'en tient à la loi, commenta Peabody, tandis qu'Eve démarrait. Mais elle nous sera utile, une fois que vous aurez l'autorisation.

— Elle nous cache quelque chose. Elle a fait semblant de ne pas savoir qui j'étais, alors qu'elle le savait pertinemment.

— Comment le savez-vous ?

— Elle regarde Channel 75 quotidiennement. Regardez Channel 75 quotidiennement, vous me verrez. Vous m'avez bien vue, ce matin, aux infos – qu'elle a admis avoir suivies.

Eve bifurqua vers l'ouest, évitant de justesse le pare-chocs d'un aérotaxi.

— Clarissa Price passe en tête sur ma liste de suspects.

9

Jamie travaillait dur pour paraître cool. Ce qu'il souhaitait le plus au monde venait de lui tomber dessus, et il était terrifié à l'idée de tout gâcher. Selon lui, c'était l'électronique qui faisait tourner le monde. Mais s'il voulait y faire carrière, il voulait encore plus y faire carrière en tant que flic.

Grâce à Connors, cette chance inouïe s'offrait à lui. Enfin, plus ou moins : une enquête pour homicide, qui déroutait le flic le plus respecté du milieu.

C'était carrément inespéré.

Évidemment, ç'aurait été encore mieux s'il avait eu un insigne et un grade. Mais bon, assistant technique de l'expert consultant, c'était déjà une aérobotte glissée dans la porte.

Il se débrouillerait pour que l'expérience porte ses fruits.

La perspective de travailler pour Feeney l'excitait, évidemment. Oncle Feeney était LE flic de référence. Il savait tout ce qui s'était passé avant la création de la DDE.

Quant à McNab, il était trop top. Il disait des tas de conneries, mais il connaissait son boulot. Pour Jamie, c'était un héros, d'autant qu'il avait été blessé en service. À moitié paralysé, il continuait à bosser.

C'était ça, la vocation.

Dallas, par exemple. Rien ne l'arrêtait. Quoi qu'il arrive, elle faisait front. Comme elle l'avait fait pour son grand-père et pour Alice.

Se souvenir de sa sœur était encore douloureux. Sa mère ne s'en remettrait jamais, du moins, jamais complètement.

Parfois, lorsqu'il repensait aux événements de l'automne précédent, il avait l'impression d'avoir rêvé. Surtout la fin. Toute cette fumée, et ces flammes dans cette pièce minable, où ce salaud d'Alban avait séquestré Dallas après l'avoir droguée.

La fumée, le feu, le sang, et cette salope de Selina gisant sur le sol. Connors et Alban, qui se battaient comme des chiens, Dallas lui criant de s'emparer du couteau, et de la libérer de l'autel sur lequel Alban l'avait attachée.

Il avait tranché les liens, mais une sensation de froid avait envahi tout son être. Nue, chancelante, Dallas avait bondi de l'autel sur le dos d'Alban.

Il revoyait la scène au ralenti. Le poing de Connors. Alban qui s'écroulait, inconscient. Les hurlements des sirènes qui se rapprochaient. Connors et Dallas qui échangeaient... des sons. Le crépitement des flammes, la fumée qui leur piquait les yeux.

Et le couteau dans sa main.

Elle avait hurlé en voyant ce qu'il s'apprêtait à faire. Mais il était trop tard. Elle n'aurait pas pu l'en empêcher. Il avait été incapable de se retenir.

Le salaud qui avait tué sa famille était mort, et son sang encore chaud dégoulinait sur ses mains.

Il ne se rappelait pas l'instant crucial, celui où il avait plongé sa lame dans le cœur d'Alban.

Mais c'était bel et bien arrivé. Il ne l'avait pas imaginé. Et Dallas avait déclaré à Feeney, à Peabody, ainsi qu'à tous les autres flics qui avaient fait irruption dans le studio qu'Alban était mort au cours de leur lutte. Elle lui avait arraché le couteau, y avait déposé ses propres empreintes. Elle avait menti.

Elle l'avait défendu.

— Jamie ! On se concentre, commanda sèchement Connors.

Il cligna des yeux, s'empourpra, se tassa sur lui-même.

— Oui, oui, bien sûr.

Il travaillait sur une simulation de virus, la troisième depuis qu'ils avaient commencé.

— Ces simulations ne généreront pas de données fiables tant qu'on n'aura pas fait un diagnostic sur l'un des appareils infectés.

— C'est ce que tu m'as déjà expliqué, de différentes manières, à six ou huit reprises.

Jamie se détourna de son poste de travail. Derrière lui, Connors était occupé à concevoir un filtre. Il effectuait la plus grande partie de la programmation manuellement, ses doigts courant sur le clavier. Selon Jamie, tout expert en informatique digne de ce nom devait être capable de se servir de ses mains aussi bien que de sa voix, et savoir choisir une méthode plutôt qu'une autre, le cas échéant.

Connors était le top du top.

— Il me faudrait cinq minutes maxi pour faire ce diagnostic, insista Jamie.

— Non.

— Donnez-m'en dix, je vous localise et j'isole le virus.

— Non.

— Sans identifica...

Les mots moururent sur ses lèvres, tandis que Connors tendait la main et lui fermait la bouche.

Jamie alla jusqu'au bout de sa tâche, sauvegarda les résultats, puis s'attaqua au programme suivant. Il le laissa fonctionner en mode automatique pendant qu'il allait se chercher un tube de Pepsi dans le réfrigérateur.

— J'en veux bien un, fit Connors sans détourner les yeux de son écran.

Jamie prit un deuxième tube. De l'autre côté de la pièce, Feeney et McNab étaient penchés sur une analyse de filtre. Jamie n'était jamais entré dans une demeure privée dotée de son propre laboratoire entièrement équipé.

En fait, il n'était jamais entré dans une demeure comme celle-ci. Ce qui pouvait y manquer n'avait pas encore été inventé.

Le sol était carrelé de gris anthracite. Les murs, vert pâle, couverts d'écrans. La lumière, zénithale, provenait d'une demi-douzaine d'ouvertures en verre teinté destinées à atténuer les rayons du soleil et la chaleur qui risquaient d'endommager les appareils.

Quant au matériel, il était archisophistiqué. Une douzaine de consoles de communication, comprenant un des RX-5000K qui ne serait pas mis en vente avant trois, voire six mois. Trois stations VR, un tube de simulation, une unité holographique, et un navigateur planétaire et interstellaire qu'il était impatient de tester.

Il lança un coup d'œil à son propre moniteur, puis s'assit à côté de Connors. Il balaya du regard les codes alignés sur l'écran, calcula.

— Si vous filtrez le son et bloquez toutes les fréquences, vous n'obtiendrez ni l'identité ni la source.

— Regarde de plus près, lui recommanda Connors en poursuivant sa tâche.

Jamie réorganisa les codes mentalement.

— D'accord, d'accord, mais si vous inversez cette équation… Vous voyez ? Et cette commande. Alors…

— Attends !

Connors réfléchit. Décidément, ce gamin était doué.

— C'est mieux. Oui, c'est beaucoup mieux.

Il effectua les modifications.

— Connors.

— Inutile de me poser la question. La réponse est toujours non.

— Je vous demande juste de m'écouter, d'accord ? Vous dites sans arrêt qu'on doit laisser aux gens la chance de s'exprimer.

— Rien n'est plus irritant que de se voir renvoyer ses propres paroles à la figure.

Connors se cala dans son fauteuil, et s'empara de son tube de Pepsi.

— Je suis tout ouïe.

— Bon. Sans diagnostic, sans des données directement puisées dans l'un des ordinateurs infectés, on avance à l'aveuglette. Vous aurez beau concevoir des filtres et des protections, vous ne pourrez jamais être certain à cent pour cent qu'ils suffiront à neutraliser le virus. En admettant que ce soit *bien* un virus, ce dont nous ne pouvons être sûrs sans diagnostic.

— L'opérateur sera nettement plus en sécurité une fois les filtres en place. S'il s'agit d'un message subliminal, ce qui est le plus probable, soit visuel, soit auditif, j'ai déjà eu affaire à ce genre de problème. Je conçois donc une série de boucliers pour passer au travers.

— Ce genre de problème, ce n'est pas ce problème-là en particulier. Vous jouez avec le feu.

— Chez moi, fiston, c'est quasiment une religion.

Jamie sourit puis, comme il n'avait pas été renvoyé à ses moutons, enchaîna :

— Bon, les chances sont plutôt bonnes, vu l'heure affichée quand l'inspecteur Halloway a montré les premiers symptômes – et si on prend en compte le temps qu'y ont passé les deux autres –, il faut deux heures environ, peut-être un peu plus, avant d'atteindre la zone dangereuse. En toute logique, le cerveau de Halloway a explosé plus vite, parce qu'il était resté longtemps sur la machine. Et qu'il avait la tête *dedans*, pas devant.

— Tu penses que j'ai négligé ces facteurs ?

— Si c'est le cas, vous savez que j'ai raison.

— Tu as sans doute raison. De là à risquer ta vie...

— On augmenterait le taux de succès en se servant du premier des trois filtres complétés avant d'entrer.

Jamie se trémoussait presque sur son siège tant il était excité.

— Il faudrait se donner une limite de dix minutes. Soumettre l'opérateur à une surveillance médicale pendant qu'il travaille dessus, de façon à repérer les moindres changements neurologiques. Vous avez du matériel, ici, qui peut être adapté à cet effet.

C'était précisément ce que Connors avait envisagé de faire, une fois débarrassé de l'adolescent et des flics.

Mais peut-être existait-il une méthode encore plus radicale.

— Tu vois où je vais, avec ce filtre, là ? demanda-t-il à Jamie.

— Oui, j'ai compris.

— Alors, termine le boulot, ordonna Connors, avant d'aller rejoindre Feeney.

McNab était partant. Peut-être que les jeunes avaient plus de facilité à jouer avec la mort, songea Connors.

— On peut faire des simulations, effectuer des calculs de probabilités et des analyses pendant des semaines, sans résultat, insista McNab. Les réponses sont dans les ordinateurs infectés, et le seul moyen de les obtenir, c'est d'aller les chercher.

— Nous n'y avons pas encore consacré une journée entière, protesta Feeney. Plus on fera de tests, meilleures seront nos chances de réussite.

— D'ici une heure, j'aurai un filtre – le plus élaboré possible étant donné les conditions, déclara Connors en jetant un coup d'œil du côté de Jamie. On procédera d'abord à des simulations en bombardant l'un des ordinateurs de virus et de subliminaux, et on avisera. Ensuite seulement, on pourra envisager de prendre un risque calculé.

Feeney sortit de sa poche un sachet d'amandes.

— La chargée d'enquête sera contre.

— La chargée d'enquête n'est pas une spécialiste de l'informatique, riposta Connors.

— Pour ça, non ! Elle n'a aucun respect pour la technologie. Très bien, on tente le coup.

— Je serai l'opérateur, intervint McNab.

— Certainement pas.

— Capitaine…

— Vous êtes sous médicaments. Les résultats seraient faussés.

Pour rien au monde Feeney ne le laisserait faire. Il avait déjà perdu un homme, la veille. Ça suffisait comme ça.

— C'est moi qui devrais m'en charger, déclara Jamie en pivotant sur son siège. C'était mon idée.

Connors daigna à peine lui accorder un regard.

— Dans la mesure où nous devons tous deux rendre des comptes à ta mère, je ne relèverai même pas cet accès de stupidité.

— Je ne vois pas pourq…

— Tu as terminé ta programmation, Jamie ?

— Non, mais…

— Alors qu'est-ce que tu attends, Feeney ? enchaîna Connors en se tournant vers ce dernier, il ne reste plus que vous et moi.

— Ce sera moi. C'est moi le flic.

— Un informaticien est un informaticien, insigne ou pas. On peut discuter du fait que vous portez un insigne, mais que c'est mon matériel. Je propose donc qu'on règle cette question en bons Irlandais.

Le visage de Feeney s'éclaira.

— Vous voulez vous battre, ou boire ?

Connors s'esclaffa.

— J'avais autre chose en tête.

Il sortit une pièce de sa poche.

— Pile ou face ? Choisissez.

Eve appréciait le préfet Tibble. C'était un type solide, honnête, intuitif. Il était diplomate – qualité indispensable dans son métier –, et se débrouillait en général plutôt bien pour tenir à l'écart le maire et les autres fonctionnaires municipaux.

Mais quand un meurtre faisait la une de tous les médias, quand un flic en prenait un autre en otage au sein même du Central, les politiciens affluaient de toutes parts.

L'adjointe au maire, Jenna Franco, était connue pour ses interventions tonitruantes.

Eve ne l'avait jamais rencontrée personnellement, mais elle l'avait aperçue à l'Hôtel de Ville et à la télé. Elle était toujours tirée à quatre épingles. Elle savait qu'il était essentiel de paraître sous son meilleur jour, dans une arène où les votes pouvaient basculer sous le seul prétexte que la candidate était jolie.

Jenna Franco compensait sa petite taille par des talons de sept centimètres. Dotée de courbes appétissantes, elle profitait de ce que la nature lui avait offert, mettant ses formes en valeur avec des tailleurs bien coupés de couleur franche. Celui d'aujourd'hui était rouge vif, assorti d'un gros collier en or et de boucles d'oreilles qui semblaient peser deux kilos chacune.

Rien qu'à les regarder, Eve en avait les lobes qui s'allongeaient.

Elle ressemblait davantage à une mondaine pomponnée, qui se rendait à un déjeuner entre amies, qu'à une femme politique aguerrie. Mais les opposants qui en étaient arrivés à cette conclusion n'avaient pas fait long feu.

Eve n'en éprouvait que plus de respect pour elle.

Le fait que Peachtree l'ait envoyée pour le représenter indiquait qu'il la respectait tout autant.

Lee Chang, l'attaché de presse, l'accompagnait. Petit, mince, impeccable dans son costume à rayures gris, ses cheveux noirs, coiffés en arrière.

Asiatique d'origine, diplômé d'Oxford, il avait l'art de jongler avec les faits et de les remanier jusqu'à ce qu'ils apparaissent comme authentiques.

Eve ne l'avait jamais aimé, et le sentiment était réciproque.

— Lieutenant, attaqua Tibble, nous avons un problème.

— Oui, monsieur.

— Tout d'abord, j'ai cru comprendre que c'était chez vous que l'inspecteur McNab se remettait de ses blessures.

— C'est exact, monsieur. Il est sous surveillance médicale...

Encore qu'elle eût du mal à expliquer le rôle de Summerset si Tibble insistait.

— Nous avons pensé qu'il serait plus à l'aise dans un environnement familier.

— Quel est son état cet après-midi ?

— Stable.

— Je vois, murmura Tibble. Tenez-moi au courant de son évolution.

— Oui, monsieur.

— Et de l'évolution de votre enquête.

— Je travaille sur des liens éventuels entre les victimes, qui nous permettraient d'identifier certains membres du groupe Les Chercheurs de Pureté. Le capitaine Feeney et son équipe sont en train de concevoir un bouclier afin que nous puissions examiner les ordinateurs infectés dans des conditions de sécurité raisonnables. Les analyses médicales et les tests de laboratoire sur les victimes sont en cours. Le but est de déterminer la nature et la cause des lésions cérébrales ayant entraîné leur décès.

— Des conditions de sécurité raisonnables, intervint Jenna en levant la main, non comme quelqu'un qui demande la permission de s'exprimer, mais comme quelqu'un qui a l'habitude d'être écoutée. Qu'est-ce que cela signifie, au juste ?

— Je ne suis pas informaticienne, madame Franco. Ce volet de l'enquête est entre les mains du capitaine Feeney. Pour l'heure, son équipe concentre tous ses efforts sur l'élaboration d'un filtre destiné à assurer la sécurité de l'opérateur.

— Lieutenant, on ne peut pas se permettre de prendre le moindre risque, et je ne peux pas me présenter devant le maire ou les journalistes en leur parlant de « sécurité raisonnable ».

— Madame, les officiers de police qui prennent leur service chaque matin ne bénéficient que d'une sécurité raisonnable.

— Ils n'ont pas pour habitude de tirer sur leurs collègues et de prendre leur supérieur en otage.

— Non, madame, et c'est le supérieur de l'inspecteur Halloway qui commande l'équipe chargée de trouver une solution au plus vite, afin que cela ne se reproduise pas.

— Si je puis me permettre, fit Chang, les mains sagement croisées sur les genoux, le sourire aux lèvres. On pourrait dire que la police utilise toutes les ressources possibles pour identifier la source de la présumée infection électronique. Bien entendu, les journalistes consulteront des spécialistes qui les aideront à formuler leurs questions et à approfondir le débat. De notre côté, nous en ferons autant.

— Et quand vous approfondirez le débat devant les caméras, objecta Eve, vous offrirez à ce groupe de terroristes exactement ce qu'ils demandent : l'attention, la reconnaissance. La légitimité.

— Les débats auront lieu quoi qu'il arrive, répliqua Chang. Il est essentiel que nous en contrôlions le ton.

— Ce qui est essentiel, c'est d'arrêter les coupables, rétorqua-t-elle.

— C'est votre métier, pas le nôtre, lieutenant. Sur ce point, nous sommes bien d'accord.

— Lieutenant.

Whitney n'avait pas élevé la voix, mais son timbre froid la coupa dans son élan.

— La machine médiatique est déjà en route, poursuivit-il. Nous devons prendre le train en marche avant qu'il ne nous écrase.

— Entendu, commandant. Mon équipe et moi-même suivrons les directives du département en matière de couverture médiatique. Nous nous en tiendrons à la déclaration officielle.

— Ça ne suffira pas, remarqua Franco. Vous êtes connue, lieutenant, et vous travaillez sur un dossier délicat. Le directeur de la DDE et un autre de vos collègues étaient directement impliqués dans l'incident au Central, hier.

— Madame l'adjointe au maire, le lieutenant Dallas a risqué sa vie pour désamorcer la situation, lui rappela Whitney.

— Précisément, commandant. Et, vu sa responsabilité, l'intérêt que le public porte à sa vie personnelle et professionnelle, il faut qu'elle apparaisse à l'écran le plus souvent possible.

— Non.

— Lieutenant.

Eve pivota lentement vers Tibble, s'efforçant de conserver son calme.

— Non, monsieur, je ne perdrai pas mon temps et mon énergie à jouer les porte-parole du département. Je n'accorderai pas au groupe qui a provoqué la mort d'un collègue et la paralysie d'un autre, l'attention qu'il recherche. En ce moment même, je devrais être sur le terrain, et pas ici, à discuter de l'utilisation de l'expression « sécurité raisonnable ».

— Vous vous êtes servie des médias quand cela vous arrangeait, lieutenant Dallas.

— C'est exact, monsieur. Et chaque fois, j'ai employé mes propres mots. Je n'ai pas lu un communiqué. Quant à ma vie personnelle, elle n'a rien à voir dans cette affaire.

— Pourtant, l'expert consultant que vous avez engagé en fait partie, lieutenant, contra Tibble. Je comprends votre position, mais si nous ne jouons pas cette partie finement, ce groupe aura non seulement réussi à obtenir l'attention des médias, mais il aura en outre la possibilité de gagner des sympathisants. M. Chang a les résultats des sondages.

— Des sondages ? s'exclama Eve avec une moue de dégoût.

— Deux journaux ont commandé des sondages avant 11 heures ce matin, expliqua Chang, en sortant un carnet de la poche de sa veste. Le bureau du maire a procédé au sien, à des fins internes. Quand on demande s'ils considèrent le groupe Les Chercheurs de Pureté comme une organisation terroriste, cinquante-huit pour cent des

personnes interrogées répondent *non*. À la question :
« Craignez-vous pour votre sécurité personnelle ? », quarante-trois pour cent répondent *oui*. Naturellement, nous souhaitons que ces chiffres baissent.

— Vraiment ?

— Tels sont les faits, déclara Tibble. Une large majorité de la population perçoit ce groupe exactement comme il le souhaite. D'autres sondages montrent peu ou pas de sympathie envers Cogburn et Fitzburgh. Il n'est ni possible ni politiquement prudent de tenter de sensibiliser la population au sort de ces deux hommes. C'est le système qu'il faut défendre.

— Et le système doit avoir un visage, ajouta Chang. Il doit être personnalisé.

— Nous marchons sur des œufs, lieutenant, reprit Tibble. La moindre maladresse risque de déclencher une véritable panique. Des entreprises qui ferment de peur que leur matériel électronique ne soit infecté. Des individus qui n'osent plus allumer leur ordinateur. Des gens qui se ruent en masse dans les centres médicaux.

— Nous devons impérativement montrer que nous contrôlons la situation.

— Jusqu'à présent, ils n'ont ciblé personne qui ne corresponde à un profil spécifique, fit remarquer Eve.

— Justement, intervint Franco. Et c'est là le message clé que le maire, et nous tous, voulons faire passer, lieutenant. La famille qui habite un loft dans le centre-ville n'a rien à craindre. Le café au coin de la rue peut continuer à fonctionner normalement. Ils ne sont pas visés.

— Jusqu'à présent, répéta Eve.

Franco haussa les sourcils.

— Avez-vous des raisons de penser que cela peut changer ?

— J'ai des raisons de penser que les justiciers prendront de plus en plus goût à leur mission. La soif de pouvoir finira par les corrompre. Impunie et approuvée, cette violence ne peut qu'augmenter.

— Excellent ! s'exclama Chang en ressortant son carnet. Avec quelques ajustements...

— Ne jouez pas au plus fin avec moi, Chang, sans quoi, je vous fais avaler votre carnet.

— Dallas !

Whitney se leva.

— Nous sommes tous dans le même camp. Les outils et les méthodes varient, mais le but est commun. Oubliez les sondages et la politique pour l'instant. Vous en savez suffisamment sur la nature humaine pour comprendre que, sans un cadre strict, la population va considérer ces criminels comme des héros. À ses yeux, les prédateurs qui ont échappé au système sont enfin punis. Ce soir, nos enfants peuvent dormir tranquilles, parce que quelqu'un a pris position.

— La justice ne se cache pas derrière l'anonymat. Elle ne fonctionne pas sans règles de conduite.

— C'est précisément ce que nous souhaitons démontrer. Conférence de presse à 16 h 30. Au Central. Soyez là à 16 heures.

— Bien, commandant.

— Chaque métier comporte des inconvénients, lieutenant, observa Franco en ramassant sa mallette en cuir. Mais au bout du compte, ce qui nous préoccupe tous, c'est la sécurité de cette ville.

— Je suis d'accord, madame. Dieu merci, mon opinion ne dépend ni des sondages ni des votes.

Franco esquissa un sourire.

— On m'avait prévenue que vous étiez intransigeante. Ça tombe bien, moi aussi. Monsieur le préfet Tibble, commandant Whitney...

D'un geste, elle fit signe à Chang de la suivre.

Tibble n'avait pas bougé de derrière son bureau.

— Lieutenant, je vous demande de travailler main dans la main avec l'adjointe au maire Franco. C'est compris ?

— Oui, monsieur.

— La crise qui nous guette toucherait la sécurité publique et la confiance de nos concitoyens, elle aurait des ramifications financières et politiques. Nous ne devons oublier personne. Les dommages causés aux fonds municipaux, aux entreprises individuelles, aux revenus personnels pourraient devenir sérieux si l'industrie du tourisme chute sous prétexte que les visiteurs ont peur d'utiliser les cyber-cafés, que les employés refusent de venir au bureau ou de travailler de chez eux. Si les parents renoncent à envoyer leurs enfants à l'école de crainte que les ordinateurs ne soient infectés. Les médias peuvent retourner la situation en un clin d'œil. Si vous mettez mes paroles en doute, je vous conseille vivement de demander son opinion à votre mari.

— L'opinion de mon mari n'influence en rien la façon dont j'accomplis mon devoir, monsieur le préfet Tibble, pas plus qu'il n'affecte l'orientation de mes enquêtes.

— N'importe quelle personne mariée sait que ce genre d'affirmation ne tient pas la route, lieutenant. À ce stade, vous ne pouvez vous offrir le luxe de dédaigner les politiciens ou les médias. Bienvenue dans mon monde.

Il la dévisagea longuement.

— Parfois, Dallas, vous me fatiguez.

Elle cligna des yeux, stupéfaite.

— Vous m'en voyez navrée, monsieur.

— Sûrement pas, rétorqua-t-il en se passant la main sur le visage. Bien. À présent, j'aimerais que vous me donniez les détails de l'enquête que vous n'avez pas voulu divulguer en présence de Franco et de Chang.

Elle s'exécuta. Il l'interrompit une fois :

— Une assistante sociale et un flic ? Vous avez l'intention de me compliquer la vie indéfiniment ?

— Je n'ai pas encore parlé avec l'inspecteur Dwier, et rien ne permet pour l'instant d'établir un lien entre cette organisation et lui. Cependant, comme je soupçonne aussi des parents d'enfants abusés d'être impliqués, je dirais que les complications ne peuvent que se multiplier.

— Ça va se savoir. L'un de ceux que vous aurez interrogés ira se confier aux journalistes. Nous devons...

— Monsieur le préfet...

Son communicateur bipa. Sauvée par le gong !

— Avec votre permission, monsieur ?

— Je vous en prie.

— Dallas.

— Le Central à Dallas, Lieutenant Eve. Possibilité homicide, 5151 Riverside Drive. Victime identifiée : Mary Ellen George. Voir l'officier en uniforme sur la scène du crime.

— Bien reçu.

Impassible, elle fixa Tibble.

— Ça vient de se compliquer ¬ ou de se simplifier, tout dépend de votre point de vue.

Il poussa un profond soupir.

— Allez-y !

Lorsqu'elle eut disparu, il quitta son fauteuil.

— Je vous parie cinquante dollars qu'elle va en profiter pour oublier la conférence de presse.

— Pour qui me prenez-vous ? s'offusqua Whitney. Elle sera là, j'y veillerai.

10

Il y avait bien longtemps que Connors n'avait exercé ses talents à pile ou face. Il suffisait d'un peu d'habileté.

Il retrouva ses marques dès que Feeney eut opté pour la face.

Un geste vif, un léger frottement du pouce sur la gravure pour déterminer le sens, et il la plaqua sur le dos de sa main. Pile.

Connors n'était pas mécontent de lui. Le résultat allait peut-être ennuyer Feeney et le rendre soupçonneux, mais un marché était un marché.

Même quand la partie était truquée.

— On pourrait attendre encore un peu, suggéra Feeney quand ils se retrouvèrent tous dans le laboratoire improvisé, Connors brandissant le disque de protection. On a peut-être...

— Ne jouez pas les mères poules, l'interrompit Connors.

— Ma vie ne vaudra plus rien s'il vous arrive quelque chose sous ma surveillance.

— Allons, courage ! La pièce serait tombée sur face, je pourrais en dire autant.

— Justement, à ce propos...

Feeney n'avait rien remarqué de suspect, mais avec Connors, on ne pouvait jamais être sûr.

— Si on recommençait ? Cette fois, on demanderait à Baxter de...

— Attention ! Je pourrais prendre ça comme une accusation de tricherie. Vous avez examiné la pièce vous-même et choisi la face. Ce qui est fait est fait, Feeney, et un Irlandais ne revient jamais sur un pari.

— Ne me mêlez pas à ça, grommela Baxter, les poings dans les poches. Quoi qu'il arrive, Dallas sera en rogne.

Mettons-nous au boulot avant qu'elle nous arrache les couilles.

— Si on obtient un diagnostic, on pourra les garder, nos couilles.

Jamie était aux anges. Non seulement ils s'apprêtaient à lancer une opération à flanquer la chair de poule, mais en plus, lui, Jamie, était là à échanger des âneries avec des flics.

— L'ordinateur infecté est un vrai escargot, et le programme du filtre est complexe. Il va falloir quatre-vingt-treize secondes pour télécharger le bouclier, précisa-t-il à Connors. En commençant le diagnostic dès...

— Jamie, je ne suis pas un débutant, figure-toi.

— Non, mais pendant que ça mouline, il faudrait transférer les résultats sur...

— Dégage !

— Oui, mais...

— Petit, intervint Feeney en posant la main sur son épaule. Nous allons observer la procédure de l'extérieur. C'est de là que tu pourras le cuisiner. Dix minutes ! ajouta-t-il, à l'intention de Connors. Pas une seconde de plus.

— Je vais lancer une séquence temps.

— Non. Dix minutes, pas une seconde de plus, insista Feeney, les mâchoires serrées. Je veux votre parole.

— Vous l'avez.

Moyennement convaincu, Feeney opina.

— Si on remarque quoi que ce soit d'anormal sur les tracés médicaux, vous éteignez tout.

— Rassurez-vous, je ne tiens pas à ce que mon cerveau me sorte par le nez et par les oreilles. Cependant, si cela devait se produire, ajouta-t-il avec un sourire espiègle, j'aurais la satisfaction de savoir qu'Eve vous enverrait tous en enfer juste après moi.

— Elle sera indulgente avec moi, rétorqua McNab en ébauchant un sourire. Je suis handicapé.

— N'y comptez pas trop. Et maintenant, si vous voulez bien sortir, tous, j'aimerais qu'on en finisse avant d'avoir les cheveux gris et les dents qui tombent.

— Vous attendrez que je vous donne le feu vert, lui rappela Feeney. Je veux d'abord vérifier votre état physique.

Il s'immobilisa sur le seuil, se retourna.

— *Slainte !*

— On se le redira tout à l'heure, devant une Guinness.

Lorsqu'ils eurent disparu, Connors verrouilla la porte. Il ne voulait pas que ses associés paniquent et fassent brutalement irruption dans la pièce. Puis il déboutonna sa chemise, et posa une série de capteurs sur son torse.

« Tu as perdu la boule, non ? se dit-il. Non seulement tu travailles pour les flics, ce qui n'est pas terrible, mais en plus, tu mets ton putain de cerveau en péril pour eux. »

Décidément, la vie était sacrément bizarre.

Il survivrait.

Il s'installa devant l'ordinateur de Cogburn, puis passa la main sous la tablette, effleurant l'arme qu'il y avait dissimulée.

Il avait sélectionné le Beretta semi-automatique neuf millimètres parmi sa collection personnelle. C'était son tout premier revolver, acquis à l'âge de dix-neuf ans auprès de l'homme qui en avait pointé le canon sur sa tempe. Une arme illégale, bien sûr, même à l'époque. Mais les fraudeurs ne s'arrêtent pas à ce genre de détail.

Il lui semblait que si la situation dérapait, ce serait une bonne façon de boucler la boucle, en se donnant la mort avec le premier objet de sa collection, celui qui l'avait aidé sur la route vers la fortune.

Connors n'était pas fondamentalement inquiet. Ils avaient pris toutes les précautions possibles. Mais il y avait toujours un risque, si minime fût-il.

Au moment crucial, il déciderait lui-même de son sort.

— On va vérifier vos constantes, annonça la voix de Feeney.

Connors leva les yeux vers l'écran mural et acquiesça.

— Parfait. Coupez le son quand vous aurez fini. Je ne veux pas vous entendre me donner des ordres pendant que je travaille.

Il glissa la main dans sa poche et frotta un petit bouton gris entre ses doigts. Pour lui porter chance. Par amour. Le bouton était tombé de la veste du tailleur fort peu seyant qu'Eve portait lors de leur première rencontre.

— C'est bon, vous pouvez y aller ! lança Feeney.

— Je télécharge. Mettez le compteur en marche.

Grâce aux droits perçus sur le livre qu'elle avait écrit pour raconter son arrestation, son procès et son acquittement, et aux conférences rémunérées qu'elle avait données par la suite, Mary Ellen George avait vécu très confortablement dans son appartement du West Side.

Elle y était morte aussi, mais dans l'inconfort.

Contrairement à Cogburn et à Fitzburgh, les symptômes de sa maladie n'avaient été ni violents ni destructeurs. De toute évidence, elle s'était couchée en avalant des médicaments sans prescription médicale pendant plusieurs jours. Pendant tout ce temps, elle avait bloqué son communicateur et refusé d'ouvrir sa porte.

Elle avait pris son ordinateur portable avec elle, s'autodétruisant alors qu'elle tentait de guérir.

Sur la fin, elle avait lancé un appel hystérique à son examant, le suppliant de venir à son secours, hurlant que sa tête allait exploser.

Elle avait fini par nouer ses draps en satin autour de son cou et s'était pendue.

Elle portait une chemise de nuit blanche, souillée. Ses cheveux étaient emmêlés, ses ongles, rongés jusqu'à la peau. Mouchoirs en papier et gants de toilette rouges de sang jonchaient la table de chevet.

Elle avait tenté d'arrêter les saignements de nez, devina Eve en ramassant un flacon de cachets.

Sur son lit, l'écran du portable luisait :

OBJECTIF PURETÉ ABSOLUE ATTEINT

— Enregistrez, Peabody. Victime : George, Mary Ellen, sexe féminin, race blanche, âge quarante-deux ans. Corps découvert dans l'appartement de la victime à 14 h 16 par le concierge de l'immeuble, l'officier Debrah Banker et Hippel, Jay, qui a alerté la police.

— Enregistré, lieutenant.

— Parfait. Et maintenant, Peabody, on la descend de là.

Ce fut une tâche pénible. Sans un mot, les deux jeunes femmes s'attaquèrent au nœud de draps puis allongèrent le cadavre sur le lit.

— À l'examen visuel, on constate la présence de sang dans les oreilles et les conduits nasaux. Vaisseaux éclatés dans les yeux. Aucune trace de traumatisme crânien. Aucune blessure visible autre que l'hématome autour du cou, qui correspond à la strangulation par pendaison.

Eve ouvrit son kit de terrain, en sortit une jauge.

— Heure du décès : 14 h 10.

Elle se pencha, ferma l'ordinateur portable.

— Mettez ça dans un sachet, enregistrez-le, et faites-le expédier à mon domicile.

Puis elle s'écarta et examina la chambre avec soin.

— Elle n'a pas atteint le même niveau de violence que les victimes précédentes. Elle a visiblement passé le plus clair de son temps ici, à avaler des antalgiques et des tranquillisants, et à essayer de dormir. Elle est devenue un peu négligente, question ménage, mais elle n'a pas tout saccagé.

— Le seuil de douleur varie beaucoup d'une personne à l'autre, observa Peabody. Vous, par exemple. Vous faites semblant de ne pas avoir mal. Comme si c'était une insulte personnelle, et qu'en l'ignorant, vous pourriez vous en débarrasser. Moi, je me précipite sur les trucs holistiques. Je connais ça depuis l'enfance. Si ça ne marche pas, il vaut mieux se gaver de produits chimiques. Les hommes, comme mon frère ou mon père, ont tendance à gémir. Quand un homme tombe malade, il redevient un vrai bébé. Et il fait des caprices.

— Très intéressant, Peabody.

— Eh bien, vous savez ce que c'est. La testostérone.

— Oui, je sais. Dans les cas qui nous préoccupent, les deux hommes – trois, en comptant Halloway – ont essayé de combattre la douleur et tous ceux qui s'approchaient d'eux. La femme a essayé de la supprimer par des méthodes traditionnelles. Ils ont tous échoué, ils sont tous morts. Un point commun : ils se sont tous enterrés.

— Enterrés ?

— Repliés sur eux-mêmes. Repliés dans leur nid, ou ce qui s'en rapprochait le plus. Cogburn était chez lui. Si son voisin n'avait pas frappé à sa porte, peut-être y serait-il resté jusqu'à sa mort, ou son suicide.

Elle étudia les draps.

— Mettre fin à ses jours pour abolir la douleur. Je parie que c'est programmé dans le virus. Fitzburgh s'est terré dans son studio et a fini par se tuer. Halloway, le seul qui n'était pas ciblé, le seul qui a été exposé en dehors de son domicile, s'est réfugié dans le bureau de Feeney. Si on ne l'avait pas distrait, il aurait abattu Feeney, puis aurait retourné son arme contre lui.

— Cogburn et Halloway, murmura Peabody en secouant la tête. Ce sont les seuls à avoir été en contact avec d'autres durant la dernière phase de l'infection. S'ils n'avaient pas…

— Se seraient-ils tout simplement suicidés, comme Mary Ellen George ?

— Le fait de se terrer ainsi… C'est un instinct d'animal blessé, non ?

— C'est la nature humaine. C'est logique. Et ça correspond parfaitement aux desseins du groupe. Ils ne veulent pas s'en prendre aux innocents. Ils visent uniquement ceux qu'ils ont jugés coupables. Ils veulent que la population soutienne leur cause. Et ils sont en bonne voie de l'obtenir, malgré quelques dégâts collatéraux.

— Ça ne durera pas, décréta Peabody. Non, Dallas, ça ne peut pas durer. Je refuse de croire que les gens veulent ça.

Elle fit un geste en direction du corps.

— Les exécutions légales se sont succédé pendant quoi… plus de deux cents ans dans notre grand pays, lui rappela Eve. Les exécutions illégales existent depuis que Caïn a massacré Abel. Sous le vernis de la civilisation, Peabody, nous demeurons une espèce primitive. Et violente.

Elle pensa à Connors, soupira.

— Confiez-la au médecin légiste. Faites monter les techniciens. Je vais interroger Hippel.

Elle alluma son propre enregistreur en pénétrant dans le petit bureau attenant à la salle de séjour. L'officier Baker se tenait debout près de l'entrée. Un jeune Noir costaud était assis dans un fauteuil, tête baissée, bras pendants entre les jambes.

D'un signe, Eve invita Baker à les laisser.

— Monsieur Hippel ?

L'homme se redressa.

— Je n'avais jamais… je n'ai… c'est la première fois…

— Voulez-vous un verre d'eau, monsieur Hippel ?

— Non, je… l'officier m'en a déjà apporté. Mais je suis trop retourné pour boire.

— J'ai quelques questions à vous poser. Je suis le lieutenant Dallas.

— Oui. Je vous ai vue à la télé… L'interview avec Nadine Furst.

Il tenta de sourire, mais ses lèvres tremblaient.

— Elle est canon. Je la regarde chaque fois que je peux.

— Ça lui fera sans doute très plaisir de l'apprendre.

Eve prit place en face de lui.

— C'est Mme George qui vous a appelé.

— Oui. Je n'avais pas de nouvelles depuis deux semaines, environ. On a rompu. D'un commun accord, précisat-il en hâte. On ne s'est pas disputés. C'est juste qu'il était temps de passer à autre chose. Bon, elle m'en voulait peut-être un peu. J'étais probablement plus pressé qu'elle de mettre fin à notre relation. On ne s'est pas disputés, répétat-il. Enfin, disons qu'on a eu une discussion un peu chaude.

Son sentiment de culpabilité l'étouffait. Eve l'écouta en silence.

— On a peut-être crié un peu, aussi. Seigneur ! Vous croyez qu'elle a fait ça parce que je l'ai plaquée ?

— Quand l'avez-vous plaquée, Jay ?

— Il y a une quinzaine de jours. C'était dans l'air. Elle est belle et sexy, elle a plein de fric. Mais j'ai vingt-quatre ans. Je suis jeune, vous comprenez. C'est normal que j'aie envie de sortir avec des filles de mon âge de temps en temps, non ? Du reste, Mary Ellen devenait de plus en plus possessive. Ça commençait à m'énerver, si vous voyez ce que je veux dire.

— Tout à fait. La dernière fois que vous l'avez vue, avezvous remarqué quoi que ce soit de différent chez elle ?

— Non, non. Elle était égale à elle-même.

— Elle ne s'est pas plainte de maux de tête ?

— Elle était en pleine forme. On a bu un verre dans un bar, on a bien rigolé, on a pris une chambre d'hôtel. Ensuite, on est redescendu se rafraîchir le gosier. Là, elle me voit reluquer les nanas, et elle se fâche. Alors on a eu une discussion, et on a décidé de rompre.

— Et aujourd'hui, quand elle vous a appelé ?

— Elle était dans un état… Elle saignait du nez, elle avait les yeux rouges. Elle pleurait, elle criait. Je ne comprenais rien à ce qui se passait.

— Que vous a-t-elle dit ?

— Elle m'a demandé de l'aider. « Il faut que quelqu'un m'aide ! » Elle m'a dit qu'elle n'en pouvait plus. « J'ai des aiguilles dans le crâne. » J'ai tenté de la calmer, mais j'avais l'impression qu'elle ne m'entendait même plus. J'ai cru qu'elle disait : « Ils sont en train de me tuer. » Elle sanglotait si fort que je n'en suis pas sûr. J'ai pensé qu'il y avait quelqu'un, un agresseur. Alors, j'ai prévenu les secours, et je me suis précipité ici. Je travaille au coin de la rue, au *Riverside Café*. C'est là que je l'ai rencontrée. Je suis arrivé juste avant les flics. On est montés ensemble. Elle était là…

Il baissa de nouveau la tête.

Une fois son travail achevé sur la scène du crime, Eve fila à la morgue. Morris était déjà penché sur le cerveau de Mary Ellen George.

Elle avait beau avoir l'habitude, la vue de cette masse grisâtre sur une balance stérile lui donna un haut-le-cœur.

— Il est très enflé, mais ça ne semble pas être le résultat de ses lectures.

— Épargnez-moi vos plaisanteries de mauvais goût. Dites-moi que vous avez trouvé la cause.

— Je peux vous dire ceci. L'examen préliminaire laisse apparaître une femme de quarante-deux ans en bonne santé. À une époque, elle s'est brisé le tibia. Elle a subi des interventions mineures au corps et au visage. Son chirurgien était très doué. Il faut attendre les rapports toxicologiques pour savoir si elle considérait son corps comme un temple ou s'adonnait aux plaisirs des euphorisants chimiques.

— Son corps m'intéresse peu. Parlez-moi de son cerveau.

— Une enflure importante qui aurait provoqué le décès en quelques heures. Un état irréversible, selon moi, dès le départ de l'infection. Ceci m'a été confirmé par le neurologue auquel j'ai fait appel. Le cerveau ne contient aucune matière étrangère, ni tumeur ni stimulant chimique ou organique. Le virus n'est toujours pas identifié.

— Ça ne m'arrange pas du tout, Morris.

D'un signe du doigt, il lui demanda de le suivre. Il ôta ses gants, puis se tourna vers l'ordinateur.

— Ici, vous avez la coupe transversale digitalisée du cerveau d'un homme de cinquante-trois ans en bonne santé.

Il enfonça une touche.

— Voici l'image de Cogburn.

— Seigneur !

— Comme vous dites. On constate l'enflure de la masse, les traumatismes aux endroits où la pression crânienne était trop forte. Les taches rouges indiquent l'infection.

— Elle s'est répandue sur, quoi, plus de cinquante pour cent ?

— Cinquante-huit. Vous remarquerez que certaines taches sont plus foncées que d'autres. C'est le signe d'une infection plus ancienne. Il semblerait qu'elle ait démarré à cet endroit. Ce qui nous mène à penser que l'attaque initiale était de nature optique, et là... auditive.

— C'est donc provoqué par quelque chose qu'il a vu ou entendu ?

— Il ne l'a peut-être pas vu ni entendu – du moins pas avec ses yeux et ses oreilles. Mais les lobes du cerveau qui gèrent ces deux sens ont subi l'équivalent d'un bombardement.

— Ce serait donc subliminal.

— C'est possible. D'après ce que nous avons découvert jusqu'ici, on peut affirmer que l'infection se répand rapidement, et que l'enflure augmente secteur par secteur. La douleur doit être insupportable.

— D'après les derniers sondages, les gens n'y trouvent rien à redire.

— La plupart des êtres sont, par définition, barbares, observa Morris, fataliste.

Eve sortit son communicateur, qui bipait.

— Dallas.

— Lieutenant, on vous attend au Central dans trente minutes.

— Commandant, je suis avec le médecin légiste, et j'attends les résultats de tests effectués sur le cerveau de Mary Ellen George. Il faut ensuite que je mette mon équipe au courant de l'évolution de l'affaire. Je vous prie...

— Permission refusée, l'interrompit Whitney. Soyez là dans trente minutes, Dallas. Demandez à votre assistante de transmettre votre rapport à mon bureau au plus vite.

Quand il coupa la communication, Morris gratifia Eve d'une tape réconfortante sur l'épaule.

— Je sais, je sais. C'est nul.

— Ils m'ont jeté dans les pattes Franco et Chang.

— À mon avis, Franco et Chang pensent que c'est le contraire. Allez rassurer nos concitoyens. Dites-leur qu'entre vos mains, la ville n'a rien à craindre.

— Si je n'avais pas besoin de vous, je vous étranglerais volontiers.

Elle subit la réunion précédant la conférence, lut les déclarations qu'on lui soumettait, mémorisa ce qu'elle avait le droit de dire et ce qu'elle devait taire. Mais quand Franco lui proposa de se maquiller pour les caméras, elle montra les dents.

Franco poussa un profond soupir et, d'un geste, invita ses sbires à quitter la pièce.

— Lieutenant, mon intention n'était pas de vous offenser. Nous sommes des femmes, et quelle que soit notre position, nous le restons. Certaines d'entre nous l'acceptent mieux que d'autres.

— Le fait d'être une femme ne me gêne nullement. J'obéirai aux ordres. Je ne suis pas obligée d'aimer cela ni d'être d'accord. J'exécuterai, point final. Mais de là à me pomponner pour vous faire plaisir...

— D'accord ! D'accord ! D'accord ! s'exclama Franco, en agitant les mains. Désolée... Écoutez, nous venons tous de passer deux jours très difficiles. Cela ne va sans doute pas s'arranger. Le maire exige que je travaille avec vous, votre patron aussi. Nous n'avons pas le choix. Je n'ai pas envie de me battre avec vous pour un oui ou pour un non.

— Alors fichez-moi la paix.

— Seigneur ! Laissez-moi vous dire ceci : nous avons, vous et moi, un sens profond du devoir. Nous sommes des fonctionnaires dévoués, même si nos méthodes de travail et notre attitude diffèrent radicalement. J'aime New York, lieutenant. J'aime profondément cette ville, et je suis fière de la servir.

— Je n'en doute pas, madame.

— Jenna. Nous formons une équipe, appelez-moi Jenna. Et moi, je vous appellerai Eve.

— Non. Mais vous pouvez m'appeler Dallas.

— Ah ! Voilà l'un de nos points de divergence. Vous favorisez les méthodes traditionnelles masculines, quand moi, je la joue féminine. Cela marche dans mon cas, et cela marche certainement dans le vôtre. Cela dit, je me méfie des femmes comme vous. De même que vous vous méfiez des femmes comme moi.

— Je me méfie des politiciens en général.

Franco inclina la tête.

— Si vous cherchez à m'insulter dans l'espoir que je vous exclue de la conférence de presse, laissez-moi vous dire qu'à ce petit jeu, les flics sont des amateurs comparés aux politiciens.

Elle consulta sa montre.

— C'est l'heure. Prenez au moins la peine de vous re-coiffer.

Impassible, Eve passa les doigts dans ses cheveux. Deux fois.

— Voilà !

Jenna Franco la parcourut de la tête aux pieds.

— Comment diable avez-vous fait pour attirer un homme tel que Connors dans vos filets ?

Eve se leva, très lentement.

— Si vous cherchez à m'insulter pour que je vous colle mon poing dans la figure et qu'on me retire cette enquête afin que vous puissiez présenter une meilleure image aux médias, sachez que ça me tente beaucoup, mais que je me retiendrai. Je mènerai cette affaire jusqu'au bout. Je la résoudrai. Ensuite, impossible de dire ce qui se passera.

— Dans ce cas, nous sommes sur la même longueur d'onde. Quels que soient nos sentiments personnels, notre but est de clore cette affaire.

Dès qu'elle émergea de la pièce, Franco fut assaillie par une armée d'assistants.

— Lieutenant ! Lieutenant !

Chang trottinait derrière Eve.

— J'ai votre emploi du temps pour demain.

— De quoi parlez-vous ?

— Votre emploi du temps, répéta-t-il, en lui tendant un disque. Vous commencez à 7 heures, par une interview de deux minutes avec K.C. Stewart, présentateur de Planet. Large diffusion, excellent taux d'écoute. À 10 heures, nous avons organisé un direct depuis votre bureau au Central, avec une équipe de City Beat. Là encore, les taux d'éc...

— Chang, dois-je vous expliquer où ce disque va finir si vous continuez à me parler ?

Il pinça les lèvres.

— Je fais mon boulot, lieutenant, et j'ai travaillé dur pour obtenir ces entretiens, afin de respecter les exigences de la mairie et de la police de New York. Les derniers sondages...

— Les derniers sondages finiront au même endroit que ce disque si vous ne décampez pas sur-le-champ !

Folle de rage, elle brisa le disque en deux puis, pivotant sur elle-même, tomba nez à nez avec le commandant.

— Soit vous avez besoin d'un flic, soit vous avez besoin d'un représentant médiatique. Je ne porterai pas les deux casquettes. Si, à vos yeux, ce que pensent les journalistes compte davantage que mon enquête, alors, sauf votre respect, commandant, vous débloquez.

Il lui agrippa le bras avant qu'elle tourne les talons.

— Un instant, lieutenant.

— Vous pouvez me virer ou me rétrograder, mais je refuse de passer mon temps devant les projecteurs alors que je devrais être sur le terrain.

— Tant que vous êtes sous mon commandement, lieutenant, ce n'est pas à vous de me donner des ordres.

Derrière elle, Chang ricana. Se reprenant aussitôt, il lui tendit une sauvegarde du disque cassé.

— Commandant Whitney, le lieutenant Dallas ayant endommagé sa copie, je préfère vous donner son emploi du temps pour demain.

— Quel emploi du temps ?

— Nous avons prévu une série d'interviews, notamment sur Planet, City Beat, Del Vincent, et le Journal du soir. Nous attendons confirmation pour les émissions Crime et Châtiment, et Réponse à tout.

— Quatre rendez-vous ?

— Oui, répondit Chang, surexcité. Nous sommes très contents, mais la stratégie peut encore être améliorée. Nous prévoyons aussi une liaison satellite avec Delta Colony. Les taux d'écoute, là-bas, sont très élevés dès qu'il s'agit d'affaires criminelles.

— Monsieur Chang, êtes-vous conscient que le lieutenant Dallas est en charge d'une enquête criminelle prioritaire ?

— Justement, c'est pourquoi...

— Êtes-vous aussi conscient que la procédure standard veut que vous passiez par moi avant d'accepter quoi que ce soit ?

— Il m'a semblé cet après-midi que c'était très clair. Le maire...

— Ce qui a été décidé lors de la réunion, c'est que le lieutenant Dallas participerait à la conférence de presse et qu'ensuite, selon mes directives, elle se rendrait éventuellement disponible pour d'autres interventions dans les médias. Il est hors de question que j'approuve cet emploi du temps. Le lieutenant a autre chose à faire que de se prêter à ces mascarades.

— Le bureau du maire...

— N'a qu'à me contacter, interrompit Whitney. Ne vous amusez pas à donner des ordres à mes officiers, Chang. Vous abusez de votre autorité. Et maintenant, du balai ! Je veux parler avec le lieutenant.

— La conférence...

— J'ai dit : du balai !

Chang tourna les talons sans demander son reste.

— Commandant...

Whitney fit taire Eve d'un geste de la main.

— Vous avez bien failli être sanctionnée pour insubordination, lieutenant. Je vous conseille de mieux vous maîtriser à l'avenir.

— Oui, commandant.

— Comment avez-vous pu imaginer deux secondes que j'approuverais un emploi du temps pareil ?

— Je vous demande pardon, commandant. Ma seule excuse, c'est que tout contact avec Chang m'exaspère au plus haut point.

— Je comprends.

Il retourna le disque dans sa main.

— Je m'étonne que vous ne le lui ayez pas enfoncé jusqu'au fond de la gorge.

— À vrai dire, commandant, je songeais à un autre orifice.

Il faillit sourire. Puis il brisa le disque en deux.

— Merci, commandant.

— Finissons-en avec ce cirque, qu'on se remette au travail.

11

Eve subit l'épreuve jusqu'au bout, répétant tel un perroquet le laïus remis par le département. Mais l'exercice l'avait mise en rage, si bien qu'elle effectua tout le trajet du retour dans un état de fureur contenue.

— Dallas.

Elles approchaient du portail de la propriété quand Peabody se risqua enfin à ouvrir la bouche. Ainsi, si Eve la virait de la voiture, elle n'aurait pas trop de chemin à parcourir.

— Ne vous en prenez pas à moi, d'accord ? Vous avez fait ce que vous deviez faire.

— Ce que je dois faire, c'est mener mon enquête et la résoudre.

— Oui, mais parfois, être au service du public, c'est compliqué. Beaucoup de gens dormiront mieux ce soir en sachant qu'ils ne risquent pas d'être contaminés s'ils examinent leurs comptes sur leur ordinateur ou surfent sur Internet. C'est important.

— Je vais vous dire ce que je pense, répondit Eve en fonçant vers la grille. Je pense que les gens ne devraient pas toujours croire ce qu'on leur raconte.

— Lieutenant… je ne suis pas sûre de vous suivre.

— Peut-être que celui qui manipule les touches n'apprécie pas la façon dont M. Smith, sa jolie femme et leur charmante petite fille mènent leur existence. Peut-être qu'il va décider que M. Smith ne devrait pas explorer les sites porno, ou s'arrêter dans un bar de strip-tease après une dure journée à vendre du mobilier, ou s'offrir un trip au Zoner avec sa jolie femme de temps en temps. M. Smith ne respecte pas toutes les règles. Il est temps de faire un exemple, afin que tous les autres M. Smith comprennent le programme.

— Mais le groupe cible des prédateurs connus ! Je ne dis pas que c'est bien. Je ne le dis pas, Dallas, parce que ça ne l'est pas. Entre les pédophiles et un type qui s'envoie en l'air au Zoner le samedi soir, il y a une sacrée marge.

— Vraiment ?

Eve immobilisa la voiture au bas du perron.

— La loi ignore M. Smith. Elle ne le punit pas, comme elle n'a pas puni les autres. Les Chercheurs de Pureté s'en sont chargés, et la plupart des gens se sont dit : « Tiens ! ce n'est pas une mauvaise idée, après tout. Si les flics sont incapables de faire leur boulot, eh bien, que quelqu'un les remplace. » Personne ne se dit : « Hmm... Mary Ellen George a été acquittée. Et si elle était innocente ? »

— Elle ne l'était pas, alors...

— Non, elle ne l'était pas, mais la prochaine victime pourrait l'être. Ou celle d'après. Cette organisation décide que telle ou telle personne est coupable. Sur quels critères ? Selon quel système ? Quelle autorité ? Les leurs. Comment la population réagira-t-elle quand ces terroristes s'immisceront dans leurs demeures, dans leurs vies.

— Vous croyez vraiment que c'est possible ?

— C'est évident, à moins qu'on ne les arrête. Ils se sentent investis d'une mission, et il n'y a rien de plus de dangereux.

Elle en savait quelque chose, songea-t-elle en claquant sa portière. Elle s'en était donné une le jour où elle avait prêté serment.

Pour une fois, elle ne s'irrita pas de voir Summerset surgir devant elle dès son entrée.

— Lieutenant, j'aimerais avoir une idée du nombre d'invités qui passeront la nuit ici.

— Il n'y a pas d'invités ici, mais des flics et un gamin. Montez, Peabody. J'ai à faire ici.

— Oui, lieutenant.

Elle disparut en courant.

— Dites-moi où en est McNab, et exprimez-vous clairement, ordonna Eve.

— Pas de changement.

— Ce n'est pas suffisant. Comment comptez-vous y remédier ?

— Ni les nerfs ni les muscles ne réagissent aux stimuli.

— On aurait peut-être dû le laisser à l'hôpital, marmonna-t-elle en arpentant le hall. On a eu tort de le transférer ici.

— La vérité, c'est que pendant les premières vingt-quatre heures, ils ne peuvent pas grand-chose de plus que nous, ici.

— Le délai est dépassé, aboya-t-elle. Il devrait aller mieux.

Ravalant sa colère, elle étudia le visage cadavérique du majordome.

— Quelles sont ses chances ? N'enjolivez pas le tableau. Quelles sont ses chances de récupérer sa mobilité ?

— Elles décroissent d'heure en heure.

Eve ferma les yeux, se détourna. Mais il avait eu le temps de voir dans son regard un immense désarroi.

— Lieutenant. McNab est jeune et en bonne forme physique. Cela joue en sa faveur. Le travail l'empêche de ruminer. C'est essentiel.

— Ils vont le déclarer invalide, ou l'enfermer dans un bureau, derrière une montagne de paperasses. Il ne s'en remettra pas. Bordel de merde !

— On a un arrangement avec une clinique en Suisse. Il me semble que Connors l'a évoqué.

Summerset attendit qu'elle pivote vers lui, puis enchaîna :

— Ils le prendront dès la semaine prochaine. Ils obtiennent un impressionnant taux de réussite en matière de régénérescence des nerfs. Il doit continuer son traitement jusqu'à ce que...

— Quel pourcentage ?

— Soixante-douze pour cent des patients souffrant de blessures similaires à celles de McNab guérissent complètement.

— Soixante-douze pour cent.

— Il n'est pas impossible qu'il s'en sorte tout seul. Dans une heure. Un jour.

— Mais c'est peu probable.

— En effet. Je suis désolé.

— Oui, moi aussi.

Elle se dirigea vers l'escalier.

— Lieutenant ? Il a peur. Il feint le contraire, mais il est terrifié.

Lorsqu'elle pénétra dans son bureau, l'ambiance était à la détente. Toute l'équipe était vautrée sur les sièges, en train de siroter une boisson fraîche.

Jamie donnait des petits morceaux d'un énorme sandwich à Galahad. Perchée sur le bras du fauteuil de McNab, Peabody leur racontait la conférence de presse.

— Charmant ! commenta Eve. Je parie que nos terroristes tremblent de la tête aux pieds !

— Il faut bien qu'on se repose de temps en temps, riposta Feeney.

Elle fonça jusqu'à son poste de travail. S'assit.

— Pendant que vous vous reposez, vous pourriez peut-être me mettre au courant.

— Tu n'as pas déjeuné, n'est-ce pas ? s'enquit Connors d'un ton posé.

— Non. Tout ça, à cause d'une femme qui s'est pendue avec les draps de son lit, des petits détails mesquins d'une série d'homicides, d'une réunion exaspérante avec les officiels de la ville – dont certains s'intéressent davantage à leur image médiatique qu'aux morts – et de l'heure que j'ai passée à nourrir ces requins de journalistes.

Elle eut un sourire féroce, et Jamie se tassa sur son siège.

Connors se leva, s'empara du demi-sandwich que Jamie et le chat n'avaient pas encore dévoré, et s'approcha d'elle.

— Mange.

Eve repoussa sa main.

— Rapport.

— Allons ! Pas d'effusions de sang ! intervint Feeney. Nous avons progressé, c'est pourquoi nous nous accordons une pause. Nous avons conçu un bouclier et réussi à filtrer partiellement le virus. Nous pensons être sur le point d'isoler l'infection dans l'ordinateur de Cogburn. Nous avons pu en extrapoler une portion. Les analyses sont en cours. Une fois que nous aurons les résultats, nous pourrons simuler le reste du programme sans toucher à la machine infectée.

— Dans combien de temps ?

— Difficile à dire. Je n'ai jamais vu un programme semblable. Encodé, sûreté intégrée. Nous travaillons sur les bribes que nous avons pu sortir avant que cet imbécile ne rende l'âme.

— L'ordinateur est fichu ?

— Une vraie fricassée, lança Jamie. Mais on a récupéré des données intéressantes. On en aurait eu assez pour reprendre une simulation si Connors avait eu une minute, voire quarante-cinq secondes de plus, mais...

Les mots moururent sur ses lèvres, tandis qu'Eve se levait lentement de son siège.

— Tu as opéré sur l'ordinateur de Cogburn ?

— Oui.

— Tu as travaillé sur une machine infectée en te servant d'un filtre expérimental, qui s'est révélé inefficace ? Et tu as pris cette initiative sans en référer auparavant à la chargée d'enquête ?

— Dallas...

Feeney se leva à son tour et s'approcha, ignorant courageusement son regard assassin.

— C'est moi qui suis responsable du volet électronique de l'enquête. Moi, qui gère les études de laboratoire.

— Et tu es sous mes ordres. J'aurais dû être tenue au courant. Tu le sais parfaitement.

— C'est moi qui ai pris la décision.

Elle se tourna vers Connors.

— Ah oui ? Dehors !

Tous – sauf Connors – se précipitèrent vers la sortie. Sur le seuil, Feeney tapota la tête de Jamie.

— Quoi ? marmonna ce dernier, boudeur. Quoi ?

— Je vais te dire quoi, grommela Feeney en fermant la porte derrière eux.

Eve resta derrière son bureau. Par précaution. Mieux valait conserver une barrière symbolique entre eux.

— Tu possèdes peut-être la moitié de l'univers, articula-t-elle, mais ce n'est pas toi qui diriges mon enquête ni mon équipe.

— Et je ne le désire pas, lieutenant, rétorqua-t-il froidement.

— À quoi joues-tu, bon sang ? C'est pour prouver ta virilité que tu t'amuses à t'exposer à une infection non identifiée ?

Un éclair de fureur traversa le regard glacial de Connors.

— Tu as eu une dure journée, aussi je passerai sur cette remarque. Il fallait tester le filtre, isoler et analyser le programme.

— À l'aide de simulations, de...

— Tu n'y connais rien en informatique, l'interrompit-il. Tu es chargée de cette enquête, certes, mais ce qui se passe en laboratoire est au-delà de tes compétences.

— Ce n'est pas à toi de définir mes compétences.

— Quoi qu'il en soit, je pourrais passer une heure à t'expliquer les tenants et les aboutissants, tu n'y comprendrais rien. Ce n'est pas ton domaine. En revanche, c'est le mien.

— Tu n'es qu'un...

— Tu m'as demandé de t'aider.

— Je peux te virer.

— C'est vrai, admit-il en saisissant le col de son chemisier pour l'attirer vers lui. Mais tu n'en feras rien, parce que les morts t'importent davantage que ton orgueil.

— Ils ne m'importent pas davantage que toi !

— Merde ! grommela-t-il en la lâchant. C'était un coup bas.

— Tu n'avais pas le droit de prendre un tel risque ! Quand je pense que tu ne m'en as même pas parlé ! C'est ce qui m'est le plus insupportable.

— C'était nécessaire. Et je n'y suis pas allé à l'aveuglette. Pour l'amour du ciel, je ne suis pas idiot.

Il pensa à l'arme qu'il avait dissimulée sous la tablette, au cas où. Et au petit bouton gris qu'il avait frotté, pour lui porter chance.

Non, il n'était pas idiot, mais il s'était senti un peu bête.

— Nous étions quatre à convenir que c'était la seule solution, poursuivit-il. J'étais surveillé, et l'exposition n'a pas dépassé dix minutes.

— Mais le filtre a sauté.

— C'est exact. Au bout de huit minutes. Jamie a quelques idées à ce sujet qui me semblent judicieuses.

— Combien de temps as-tu été exposé sans protection ?

— Moins de quatre minutes. Plutôt trois, d'ailleurs. Pas d'effets secondaires, ajouta-t-il. Sinon une légère migraine, conclut-il avec un sourire goguenard.

Elle l'aurait volontiers étranglé.

— Ce n'est pas drôle !

— Non. Désolé. Je suis indemne, et nous avons une image partielle de l'infection. Il fallait un opérateur humain, Eve, un spécialiste qui connaisse les trucs employés par un bon programmeur. Si je ne l'avais pas fait, Feeney aurait pris ma place.

— C'est censé me consoler ? Pourquoi y a-t-il renoncé ? s'étonna-t-elle. Je l'imagine mal te confier cette tâche spontanément.

— Nous avons tiré à pile ou face.

— Vous...

Elle se tut, se frotta vigoureusement les joues.

— Je n'en reviens pas ! Que cela vous plaise ou non, vous agissez sous mon commandement. Je tiens à être informée et consultée avant chaque étape.

— Entendu. Tu as raison, dit-il après un bref silence. On aurait dû te prévenir. Je te demande pardon.

— J'accepte tes excuses. Et bien qu'ayant largement dépassé mon quota pour la journée, je te présente les miennes pour t'avoir accusé d'abuser de ta virilité.

— C'est noté.

— J'ai une question à te poser.

— Je t'écoute.

Elle avait l'estomac noué, mais elle ne se déroberait pas.

— Si tu es convaincu que les activités de ce groupe sont justifiées, si tu penses que leurs victimes ciblées n'ont que ce qu'elles méritent, pourquoi prendre un tel risque ? Pourquoi mettre en péril ta propre vie pour m'aider à arrêter ces malades ?

— Pour l'amour du ciel, Eve, tu n'as aucun sens de la nuance ! Pour toi, tout est blanc ou noir. Pourquoi me soupçonnes-tu d'approuver ces actes ? Sous prétexte que je n'éprouve pas le moindre pincement de pitié envers un salaud comme Fitzburgh, tout à coup, j'appartiens au clan des terroristes ?

— Ce n'est pas exactement ce que je voulais... enfin si, peut-être.

— Me crois-tu totalement indifférent au sort de ce pauvre Halloway ?

— Non. Mais les autres...

— Peut-être que je peux concevoir leur philosophie : le fait que le mal, le vrai, peut et doit être éradiqué par tous les moyens possibles. Mais je ne suis ni assez stupide ni assez égocentrique pour imaginer que des effusions de sang puissent engendrer de la pureté. Ou penser qu'on puisse se passer de lois et de tribunaux.

— Cette affaire me perturbe complètement, avoua-t-elle. Probablement parce que je ne ressens aucune pitié, moi non plus, pour Fitzburgh et George. J'en suis incapable, mais en même temps, je suis ulcérée, effarée que quelqu'un – *que n'importe qui* – se soit arrogé le droit d'appuyer sur le bouton qui les a tués.

— Je ne dis pas que tu as tort. Je ne le crois pas. Il se trouve simplement que mon sens de la moralité est plus souple que le tien. Cependant, je te l'affirme clairement : je ne souscris en rien à leur mission et à leurs méthodes. Si l'on veut affronter le mal, il faut que ce soit les yeux dans les yeux.

Comme elle le faisait, songea-t-elle. Et lui aussi.

— Mange, veux-tu ?

— Au fond, nos points de vue sont plus proches que je ne le supposais, remarqua-t-elle.

Elle mordit dans le sandwich.

— Seigneur, qu'est-ce qu'il y a là-dedans ?

— Un peu de tout, d'après moi. Ce garçon est un ogre.

— Ce n'est pas si mauvais. Je crois bien qu'il y a du jambon. Et peut-être du chocolat.

— Ça ne m'étonnerait pas. Bon, alors ? Sommes-nous de nouveau sur la même longueur d'onde, toi et moi ?

— Oui. Plus que jamais.

— Avant de conclure, je vais t'avouer pour quelle autre raison j'ai agi comme je l'ai fait cet après-midi.

— Parce que tu aimes frimer ?

— Naturellement, mais ce n'est pas ce que j'allais dire. J'ai pris cette initiative parce que, en dépit de tout, je crois en toi. Et maintenant, je te propose un bon café pour t'aider à digérer ce magma. Ensuite, nous te montrerons ce que nous avons découvert.

Elle n'était pas spécialiste, mais elle avait de bonnes bases. En se forçant, elle pouvait même comprendre des éléments un peu plus complexes. Cependant, quand elle parcourut les données que Connors avait imprimées, elle eut l'impression de déchiffrer des hiéroglyphes.

— C'est vraiment incroyable ! s'exclama Jamie en la mettant au courant des progrès accomplis. Trop top. Celui qui a conçu ce programme est un génie. C'est même plus fort qu'un niveau Commando.

— Certes, mais je doute que ce soit le travail d'un seul programmeur. Ce que nous pouvons en déduire pour l'instant, c'est que cela a nécessité une somme phénoménale de connaissances en matière d'informatique et de médecine. Neurologique.

— Ils travaillent en équipe, acquiesça Feeney. Ils disposent forcément d'un labo de première classe et de poches bien remplies. Et d'une chambre d'isolation.

— À l'heure qu'il est, que savez-vous du fonctionnement ?

— Les yeux et les oreilles, répondit Jamie qui se déplaçait d'un ordinateur à l'autre et pianotait sur les claviers. La lumière et le son.

— La lumière et le son.

— Couleurs spectrales et fréquences. Vous branchez votre ordinateur et vous entreprenez une petite partie de « Domination du monde », histoire de vous détendre. Pendant ce temps, la machine vous bombarde de lumière et de sons, des trucs que vos yeux et vos oreilles n'enregistrent pas normalement. Vous connaissez ces sifflets que les chiens entendent mais pas les humains ?

— Oui.

— Eh bien, pour autant que je sache, c'est l'idée à la base de ce virus. On n'a pas encore décodé les schémas spectraux et les fréquences, mais on va y arriver. Le plus beau, c'est que le virus se répand dans le système sans causer de dommages à l'ordinateur, sans abîmer les fichiers ou les applications. Il se faufile ici et là.

— Et tue l'opérateur.

— Et tue l'opérateur, répéta Jamie. D'après ce que nous savons, il faut au moins une heure, voire deux, pour transférer l'infection de la machine au cerveau.

— Nous ne l'avons pas encore confirmé, intervint Feeney.

— Le premier filtre a échoué, ajouta McNab. Mais il a tenu assez longtemps pour qu'on puisse extirper des données qui vont nous aider à concevoir le prochain.

— D'ici combien de temps ?

McNab haussa son épaule valide.

— Deux heures, environ. Un peu plus si nous devons attendre d'avoir décrypté le code.

— C'est salement dense ! commenta Jamie tout en sirotant son Pepsi. On en déchiffre un, et vlan ! il y en a six autres qui apparaissent derrière. Je vais tenter un raccourci sur un autre ordinateur.

— Excellent ! approuva Connors.

Il lui tapota l'épaule.

— Hé, Jamie ! Il faudra que tu loges ici jusqu'à ce qu'on ait résolu le mystère.

— Trop top !

Il poussa son fauteuil à roulettes jusqu'à un autre poste de travail et se remit à l'ouvrage.

— Bien. Voici où nous en sommes, commença Eve. Jamie, tu n'es qu'un stagiaire. Occupe-toi de ton boulot.

Il marmonna vaguement, mais retourna à son écran.

— À ce jour, poursuivit Eve, les constatations du médecin légiste concordent avec votre théorie de points d'attaque visuels et auditifs. Toujours selon lui, une fois le virus transmis, l'infection est irréversible. D'après les témoignages, la toute dernière victime, Mary Ellen George, a présenté les premiers symptômes, il y a huit jours environ. Ensuite, plus personne n'a eu de contact avec elle. En examinant la scène du crime, j'en suis arrivée à la conclusion que la victime s'est sentie mal, a décidé de se coucher et de calmer la douleur à coups d'antalgiques vendus sans prescription.

— Fitzburth aussi s'était enfermé chez lui, fit remarquer Feeney.

— De même que Cogburn, jusqu'à ce que son voisin vienne frapper à sa porte. Halloway, lui, est tombé malade sur son lieu de travail, mais il a choisi de se réfugier dans ton bureau. On peut supposer qu'il cherchait à s'isoler, ce qui semble faire partie des symptômes.

— Programmé pour réduire les risques d'interventions extérieures, suggéra Connors.

— Exact. Le groupe veut éviter de provoquer une hystérie collective. Ou d'être disqualifié pour avoir fait des victimes innocentes. Il s'attaque à des cibles spécifiques. Il est en quête d'attention médiatique. Il joue les dieux et les politiciens.

— Une combinaison redoutable.

— Ah, ça oui ! répondit-elle à Connors. Ce qui oblige la police à jouer dans la même cour. Le bureau du maire et *La Tour* se chargent d'alimenter les médias. L'adjointe au maire Franco est leur fer de lance.

— Bon choix, observa-t-il. Séduisante, intelligente, forte sans être dominatrice.

— Tu l'as dit, persifla Eve.

— Symboliquement parlant, précisa-t-il. En lui confiant le rôle de porte-parole, la mairie donne l'impression qu'il s'agit non d'une situation de crise, mais d'un simple problème. En te poussant sur le devant de la scène, on met l'accent sur la compétence et le sérieux des responsables. La ville est entre de bonnes mains. Des mains féminines, à la fois douces et protectrices.

— Quelles salades !

— Pas du tout ! protesta Baxter. Je comprends que ça vous agace, Dallas, mais Connors n'a pas tort. Vous êtes toutes les deux très télégéniques. Et à l'opposé l'une de l'autre : genre, la déesse et la guerrière. À côté, on a Whitney, Tibble avec son air grave, et quelques commentaires du maire qui voue une confiance inébranlable aux forces de police et au système. Du coup, la population reste calme.

— Baxter, vous avez raté votre vocation, déclara Eve. Vous auriez dû travailler dans les relations publiques.

— Et renoncer à ce boulot de rêve, si royalement payé ? Elle s'esclaffa.

— Salades ou pas, si nous ne progressons pas rapidement, je vais me retrouver dans toutes les émissions matinales à faire de la pub pour notre justice. Si c'est le cas, croyez-moi, vous le regretterez amèrement.

Elle se tourna vers la porte.

— Peabody, avec moi !

Elle la précéda dans son bureau.

— Ne tournez pas autour de McNab comme ça.

— Lieutenant ?

— Vous allez finir par lui donner l'impression que vous vous inquiétez.

— Mais je m'inquiète ! Le délai de vingt-quatre...

— Ruminez autant que vous voudrez, défoulez-vous sur moi s'il le faut. Mais ne le lui montrez pas. Il commence à paniquer, et il s'efforce de le cacher. Faites-en autant. Si vous avez besoin de décharger votre colère, sortez sur la terrasse de la cuisine et hurlez.

— C'est la méthode que vous employez ?

— Parfois. Parfois, je donne des coups de pied dans des objets. D'autres fois, je me jette sur Connors pour une partie de jambes en l'air effrénée. Cette option ne s'applique pas à vous, ajouta-t-elle, après un bref silence.

— Pourtant, ça me remonterait le moral, et je serais d'autant plus efficace.

— Bien, Peabody, gardez votre sens de l'humour. C'est essentiel. Et maintenant, allez me chercher un café.

— Oui, lieutenant. Merci. Si ça ne vous ennuie pas de patienter quelques instants, pour le café. Je crois que je vais essayer votre truc sur la terrasse.

Eve s'assit et s'attaqua au dossier de Mary Ellen George.

Les fichiers scellés restaient scellés. Elle avait obtenu son mandat, et les Services de protection de l'enfance s'étaient empressés de brandir une injonction. Seule solution : passer par les tribunaux.

Des journées de perdues, songea-t-elle. À moins d'emprunter une autre voie. Éventuellement.

Pour la troisième fois de la journée, elle appela l'inspecteur Thomas Dwier. Cette fois, elle tomba sur lui directement.

— Inspecteur, ici le lieutenant Dallas. J'essaie de vous joindre depuis un moment.

— Je suis au tribunal, expliqua-t-il. Que puis-je pour vous, lieutenant ?

— Je suis chargée de l'enquête sur les homicides des Chercheurs de Pureté. Vous en avez entendu parler ?

— Difficile de faire autrement. Vous me courez après à cause de ce salaud de Fitzburgh ?

— Je suis à l'affût de toutes les informations possibles. Vous étiez aussi sur l'affaire Mary Ellen George.

— Oui, on croyait la tenir, mais elle nous a filé entre les doigts. Quel est le lien ?

— Elle est morte.

— La roue tourne encore et encore. Je ne vois pas ce que je peux vous révéler sur l'un ou sur l'autre qui n'apparaisse déjà dans les archives.

— Si je vous offrais une bière après le procès. Je suis dans une impasse, Dwier. J'ai besoin d'aide.

— Pourquoi pas. Vous connaissez le pub O'Malley ? Au carrefour de la Huitième Avenue et de la 23ᵉ Rue ?

— Je trouverai.

— Je devrais en avoir terminé d'ici une heure.

— Je vous rejoins là-bas.

Elle jeta un coup d'œil à sa montre.

— À 17 heures.

— Entendu. On nous rappelle. À plus tard.

Elle éteignit son communicateur alors que Peabody posait une tasse fumante sur son bureau.

— Ça va mieux ?

— Oui, je crois. J'ai la gorge qui gratouille. Il n'y a plus de Pepsi dans votre frigo ni dans l'autochef.

— Jamie en avale des litres. Dites-le à Summerset, puis…

Elle se tut tandis qu'une tornade faisait irruption dans la pièce.

Mavis Freestone se déplaçait à la vitesse de l'éclair. Ses sandales mauves à semelles compensées ne semblaient affecter ni sa rapidité ni son équilibre. Une masse confuse de violet, de rose et de vert fonça sur Eve. La minijupe et le débardeur couvraient à peine l'essentiel, et les cheveux de Mavis étaient coiffés en une centaine de tresses aux couleurs assorties à sa tenue.

Elle contourna le bureau, et étreignit son amie avec force.

Eve parvint tant bien que mal à reprendre son souffle.

— C'est une journée merveilleuse ! s'écria Mavis. La plus merveilleuse de toute mon existence ! Dallas, je t'adore !

— Alors pourquoi essaies-tu de m'étouffer ?

— Désolée, désolée, marmonna-t-elle, sans cesser pour autant. Il faut absolument que je te parle.

— Impossible.

Enfin libérée, Eve toussota, se frotta la gorge.

— Quand bien même j'y serais apte physiquement, je croule sous le boulot. Je t'appellerai dès que j'aurai refait surface.

162

— Mais c'est important. C'est *vital* ! S'il te plaît ! S'il te plaît ! S'il te plaît !

Elle sautillait en parlant, le kaléidoscope de couleurs donnant le tournis à Eve.

— Deux minutes, céda Dallas.

— C'est confidentiel. Désolée, Peabody, mais... s'il vous plaît !

— Peabody, allez trouver Summerset, qu'il fasse livrer un avion cargo de tubes de Pepsi, ordonna Eve.

— Et fermez la porte en sortant, d'accord ? S'il vous plaît ! ajouta Mavis. Merci !

Toujours montée sur ressorts, elle croisa les mains et les plaça entre ses seins. Ses doigts couverts de bagues scintillaient. Une sorte de bracelet serpentait sur son avant-bras gauche.

— Sois brève, Mavis.

Eve repoussa ses cheveux en arrière, but une gorgée de café.

— Je suis vraiment sous pression. Tu ne devais pas partir en tournée ?

— FreeStar One. L'Olympus. J'ai chanté pendant une semaine au casino d'Apollo. C'était génial. Je suis rentrée ce matin.

— Bien. Formidable !

Eve laissa son regard errer sur l'écran, déchiffra quelques données.

— On se verra quand je serai plus disponible. Tu me raconteras tout ça.

— Je suis en cloque.

— Parfait. On en parle...

Le cerveau d'Eve se mit en mode « pause », comme si quelqu'un avait appuyé sur une touche et coupé tous les circuits.

— Qu'est-ce que tu as dit ?

— Je suis en cloque !

Mavis éclata de rire, puis plaqua la main sur sa bouche. Ses yeux, fardés du même mauve que ses sandales, brillaient de bonheur.

— Tu... tu... bredouilla Eve... Tu as un bébé dans le ventre ?

Mavis hocha vigoureusement la tête.

— Un bébé ! C'est trop top, non ? C'est au-delà de l'au-delà !

Elle s'empara de la main d'Eve et la posa sur son nombril.

— Tiens ! Sens !

— Mon Dieu ! Je ne devrais peut-être pas le toucher.

— Ne t'inquiète pas, c'est rembourré. Alors ? Qu'est-ce que tu penses de ça ?

— Je n'en sais rien.

Prudemment, Eve s'écarta. La grossesse, ce n'était pas contagieux, mais au cas où…

— Et toi ? Je veux dire… Tu es… Tu as… Mince, alors ! J'ai du mal à le croire. C'est… euh… un accident ?

— Pas du tout.

Mavis se percha sur le bureau.

— Ça fait déjà un moment qu'on essaie de procréer. Au début, on n'a pas eu de chance, mais à force d'essayer. Et on a beaucoup essayé, précisa-t-elle avec un gloussement.

— Tu es sûre que tu n'es pas ivre ?

— Non, non, juste enceinte. L'embryon est sur le feu.

— Je t'en prie !

— Quoi ? On a tous commencé comme ça.

— C'est possible, mais je préfère ne pas y penser.

— En ce moment, je ne pense qu'à ça. Mais attends, je saute les étapes. Bref, sur Olympus, j'ai eu la sensation que je… enfin, le matin, je vomis…

— Épargne-moi les détails, coupa Eve, en proie à la nausée.

— Bon, alors j'ai fait un test, et il était positif. Ensuite, j'ai eu peur de m'être trompée, parce que j'en avais tellement envie. J'en ai fait trois autres. Décollage !

Elle quitta son perchoir et tournoya sur elle-même, les bras à l'horizontale.

— Pour plus de sécurité, je suis allée à la clinique. J'en suis à six semaines.

— Six semaines.

— Ce matin, je suis passée à l'hôpital. Je me méfie un peu des cliniques hors planète. C'était bon. Je suis rentrée l'annoncer à Leonardo. Il en a pleuré.

Eve se surprit à porter la main sur son cœur.

— De joie ?

— Oh oui ! Aussitôt, il a tout arrêté pour me dessiner – enfin, non pas immédiatement, parce qu'on a voulu fêter l'événement en réitérant le programme de la conception –, mais tout de suite après, il a commencé à me dessiner une nouvelle garde-robe, pour quand je serai grosse. Je meurs d'impatience ! Tu imagines ?

— J'avoue que ça me dépasse. Et toi ? Tu es heureuse ?

— Dallas, tous les matins, quand je me réveille et que je vomis, je suis aux anges, je…

Les mots moururent sur ses lèvres, et elle éclata en sanglots.

— Oh non !

Eve se leva d'un bond, se précipita vers son amie, puis hésita. Elle tenta de la serrer un instant contre elle, mais Mavis s'accrocha à son cou.

— C'est le plus beau jour de ma vie. J'ai voulu l'annoncer d'abord à Leonardo, puis à toi. Parce que tu es ma meilleure amie. Maintenant, on peut prévenir tous les autres. Je veux que *tout le monde* le sache.

— Ah ! Ce sont des larmes de bonheur.

— Mais oui. C'est génial ! Je peux avoir des sautes d'humeur quand je veux, sans assistance chimique. Le hic, c'est que je ne peux pas boire. Ce serait mauvais pour la petite Eve ou le petit Connors.

Eve recula si brusquement que Mavis faillit s'effondrer de rire.

— Mais non, on choisira un autre prénom. C'est juste en attendant. Tu verras, quand Connors et toi…

— Tais-toi ! Sujet tabou. Je ne voudrais pas blesser une femme enceinte.

Mavis se contenta de sourire.

— On a fait un bébé. Leonardo et moi, on a fabriqué un bébé. Je serai la meilleure des mamans, Dallas.

— Je n'en doute pas, murmura Eve en laissant courir ses doigts sur ses tresses multicolores.

12

Entrer dans un bar qui sentait le flic à plein nez intimidait nettement moins Eve que d'étreindre une femme enceinte.

Ici, au moins, on savait à quoi s'attendre – de la bonne nourriture bien grasse, des alcools forts, et une clientèle qui savait qui vous étiez à peine le seuil franchi.

L'éclairage était diffus. Les conversations ne s'interrompirent pas lorsqu'elle s'avança dans la salle, mais quelques regards se tournèrent furtivement vers elle. Puis, l'ayant reconnue comme l'un des leurs, chacun retourna à ses affaires.

Elle aperçut Dwier à l'extrémité du bar. Il avait déjà bu une demi-bouteille de bière et vidé la moitié d'une coupelle de bretzels.

Elle s'installa sur le tabouret libre à côté de lui. De toute évidence, il le lui avait réservé, toutes les autres places étant déjà occupées.

Elle lui tendit la main.

— Inspecteur Dwier ? Lieutenant Dallas.

— Enchanté, marmonna-t-il, la bouche pleine, avant d'avaler une généreuse gorgée de bière.

— Ils vous ont libéré du tribunal plus tôt que prévu ?

— Oui. J'étais censé témoigner aujourd'hui. C'est raté. Il faudra que je leur consacre plus de temps demain. Fichus avocats.

— De quelle affaire s'agit-il ?

— Agression et vol. L'accusé attaque un costard-cravate à la sortie d'une réunion tardive. Il lui pique sa montre, son portefeuille, son alliance et tout le tralala, puis il lui défonce le crâne quand l'autre le supplie de ne pas lui prendre son alliance. On l'a coincé en possession de la montre. « Ça ? se défend ce salaud. Je l'ai trouvée dans la rue. » La victime le désigne parmi une rangée de suspects. L'autre réplique « erreur d'identité ». C'est ce que plaide son avocat. Il prétend que la victime, souffrant d'un traumatisme crânien, est incapable d'identifier son agresseur. Que la montre, de marque commune, ne peut en aucun cas être rattachée au crime.

Dwier engloutit une poignée de bretzels, la mâcha.

— Tout ça, c'est une perte de temps aux frais du contribuable. L'accusé a déjà trois délits à son actif. Vous ne buvez rien ?

— Si, si. Je vais prendre une bière.

Elle fit signe au serveur d'en apporter deux.

— Merci de me consacrer ces quelques minutes, Dwier.

— De rien. Vous avez lu les dossiers. Tout y est.

— Parfois, les rapports omettent les impressions.

— Vous voulez mon sentiment sur Fitzburgh et George ? Des minables. Fitzburgh...

Il vida son verre.

— ... Un salopard arrogant. Il n'a pas bronché quand on l'a emmené au poste. Il était là, à ricaner, caché derrière ses avocats. Il a eu l'intelligence de la boucler, mais ça se voyait dans ses yeux. Il pensait : « Vous, les flics, vous ne pouvez rien contre moi. » Et il avait raison.

— Vous avez interrogé les victimes, leurs parents ?

— Ouais. Et c'était sacrément dur. Les crimes sexuels, c'est toujours délicat, mais quand en plus ce sont des mineurs... Vous savez ce que c'est.

— Oui.

Elle aussi avait été mineure. Et quand on était venu la questionner, dans son lit d'hôpital, elle avait lu dans le regard du policier la même chose que dans celui de Dwier. La pitié et la lassitude.

— L'un des membres de ces familles vous semble-t-il susceptible de s'acharner sur Fitzburgh ? Quelqu'un a-t-il parlé de se venger ?

— On peut difficilement leur en vouloir.

— Il ne s'agit pas de mon avis personnel ni du vôtre, mais d'une enquête. Fitzburgh a été exécuté, George aussi. Mon boulot, c'est de découvrir qui appuie sur les boutons.

— Je ne vous envie pas.

Il entama sa deuxième bière.

— Aucun de ceux qui ont travaillé sur les affaires Fitzburgh ou George ne pleurera sur leur sort.

— Ce n'est pas ce que je vous demande. Je vous demande des informations. Je vous demande, en tant que collègue, de me tendre la main.

Il rumina en silence, les yeux rivés sur son verre.

— Les victimes et leurs proches ont réagi comme on pouvait s'y attendre. La plupart d'entre eux étaient effondrés. Les mômes qu'il a violés se sentaient humiliés, terrifiés et coupables. L'une des familles venue déposer plainte était dans tous ses états. Le petit tremblait dans ses chaussettes. Mais ils voulaient que justice soit faite. Que ce type soit enfermé, afin qu'il ne puisse plus jamais toucher à un gamin.

— Pouvez-vous me donner un nom ?

Il la dévisagea d'un air dur.

— Les fichiers sont scellés. Vous le savez.

— Les Services de protection de l'enfance ont opposé une injonction au mandat m'y donnant accès. J'ai sur les bras des terroristes particulièrement bien équipés sur le plan technologique, qui exécutent des individus selon leur bon plaisir. Il existe des liens entre les victimes.

— Je ne vous donnerai pas de noms. Et je vous le dis franchement, j'espère qu'ils vous enverront promener avec votre mandat. Je ne veux pas que ces gens vivent un nouvel enfer. Vous avez une affaire à résoudre, et il paraît que vous êtes un crack dans votre domaine. Je ne peux rien vous révéler de plus. Merci pour la bière.

— Très bien.

Eve se leva, sortit quelques pièces.

— Vous connaissez Clarissa Price, des Services de protection de l'enfance ?

— Bien sûr !

Dwier saisit une nouvelle poignée de bretzels.

— Elle a représenté plusieurs des victimes sur ces affaires, reprit-il. Si vous espérez lui arracher des noms, laissez tomber. Elle sera muette comme une carpe.

— Elle est du genre dévouée ?

— C'est rien de le dire.

— Suffisamment pour contourner le système si celui-ci ne fonctionne pas selon ses désirs ?

Il demeura impassible.

— Elle respecte la loi. Tout le monde n'apprécie pas toujours la façon dont elle est édictée, mais ça reste la loi. Du moins, jusqu'à ce qu'on en édicte une nouvelle. Je peux vous poser une question ?

— Bien sûr.

— Les flics de la brigade des homicides sont différents. C'est connu. Ça ne vous gêne pas de travailler pour des ordures de cette espèce ?

— Je ne choisis pas les morts que je défends, Dwier. Ce sont eux qui me choisissent. Bonne chance au tribunal, demain.

Une fois sortie, elle se réfugia dans son véhicule, mais ne démarra pas. Pas mal de choses la gênaient, songea-t-elle. Au rang desquelles ce flic, qui avait eu bonne réputation, et qui semblait avoir dévié en cours de route.

Si Dwier n'appartenait pas déjà au groupe des Chercheurs de Pureté, il apparaissait comme le candidat idéal.

Lorsque Eve arriva chez elle, elle croisa Mira, qui descendait l'escalier.

— Eve ! Je craignais de vous avoir manquée.

— Nous avions rendez-vous ?

— Non, bien que je sois passée vous déposer le profil dont vous aviez besoin.

Mira s'arrêta au bas des marches, la main reposant légèrement sur la rampe de bois ciré. Ses cheveux, d'un beau châtain chaud, encadraient son visage aux traits fins. Sa bouche était d'un joli rose pâle, ses yeux, bleus comme un ciel d'été.

Elle portait un tailleur couleur tournesol, à la coupe impeccable.

Elle était superbe, gracieuse jusqu'au bout des ongles, et terriblement rassurante. C'était aussi l'un des meilleurs profileurs du pays, en même temps que la psychiatre spécialisée attachée au département de police de New York.

— Merci, fit Eve, mais ce n'était pas la peine de vous déplacer.

— Je serais venue de toute façon. Je voulais voir McNaab.

— Ah ! Eh bien...

Eve fourra les poings dans ses poches.

— Auriez-vous quelques minutes à m'accorder ? Je m'installerais volontiers sur cette si jolie terrasse, attenante au salon.

— Euh... Oui. Bien sûr.

— Souhaitez-vous boire quelque chose, docteur ? s'enquit Summerset, surgi de nulle part. Du thé ? Ou peut-être un verre de vin ?

— Un verre de vin, merci.

Sans laisser à Eve le loisir de se défiler, Mira glissa le bras sous le sien et l'entraîna vers le salon.

— Je sais que vous avez du travail. Je vous promets de ne pas vous retenir longtemps. Vous avez eu une dure journée. Cette conférence de presse n'a pas dû être une partie de plaisir.

— C'est un euphémisme.

Eve poussa les portes qui donnaient sur la terrasse.

Comme tout ce qui appartenait à Connors, le lieu était magnifiquement conçu.

La terrasse elle-même était faite de pierres, de forme, de taille et de ton variés. Elle formait une courbe harmonieuse qui allait se perdre dans le jardin. Deux tables en verre et fer forgé trônaient parmi des pots débordant de fleurs.

En cette fin d'après-midi, le soleil répandait sa lueur dorée à travers les treillis recouverts de vigne.

— Quel endroit charmant ! s'exclama Mira en s'asseyant à l'une des tables.

Elle poussa un profond soupir.

— Si j'habitais ici, j'y passerais tous mes instants de liberté, à rêvasser. Vous rêvassez de temps en temps, Eve ? ajouta-t-elle avec un sourire.

— Je suppose que oui. Enfin... non, pas tant que ça.

— Vous devriez. C'est excellent pour la santé. Quand j'étais petite, je me pelotonnais sur la banquette devant la fenêtre de la bibliothèque de mon père. Si on me laissait faire, je pouvais y passer l'après-midi entier. Il est enseignant. Vous l'ai-je déjà dit ? Il a rencontré ma mère après s'être coupé la main en voulant trancher des tomates. Il a toujours été maladroit. Elle était jeune interne à l'hôpital. Ce fut le coup de foudre.

Elle rit, offrit son visage au soleil, savourant sa chaleur.

— C'est drôle. Et mignon. Aujourd'hui, ils sont en semi-retraite. Ils habitent dans le Connecticut avec leur vieux chien, Spike, et cultivent des tomates dans leur potager.

— C'est charmant.

— Vous vous demandez pourquoi je vous raconte tout ça... Merci, Summerset, s'interrompit-elle, tandis qu'il déposait devant elles deux verres de vin et un plateau de canapés. C'est superbe.

— Si vous avez besoin de quoi que ce soit, n'hésitez pas.

Il tourna les talons et disparut dans la maison.

— Aucune raison particulière, poursuivit Mira. Je suppose que c'est la tranquillité du lieu qui me fait penser à eux. Tout le monde n'a pas eu la chance de vivre une enfance stable comme la mienne.

— Je n'ai pas le temps de me lancer dans une séance de...

Mira lui prit la main.

— Je ne faisais pas seulement allusion à vous. Les enfants agressés par ces gens-là auront de rudes épreuves à surmonter. Vous le comprenez.

— Dois-je aussi comprendre qu'il est bien de tuer ce qui vous fait du mal ?

— Dans le cas présent, c'est différent. Vous avez agi sous l'emprise de la douleur, de la peur et de l'urgence. Pour vous protéger. Pour sauver votre peau. Les actes perpétrés par ce groupe sont froids, calculés, organisés et prétentieux. Il ne s'agit pas d'autodéfense, mais d'arrogance.

Les épaules d'Eve se détendirent.

— Je commençais à me demander si j'étais la seule à voir les choses sous cet angle.

— Vous avez tué pour survivre. Ces gens-là vivent pour tuer.

— J'aimerais lire ça à la une des journaux, grommela Eve.

— Celui qui a fondé cette organisation, le leader, est intelligent, méticuleux et persuasif. Il a dû recruter des techniciens hautement spécialisés. Ils connaissent le pouvoir des médias. Ils ont besoin du soutien de la population.

— Jusqu'à présent, ils se débrouillent plutôt bien.

— Jusqu'à présent, oui. Je ne pense pas que ce virus destiné à pousser la victime au suicide soit une coïncidence. C'est un symbole. Nos enfants ont été contaminés par ces monstres. Désormais, nous devons les infecter à notre tour, parce que la justice ne l'a pas fait. Ils se considèrent comme des *gardiens*. Autre symbole. Maintenant que nous sommes là, vous êtes en sécurité.

— Combien de temps avant qu'ils n'élargissent leur horizon.

Mira s'empara d'un toast au tarama.

— Les groupes ont tendance à évoluer. Ceux qui rencontrent le succès cherchent d'autres voies pour exercer leurs capacités et leur influence. Le prédateur d'enfants aujourd'hui, le meurtrier acquitté, demain. Le voleur à la tire, le dealer. Pour que New York soit pure, il faut éliminer ces parasites.

— Je pense qu'un flic au moins est impliqué. Ainsi qu'une assistante sociale. Et certaines des familles qui ont été en contact avec les victimes.

Mira opina.

— Cherchez des individus ayant des liens avec vos victimes et des connaissances très pointues. En neurologie, informatique, physique, sociologie, psychiatrie. Des gens fortunés. Les recherches et le matériel nécessitent des fonds substantiels. Attendez-vous à un nouveau décès et à une nouvelle déclaration sous peu. Ils veulent se maintenir à la une. Ils se sont donné une mission, Eve, et ils se servent de nos enfants pour la mener à bien.

— Ils vont devoir s'expliquer sur ce qui est arrivé à Halloway – de même qu'à Feeney et à McNab.

— Oui.

Mira suivit du regard un colibri qui butinait de fleur en fleur.

— Nul doute que ce sera parfaitement rédigé.

Eve décrivait de petits cercles avec son verre sur la surface transparente.

— Connors et moi avons longuement discuté. Nous sommes à peu près sur la même longueur d'onde, je crois. Mais pas tout à fait quand même.

— Tant mieux.

Surprise, Eve leva les yeux.

— Comment ça ? On s'est disputés, tout de même !

— C'est aussi cela, le mariage.

— C'est possible. Alors… vous avez pu parler avec Feeney ?

— Il n'est pas prêt. Il s'en sort bien. Le travail lui permet d'évacuer son stress.

— Et McNab ?

— Je ne peux vous révéler les détails de notre conversation. C'est confidentiel.

— Bien. Pouvez-vous me dire… Pensez-vous que je doive le libérer de ses fonctions sur cette affaire ? Connors peut le faire admettre dès la semaine prochaine dans une clinique spécialisée, en Suisse. Mais d'ici là, il vaudrait peut-être mieux qu'il se repose. Qu'il reste dans sa famille…

— Il l'est déjà. En le maintenant dans votre équipe, en continuant de valoriser ses idées, ses ressources, vous l'aidez. Connors a contacté la clinique Jonas-Ludworg, n'est-ce pas ? C'est tout lui.

— C'est un établissement réputé, non ?

— Le meilleur de tous.

— Bien, murmura Eve en pressant les mains sur ses tempes. C'est bien.

— Vous avez eu une sale journée.

— Oh que oui !

— J'espère que vous aurez bientôt de bonnes nouvelles.

— J'en ai eu une, soupira Eve. Mavis est enceinte.

— Mavis ? Enceinte ? Seigneur ! Ils sont heureux ?

— Au septième ciel. Leonardo est déjà en train de lui dessiner une ligne de vêtements pour quand elle sera grosse.

— Mon Dieu ! C'est incroyable ! La naissance est prévue pour quand ?

— Euh… le mois de mars, je crois.

— Et vous, Eve… tante Eve ? Que ressentez-vous ?

Son estomac se noua.

— Bof…

Mira rit aux éclats.

— Si vous voyez Mavis avant moi, transmettez-lui toute mon affection et mes félicitations.

— Pas de problème.

Eve jeta un coup d'œil sur sa montre.

— Je vois que vous êtes pressée de vous remettre au travail. Ça ne vous ennuie pas que je reste encore un peu, le temps de finir mon verre ?

— Non, pas du tout. Mais je dois vous laisser.

— Bonne chance !

Eve la quitta, et Mira savoura son vin en admirant le jardin. Et en rêvassant.

Eve fit d'abord un saut au laboratoire, mais ne s'y attarda pas. Les discussions allaient bon train, dans ce jargon technique qui lui flanquait mal au crâne au bout de cinq minutes.

S'ils avaient besoin d'elle, ils le lui feraient savoir, décidat-elle en passant dans la pièce que Baxter utilisait comme bureau.

— Alors ? Quoi de neuf ?

— J'ai beaucoup de noms reliés à l'une ou plusieurs des victimes. Flics, avocats, Services de protection de l'enfance, médecins, et une poignée de plaignants dont les dossiers n'étaient pas scellés. J'ai effectué un tri, et je viens de transférer les données sur votre ordinateur. Notre camarade Nadine Furst a couvert le procès George. Et cet imbécile de Chang était l'agent chargé des relations avec la presse.

— C'est logique, je suppose, fit-elle en se perchant au bord du bureau. Qu'en pensez-vous ?

— Que si des membres des familles sont impliqués, et il y en a, ils figurent dans les archives scellées. Ce qui se comprend. On panse ses plaies dans son coin, à l'abri des regards. Et on ne veut parler à personne.

— Ou sinon, à quelqu'un qui vous a soutenu à l'époque. Quelqu'un qui vous a défendu.

— Clarissa Price, par exemple.

— Par exemple. Vous savez quelque chose sur un certain inspecteur Dwier ?

— Rien d'autre que ce que j'ai pu lire sur son fichier quand il est apparu. Vous voulez que je me renseigne ?

— Oui. Discrètement. Ça ne vous ennuie pas ?

— D'enquêter sur un collègue ? Si, un peu, avoua Baxter. C'est normal, sans quoi, on appartiendrait tous au Bureau des Affaires Internes, non ?

— Mon instinct me dit que Dwier a contourné le système.

Elle se mit à aller et venir dans la pièce.

— Vous avez déjà travaillé avec Trueheart, non ?

— Deux ou trois fois, en effet. Encore un peu jeunot, mais enthousiaste.

— Si je faisais appel à lui, vous l'utiliseriez ?

Baxter se cala dans son fauteuil, se racla la gorge.

— Vous… vous me demandez de le former ?

— Non, juste de…. Enfin, oui, plus ou moins. Ça vous intéresse ?

— Pourquoi pas ? On peut toujours essayer.

— Parfait !

Elle se dirigea vers la sortie, s'immobilisa, pivota vers lui.

— Baxter, pourquoi avez-vous demandé votre transfert ?

— Pour me rapprocher de vous, ma chère, assura-t-il en lui adressant un clin d'œil.

Voyant qu'elle ne réagissait pas, il haussa les épaules.

— J'avais envie de bouger. À la brigade des homicides, on ne s'ennuie pas un seul instant.

Se retournant, elle tomba nez à nez avec Connors.

— Navré d'interrompre ce moment d'intimité, mais le deuxième filtre est prêt, annonça de dernier. Nous sommes sur le point de l'essayer sur l'un des ordinateurs de Fitzburgh.

— Qui a gagné à pile ou face ?

Il sourit.

— Après discussion, il a été décidé d'un commun accord que l'opérateur initial continuerait ce qu'il a commencé. Tu veux observer l'expérience d'ici, ou de ton bureau ?

— Du mien. Il est plus grand… Pas d'héroïsme ! ajouta-t-elle en lui agrippant le poignet.

— Ne t'inquiète pas.

— Si j'ordonne qu'on débranche tout, tu débranches tout, fit-elle en mêlant ses doigts aux siens. Compris ?

— Cinq sur cinq. C'est vous le chef, lieutenant.

Eve buvait du café, histoire de s'occuper les mains. Derrière son bureau, Feeney manipulait un ordinateur de contrôle. Si la situation dérapait, il pouvait tout arrêter à distance.

Jamie se trémoussait derrière lui.

— Pourquoi est-ce qu'on ne peut pas tout faire à distance ? questionna Eve.

— La présence de l'opérateur est indispensable. Il peut juger de la situation en un clin d'œil.

— Et puis… Aïe !

Jamie se frotta le ventre, là où Feeney venait de lui flanquer un coup de coude.

— Et puis quoi ? glapit Eve. McNab ?

— Eh bien, pour simplifier, on ne peut pas être sûr que le bouclier va filtrer l'infection durant une interface. Elle risque de se répandre d'une machine à l'autre. D'après nous, c'est comme ça qu'elle a pénétré dans les huit ordinateurs que nous avons récupérés chez Fitzburgh. C'est efficace et rapide. Si on fonctionnait à distance, le virus pourrait se déplacer à travers tout le système.

— On ne peut pas encore le confirmer, ajouta Jamie. Quand on aura plus de données, on pourra créer un filtre à cet effet. La priorité, c'est de protéger l'opérateur pour qu'il puisse les extraire. Quand on travaille à distance, sur un réseau multisystème, les unités ont un langage. Elles se parlent entre elles, si vous voulez. L'ordinateur infecté s'exprime dans une autre langue, compatible, mais différente. Comme l'espagnol et le portugais, par exemple.

— Je comprends. Ensuite ?

— McNab et moi, on se penche sur une sorte de traduction. Après, on pourra l'intégrer, faire des simulations. On protégera le système tout entier.

Feeney regarda l'écran mural. À l'image, Connors était en train de fixer les capteurs.

— On vérifie vos constantes, dit-il. Vous me recevez ?

— Parfaitement.

— Tout est normal. Vous pouvez y aller.

— D'accord.

Eve ne quitta pas l'écran des yeux. Connors avait attaché ses cheveux, comme souvent lorsqu'il travaillait. Sa chemise était ouverte. Ses mains étaient rapides et agiles. Il inséra le disque dans la fente.

— Je télécharge le filtre. Temps estimé : soixante-douze secondes sur cet ordinateur. Je télécharge le décodeur de Jamie. Quarante-cinq. Diagnostic à partir de la dernière tentative. Multitâches avec recherche et scan de tous les programmes chargés au cours des deux dernières semaines.

Il pianotait à toute allure sur le clavier, transmettant les données d'une voix grave et posée.

— Téléchargement terminé. Nous sommes protégés. Bravo, Jamie ! Excellent boulot ! Les données sont lisibles. Tiens, tiens ! Qu'est-ce que c'est que ça ? Feeney, vous avez vu ?

— Oui, oui. Attendez. Hmm...

— Quoi ? s'écria Eve en secouant Feeney par l'épaule.

— Chut !

Totalement concentré, il rapprocha son siège de la table.

— Incroyable !

Il se leva à moitié.

L'espace d'un instant, il se figea. À la vue de son air effaré, la gorge d'Eve se noua. Puis il se rassit calmement.

Les questions, les commentaires fusèrent, incompréhensibles.

— Personne ne parle anglais, ici, nom de nom ? s'insurgea Eve.

— C'est stupéfiant. J'aurais dû voir ça dès la première fois ! s'exclama Connors en enfonçant une touche. Ah, non ! Pas encore.... Je n'en ai pas fini avec toi...

— Le filtre se désintègre, prévint Feeney.

— Éteignez tout ! ordonna Eve. Débranchez !

— Il fonctionne encore à quatre-vingt-dix pour cent. Du calme, lieutenant !

Avant qu'elle puisse réitérer son ordre, Feeney intervint.

— Tout va bien, Dallas. Ses constantes sont stables. Je ne sais pas comment il...

— Regardez ! Le salaud ! C'est une empreinte vocale. On ne peut rien faire manuellement. Merde ! C'est fichu !

Eve vit son ordinateur cracher des pointes noires et blanches. Connors sortit les disques une seconde avant qu'un méchant grincement ne sorte des haut-parleurs. Puis un petit nuage de fumée grise jaillit de l'arrière de la machine.

— Et une grillade, une ! lança Jamie.

13

— L'ordinateur est mort, annonça Connors, chemise déboutonnée, en enlevant les capteurs. Mais c'est pour une bonne cause.

Il retourna l'un des disques dans sa main.

— Je pense qu'on n'a rien à craindre. Rien sur ce programme n'était dirigé vers le disque externe. Il faut les étiqueter et les mettre de côté. Nous les testerons après avoir extrait le programme tout entier. Jamie, tu pourras commencer à rentrer les données dès demain matin.

— Je peux le faire maintenant.

— Tu vas dîner, puis prendre une récréation de deux heures. Après ça, si tu as envie de travailler pendant une heure, à ta guise. Mais au lit et extinction des feux à minuit. Si tu ne te reposes pas, tu ne me seras d'aucune utilité.

— Même ma mère est moins sévère !

— Je ne suis pas ta mère. Feeney...

— Vous n'allez pas me dire à quelle heure je dois me coucher, moi aussi ? interrompit-il. Je pourrais être *votre* mère !

— Je voulais vous proposer un repas. Je suppose que vous avez tous faim.

— Une seconde, une seconde ! s'exclama Eve en agitant les mains. Personne ne mange avant de m'avoir fourni une explication. Qu'avez-vous obtenu, et qu'est-ce que cela signifie ? Et si vous me sortez un seul mot en ordilangue, ce sera du Canigou pour tout le monde.

— Elle est pire que Connors, marmonna Jamie.

— Je vous écoute, insista Eve.

— Il a obtenu la fréquence, répondit McNab. Et le spectre. Une minute de plus, et on aurait eu en plus le pouls et la vitesse.

Connors arracha l'élastique de sa queue-de-cheval, libérant ses cheveux.

— En gros, lieutenant, on est sur le point d'avoir ton virus.

— Et vous savez comment il se répand ?

— Il faut encore analyser les données, mais d'après ce que j'ai pu voir, je miserais sur le vecteur le plus simple et le plus efficace : le courrier électronique.

— Ils l'ont envoyé par mail ? Tout bêtement ? s'écria Eve. C'est inimaginable !

— Je pense que... commença Connors. Vas-y, Jamie, avant d'exploser.

— Bon, alors, voilà, il faut encore que je peaufine la technique, mais selon moi, ils ont pris un doc masqué, qu'ils ont microprogrammé et furtivé...

— Tu veux te contenter de laitue et de radis ? s'enquit Eve d'un ton goguenard.

— Euh... bon, je reprends. Ils ont rattaché le virus au message électronique, seulement, comme la mention pièce jointe n'apparaît pas, ça n'alerte pas le destinataire. L'expéditeur peut vérifier si c'est bien parti en se basant sur la liste des courriers lus. Le virus devait se télécharger vite, très vite, sans révéler sa présence à l'opérateur. Il fallait qu'il parle à l'ordinateur et qu'il neutralise au moins provisoirement tous les systèmes d'alarme. Ensuite, il s'archivait, comme simple document, un document invisible. On ne peut pas l'identifier. Il est là, il opère dans l'ombre. C'est radical.

— Très bien. J'ai à peu près suivi. Puisque ceci est possible, comment se fait-il que tu n'étais pas au courant ? ajouta-t-elle à l'adresse de Connors.

— Tu me contraries, lieutenant.

— Je crève de faim ! déclara Jamie en se tapotant l'estomac. Vous avez de la pizza au chorizo ?

Eve en mangea deux parts, supporta patiemment le bruyant dîner tout en continuant à réfléchir sur l'affaire.

Elle n'aurait su dire exactement quand cela l'avait frappée – peut-être au moment où Feeney piqua quelques pâtes dans l'assiette de Connors, ou quand Jamie remplit l'assiette de McNab, avant de se resservir.

Mira l'avait évoqué sur la terrasse. La famille.

C'était ça, la vie de famille. Ce qu'elle n'avait jamais connu, enfant. Des dîners tapageurs où tout le monde parlait en même temps, ce qui n'était pas si agaçant que cela, au fond...

Blagues stupides et taquineries.

Si elle ne comprenait pas au juste comment cela pouvait s'appliquer à son propre cas, elle imaginait aisément les dégâts que cela provoquait quand quelque chose ou quelqu'un venait perturber cette unité.

L'entité se désintégrait. Provisoirement, pour ceux qui étaient assez solides pour recoller les morceaux. À jamais, pour les autres.

Elle jeta un coup d'œil à McNab. En dépit de l'atmosphère enjouée, son regard trahissait une angoisse certaine. S'il ne se remettait pas, le reste s'effondrerait comme un château de cartes. Ils formeraient un nouvel ensemble – c'était leur boulot –, mais ils n'oublieraient jamais « l'avant ».

Elle s'écarta de la table.

— J'ai des trucs à faire.

— Le Mort Vivant a dit qu'il y avait du gâteau au chocolat.

— Jamie, intervint Connors calmement.

— Désolé, marmonna l'adolescent à contrecœur. M. Mort Vivant, alias Summerset, a dit qu'il y avait du gâteau au chocolat.

— Et si tu manges tout, je te tuerai dans ton sommeil, le prévint Eve. Ainsi tu pourras rejoindre les morts vivants. Connors, j'ai à te parler.

Comme ils quittaient la pièce, Eve entendit Jamie demander :

— Vous croyez qu'ils vont le faire ?

Feeney le gratifia d'une claque sur la tête.

— Alors ? On va le faire ? s'enquit Connors en prenant la main d'Eve.

— Tu te fiches de moi ?

— Ah ! Si je comprends bien, on n'a pas le temps de s'offrir une petite partie de jambes en l'air.

— Tu ne penses qu'à ça, ma parole !

Il la considéra d'un air songeur.

— Peu importe, enchaîna-t-elle. Tu as vu Mira, tout à l'heure ?

— Non, j'étais dans le labo. Je regrette de l'avoir ratée. Peabody m'a appris que Mavis était passée, aussi, et qu'elle tenait à te parler en privé. Elle va bien ?

— Elle est enceinte.

— Quoi ?

Il s'immobilisa. C'était toujours un plaisir – bien que rare – de le voir estomaqué.

— Exprès, en plus.

— Mavis ? Notre Mavis ?

— En personne. Elle a déboulé en sautant comme un cabri. Je ne sais pas si c'est recommandé dans son état. Elle est surexcitée.

— C'est... c'est merveilleux. Elle est en forme ?

— Je suppose que oui. Elle est resplendissante, en tout cas. Elle vomit tous les matins, mais ça semble lui plaire. J'avoue que j'ai du mal à suivre.

— Moi aussi. Nous les inviterons à dîner dès que possible. Je vérifierai son programme de concerts et d'enregistrements. J'imagine qu'elle va devoir se ménager.

— Si je me fie à ce que j'ai vu cet après-midi, elle a de l'énergie à revendre, assura Eve.

Lorsqu'ils furent dans son bureau, elle ferma la porte. Connors haussa un sourcil.

— Puisque tu as mis ton veto sur le sexe, j'en déduis que c'est une raison nettement moins agréable qui motive ce tête-à-tête.

— Ils ont opposé une injonction à mon mandat, attaqua-t-elle sans préambule. Et quand deux administrations se renvoient la balle devant les tribunaux, on risque de mourir de mort naturelle avant de connaître le verdict. J'ai eu un bref entretien avec Mira. Je n'ai pas encore lu son rapport, mais elle m'en a exposé l'essentiel. De son côté, Baxter m'a communiqué ses impressions.

— Eve, que tu veux exactement que tu n'oses pas me demander ?

— Il y a des gens qui sont en train de mourir en ce moment même. Ils ne le savent pas, mais ils sont contaminés, et pour certains, il est trop tard. On a déjà perdu un bon flic. Un autre – un de nos amis – risque de ne plus jamais marcher. Certaines réponses se trouvent dans ces dossiers scellés.

— Il suffit de briser les sceaux.

Elle lui lança un regard noir, puis se détourna en jurant tout bas.

— Je suis prête à contourner la loi parce que je suis convaincue d'avoir raison.

— Parce que ce sont des assassins.

— C'est ce que je me répète sans cesse.

— Tu parles ! Tu auras toujours une conscience, et tu pèseras toujours le pour et le contre. Tu sais très bien jusqu'où tu peux aller, Eve. Tu ne franchiras pas les limites. Tu en es incapable.

Elle soupira.

— C'est plus ou moins ce que j'ai dit à Baxter. Ils se servent de la loi pour me freiner. Je ne peux pas l'accepter. Mettons-nous au boulot.

La salle n'était accessible que par empreintes vocale et digitale. Trois personnes seulement pouvaient y pénétrer.

Elle ne comprenait qu'une seule fenêtre, ouverte sur le crépuscule. C'était un espace de travail. Un espace sérieux. Une vaste console noire en forme de U permettait de commander recherches, extractions, communications et autres systèmes de données. Des systèmes non enregistrés auprès de l'organisation suprême, CompuGuard. Donc, illégaux.

La première fois qu'elle était venue ici, plus d'un an auparavant, elle avait tout de suite compris que ce matériel était supérieur à celui du Central. La capacité d'un certain nombre d'appareils avait encore été améliorée depuis.

Sans doute Connors dissimulait-il dans sa caverne d'Ali-Baba des jouets indisponibles sur le marché.

Postes de travail, moniteurs, unité holographique, ordinateur auxiliaire équipé de son propre miniholographe...

Eve s'approcha de cette nouvelle acquisition.

— Je n'ai jamais rien vu de pareil.

— C'est un prototype. Je voulais effectuer quelques tests en solo. Ça marche plutôt bien.

— C'est minuscule !

— Je me suis penché sur un modèle encore plus petit. De type Palm.

Elle leva les yeux.

— Tu plaisantes ? Un Palm doté d'une fonction holographique ?

— D'ici trois ans, peut-être moins, tu en glisseras un dans ta poche, comme ton communicateur aujourd'hui.

Il posa les mains sur l'écran d'identification de la console.

— Connors. Ouvrir session.

La console s'illumina. Eve le rejoignit, se présenta à son tour.

— Dallas.

IDENTIFICATION VÉRIFIÉE, CHÈRE EVE.

Elle siffla.

— Pourquoi fais-tu ça ? C'est gênant, à la fin !

— Mon amour, cet ordinateur, si sophistiqué soit-il, est un objet inanimé qui ne peut mettre personne mal à l'aise, riposta Connors, narquois. Par où veux-tu commencer ?

— Cogburn. C'était leur première victime. Tu peux aller chercher les données sur mon ordinateur.

Elle lui donna le numéro du dossier et celui de son fichier de notes.

En un éclair, tout s'afficha.

— Tu vois ça ? J'ai relevé certains éléments des affaires qui le lient aux autres victimes à travers les policiers qui l'ont arrêté, les assistantes sociales, les avocats, les médecins. Baxter a commencé à interroger des personnes proches des victimes identifiées, mais il n'a trouvé aucune connexion avec les Chercheurs de Pureté... Les rapports d'incidents signalent des entretiens avec deux autres personnes. Archives scellées.

— Ça risque de prendre quelques minutes.

— Je vais chercher du café.

— Je préférerais du vin, fit Connors en pianotant sur le clavier. La caféine, ça m'excite.

— Eh bien, moi, j'ai besoin d'un remontant.

— Si tu continues comme ça, tu vas exploser, commenta-t-il. Tiens, tiens ! Voilà qui me paraît intéressant.

— Quoi ?

— Ce fichier est muni d'un verrou secondaire. C'est inhabituel. Et efficace, en plus. Ça alors...

Il carra les épaules, tel un boxeur qui s'apprête à monter sur le ring.

— Quand a-t-il été installé ? le pressa-t-elle en se penchant sur lui.

— Chut ! Oui, oui... j'ai déjà vu ça quelque part. Vous êtes bon. Très bon même. Mais...

Agacée, Eve se détourna pour partir en quête d'une bonne bouteille.

— Je l'ai ! s'écria-t-il quelques instants plus tard.

Il s'adossa à son siège, tendit la main sans regarder Eve pour prendre son verre.

— J'aurais été moins rapide si je n'avais pas déjà eu affaire à lui avec les deux ordinateurs du labo.

— Tu en es sûr ?

— Tout spécialiste en informatique a son style. Crois-moi, ce code a été mis là par le technicien qui a conçu le virus. Ou les techniciens. Je doute qu'il n'y en ait qu'un.

— Organisés, méticuleux, habiles, murmura Eve en hochant la tête. Et prudents. Voyons un peu qui ils cherchent à cacher.

— Écran trois. Affichage.

— Devin Dukes, lut Eve à voix haute, avant de parcourir la suite rapidement. À l'époque, il avait douze ans. Cogburn lui a vendu du Jazz. Les parents – Sylvia et Donald – ont découvert le pot aux roses, discuté avec le gamin, appuyé sur les bons boutons, et obtenu la vérité. Ils sont allés au commissariat avec l'enfant pour porter plainte. C'est l'inspecteur Dwier qui a pris leur déposition.

— Ils auraient peut-être mieux fait d'éviter les flics.

Elle lui jeta un regard froid.

— Pardon ?

— Je dis ça comme ça. Traîner son fils au poste, lui faire subir la pression du système... Ce n'est pas facile à supporter.

— Un crime avait été commis.

— Bien sûr. Je me demande simplement s'il n'aurait pas été plus facile de régler le problème à la maison, plutôt que de le noyer dans un océan d'insignes et de rapports.

— De nos jours, on torture rarement les mineurs. Ils craquent trop vite, ce n'est pas drôle.

— Le mot « torture » a une tout autre signification pour un garçon de douze ans. Enfin...

Il haussa les épaules.

— ... ce n'est pas notre problème, n'est-ce pas ? Quoi qu'il en soit, le dossier me semble bien mince pour mériter le sceau du secret.

— Cogburn a été identifié et accusé, enchaîna Eve. Mais les parents s'étaient débarrassés des preuves. Cogburn a déclaré qu'il buvait un verre dans un bar à l'heure où, selon le môme, aurait eu lieu la transaction. Le barman a confirmé l'alibi de Cogburn. Je suppose qu'il mentait. Ces gens-là seraient prêts à soutenir Jack l'Éventreur moyennant finances. Dwier a tout gâché.

Sa voix était teintée d'irritation.

— Il n'aurait pas dû accuser Cogburn aussi vite. Pourquoi ne pas l'avoir travaillé au corps d'abord, de même que le barman ? Il aurait dû vérifier son emploi du temps, le prendre en flagrant délit. Forcément, Cogburn a nié. Il savait que Dwier n'avait rien d'autre que le témoignage d'un mineur. Et regarde, là ! Le rapport des Services de protection de l'enfance. Signé Clarissa Price. Selon elle, l'enfant était agressif et refusait de coopérer. En rébellion contre ses parents. Elle recommande une thérapie familiale et blablabla.

— Lis un peu plus loin, suggéra Connors. Price signale que le travail scolaire du petit était en chute libre. Que son comportement laissait à désirer en classe comme à la maison. Qu'il s'enfermait dans sa chambre, cherchait la bagarre, etc. C'était là le vrai problème, plus que l'achat de Jazz.

— C'est possible, mais le résultat, c'est que les parents se sont affolés, le flic est intervenu trop rapidement, l'assistante sociale s'est répandue en banalités, et le système n'a pas soutenu l'enfant comme il l'aurait dû.

— C'est comme ça que tu vois les choses ?

— Je vois que Dwier n'a pas fait son boulot correctement sur cette affaire, mais...

Elle parcourut les données en enroulant distraitement une mèche de cheveux de Connors autour de son doigt.

— Certes, le système n'a pas joué son rôle. Mais tu as raison, ça ne suffit pas. Jetons un coup d'œil sur le fichier de Fitzburgh.

Là encore, Connors tomba sur des verrous, mais il n'eut pas grand mal à décrypter les codes d'accès.

— Plaignants mineurs, Jansan, Rudolph... Ah ! Tiens ! Sylvia et Donald Dukes. Ils ont déposé une plainte pour leur fils de quatorze ans, Devin.

— Représentante des Services de protection de l'enfance : Price, continua Eve. Inspecteur chargé de l'enquête : Dwier. Clic ! Clic ! Clic !

— Il y a...

— Silence ! ordonna-t-elle.

— Touché, fit-il.

— Le gamin a atterri dans un centre médical, cette fois. Sodomisé, hématomes au visage, poignet foulé. Rapport toxicologique... Jazz et alcool. Piercings sur le sexe et les seins... Dwier est sur le coup. Mais regarde... c'est Price qui l'a contacté. Il se passe quelque chose entre eux.

Elle sortit son carnet et prit quelques notes.

— Le médecin a confirmé le viol – Stanfort Quillens. Nous verrons s'il réapparaît ailleurs. Mais le môme ne lâche pas le nom de Fitzburgh avant vingt-quatre heures. Il ne veut pas en parler. Pourquoi s'imaginent-ils tous qu'on a envie d'en parler ? Ils se ruent chez lui le lendemain : Price, Dwier, les parents, le thérapeute... qui est-ce ? Marianna Wilcox. Ils auraient dû s'adresser à un homme. Ils sont stupides ou quoi ? Ordinateur, me transférer la copie de l'interrogatoire.

Elle le lut cependant sur place, un goût amer dans la bouche. On lui avait posé les mêmes questions, autrefois.

Qui t'a fait ça ?

Nous voulons t'aider, mais, tu dois nous raconter ce qui s'est passé.

Tu te sentiras mieux une fois que tu en auras parlé.

— Tu parles ! On ne se sent pas mieux du tout. On ne s'en remet jamais. Pourquoi ne pas être honnête ? Tu as subi un traumatisme, en voici un deuxième. Explique-nous tout, en détail, afin qu'on puisse l'écrire dans notre rapport et raviver le souvenir.

— Eve.

Elle secoua la tête farouchement.

— Ça part d'une bonne intention. La plupart du temps, en tout cas. Mais ils ne *savent* pas !

— Tu n'as rien à voir avec ce garçon, murmura Connors, qui s'était placé derrière elle pour lui masser les épaules. Il est perturbé, et cherche les ennuis. Il n'a sûrement pas mérité ça, mais il n'est pas comme toi.

Elle se calma, se laissa aller contre lui.

— Pas comme toi non plus. Tu étais plus intelligent, plus méchant. Et tu n'étais pas gay.

— Pas de doute là-dessus, admit-il en lui embrassant le sommet du crâne. C'est sans doute cette confusion sur le plan sexuel qui est à l'origine de son comportement.

— Ça, et ses parents. Donald, huit ans de service militaire. Chez les marines. Marines un jour, marines toujours. Maman prend l'option mère au foyer professionnelle. Écoles privées, trois en cinq ans. Puis cours par correspondance à la maison, deux mois avant la rencontre avec Fitzburgh. Un petit frère. Trois ans de moins. Pas de problème, apparemment. Lui aussi, on le retire de l'école. Inutile de prendre des risques.

— Tu as noté la profession du père ?

— Informaticien. Clic, clic.

Elle se détourna pour boire une gorgée de café, se rappela que c'était du vin, fronça les sourcils, puis en avala une gorgée.

— Devin accuse Fitzburgh, déclare s'être fait draguer dans un bar – il avait fait le mur. Il avoue avoir présenté une fausse carte d'identité, reconnaît qu'il était un peu parti, et que Fitzburgh l'a invité à une fête chez lui. Il l'a suivi. Jusque-là, c'est plausible. Ensuite, ça devient plus fumeux. Il prétend que Fitzburgh l'a drogué, mais le taux relevé dans le rapport toxicologique est infime. Il affirme qu'il ne savait pas ce qui se passait. Que Fitzburgh l'a entraîné dans sa salle de jeux, l'a menotté. Qu'il a essayé de s'enfuir, mais que Fitzburgh l'a frappé, puis violé.

— Ce ne serait pas la première fois. Les loups chassent le mouton. C'est dans leur nature.

— Ce n'est pas le cas ici. Dwier le savait forcément. Peut-être s'agissait-il d'un viol. Mais consentant ou pas, ce garçon était mineur, donc, Fitzburgh est un porc. Quoi qu'il en soit, il n'a pas frappé Devin. C'est le père. Lis la fiche de Fitzburgh : il ne malmenait jamais ses victimes. Il n'employait jamais la force. Il persuadait, soudoyait, menaçait. C'est en jouant la carte de la force physique qu'ils ont perdu la partie.

— Donc, selon toi, Dwier, Price et les autres auraient tenté de bâtir une maison en paille, sur laquelle le loup s'est empressé de souffler.

Elle se percha sur le bord de la console.

— Mensonges, demi-vérités, travail bâclé de la police. C'est là que le bât blesse, je suppose. Je vais te dire ce qui s'est passé. Le gamin fait le mur. Ce n'est sûrement pas la première fois. Il se rend dans un bar. Il n'est pas à la recherche d'une fille. Fitzburg se pointe, flaire la chair fraîche. Il lui offre un verre, voire une dose de drogue. Viens chez moi, j'en ai tout un stock.

— Le tableau que tu dépeins n'est guère plus joli...

— En effet, reconnut Eve, mais il est exact. Le gamin a quatorze ans. Il en veut au monde entier, il est paumé, il a honte. Il rentre chez lui. Mais il est drogué. Il empeste l'alcool et le sexe. Son père pique une crise, l'empoigne, le tabasse. Larmes, cris, récriminations. Échanges d'insultes. Puis le père a des remords. Il emmène son fils au centre médical, lui ordonne de déclarer que ses blessures sont le résultat d'un viol.

— Mais au bout du compte, tout vole en éclats, enchaîna Connors. Fitzburgh s'en est tiré parce que les autres étaient trop occupés à protéger leur image.

— Oui. Dès demain, j'irai les interroger. Ils ne sont sûrement pas les seuls. Trouvons les autres.

— J'ai déjà lancé la recherche, en y ajoutant le fichier de George.

Il lui sourit, s'approcha d'elle et lui écarta les genoux pour se lover entre ses cuisses.

— J'ai aussi prévu tous les codes pour faire sauter les verrous.

— Tu as les mains actives.

— La recherche va mettre un certain temps. Juste assez pour…

— Je suis en service.

— Moi aussi.

Il se pencha, l'embrassa au creux du cou.

— Si vous me donniez un ordre, lieutenant ?

Il glissa les mains sous son chemisier, lui caressa les seins, les hanches, le dos.

Un frémissement les parcourut. Elle savait ce qu'il était en train de faire : chasser les ombres du tableau qu'elle venait de décrire.

— Arrête, protesta-t-elle tout en inclinant la tête de côté tandis qu'il déposait une traînée de baisers dans son cou. Dans une minute…

— J'ai beau être agile et rapide, c'est peu. Mais je m'en contenterai. Pour commencer.

Il lui mordilla le lobe de l'oreille.

— Ensuite, on verra.

L'esprit embrumé, le corps parcouru de délicieux frissons, Eve murmura :

— Seigneur ! Tu es vraiment doué.

— Est-ce que tu vas le préciser dans ton rapport sur… l'expert consultant, civil ?

— Je conserverai ça dans mes archives personnelles.

Elle retint son souffle. Comment s'était-il débrouillé pour lui enlever son chemisier ?

— C'est… On ne peut pas faire ça sur la console.

— Pourquoi pas ? murmura-t-il en déboutonnant son pantalon. Évidemment, ça manque de confort. Accroche-toi.

Il la hissa afin qu'elle enroule les jambes autour de sa taille.

— La minute est passée, chuchota-t-elle.

— Essayons d'arrêter le temps.

Il appuya sur un bouton, et un panneau du mur s'ouvrit. Un lit apparut. Quand il la renversa sur le matelas, elle demeura agrippée à lui, et en profita pour le faire basculer sous elle.

— Il va falloir qu'on se dépêche, l'avertit-elle.

— Ça ne me gêne pas.

Elle écarta les pans de sa chemise, fit courir ses paumes sur son torse, puis s'empara de ses lèvres avec ardeur.

N'y tenant plus, ils se déshabillèrent mutuellement, s'arrachant leurs vêtements avec fièvre.

À califourchon sur lui, elle le prit en elle, si profondément qu'il crut mourir de plaisir. Fou de désir, ils commencèrent à se mouvoir en rythme, avec frénésie, comme si leur vie en dépendait. Jusqu'à l'explosion finale.

Un peu plus tard, alors qu'ils émergeaient de leur torpeur, Eve soupira.

— C'est bizarre… Parfois, le sexe m'épuise au point que je dormirais volontiers pendant un mois. D'autres fois, ça me donne une pêche d'enfer. Je me demande bien pourquoi.

— J'ai comme l'impression que la séance de ce soir entre dans la deuxième catégorie, risqua Connors.

— Gagné. Je suis remontée à bloc.

Elle changea de position, le gratifia d'un baiser sur la bouche.

— Merci.

— C'est toujours un plaisir de te rendre service.

— Tant mieux, parce que tu vas devoir bouger ton beau derrière pour me montrer le reste des données, déclarat-elle en roulant sur le côté. J'ai envie d'un café.

— La nuit s'annonce longue. Que dirais-tu d'y ajouter une part de gâteau au chocolat ?

Elle attrapa son chemisier.

— Excellente idée !

Entre le sexe et la caféine, Eve demeura en pleine forme jusqu'à 3 heures du matin. Elle avait ajouté six noms à sa liste, et il y en avait sans doute d'autres. Déjà un plan prenait forme dans son esprit.

Elle commencerait dès le lendemain avec les Duke.

Quand elle réclama une nouvelle tasse de café, Connors refusa.

— Désolé, lieutenant, tu es éreintée. Il est temps de t'arrêter.

— Je pourrais encore tenir le coup une bonne heure.

— Faux, rétorqua-t-il. Tu es pâle, ce qui signifie que tu as atteint tes limites. Il faut que tu dormes, sans quoi tu seras vaseuse demain. Or tu as besoin d'avoir l'esprit affûté pour mener à bien tes interrogatoires. Tu comptes emmener Peabody avec toi ?

Il lui posait la question davantage pour la distraire que parce que la réponse l'intéressait. Il éteignit la console, glissa le bras autour de sa taille.

— Je ne sais pas. Si je l'emmène, elle va se sentir coupable de délaisser McNab. Si je ne l'emmène pas, elle m'en voudra et ira bouder dans son coin. Elle m'exaspère quand elle boude.

Avant qu'elle s'en aperçoive, ils étaient dans l'ascenseur. Connors avait raison : elle était à bout de forces.

— Je lui laisserai le choix, je suppose. Ou alors, je...

— Tu décideras demain matin, acheva-t-il à sa place.

14

McNab avait un mal fou à trouver le sommeil. Il s'agitait dans son lit, se sentant inutile et impuissant. Il était plus conscient des parties engourdies de son corps que du reste. Il comptait les battements de son cœur. Tic tac, tic tac, les secondes s'égrenaient.

C'était plus facile dans la journée, quand il avait l'esprit occupé par le travail, ce qui l'obligeait à penser à autre chose qu'à lui-même. Jusqu'au moment où il voulait saisir un objet, se lever, ou tout simplement se gratter les fesses.

L'horreur de la situation le submergea d'un coup. Tel un raz-de-marée.

Tic tac, tic tac.

Dès qu'il fermait les yeux, il revoyait la scène dans ses moindres détails. Le cri, le mouvement, Halloway qui brandissait son arme, qui tirait.

Si seulement il avait réagi plus vite, s'il avait bondi de l'autre côté. Si Halloway n'avait pas été si proche.

Si, si, si...

McNab savait que ses chances de récupérer sa mobilité se réduisaient comme peau de chagrin. Trente-deux pour cent, en chute libre.

Il était fichu, et tout le monde le savait. Ils n'avaient pas besoin de le lui dire. Ils le pensaient, et c'était suffisant.

Surtout Peabody.

Il l'entendait pratiquement réfléchir dans son sommeil.

Tournant la tête, il vit sa silhouette se découper dans le noir, dans le lit à côté.

Elle n'avait pas arrêté de parler : du boulot, de l'affaire, de Jamie, de mille et une bêtises, pour éviter les silences, tandis qu'elle l'aidait à se déshabiller.

Seigneur ! Il n'était même plus capable de déboutonner son pantalon.

À noter, songea-t-il avec un sursaut d'amertume. Fini les braguettes à boutons. Se contenter de fermetures Éclair et de Velcro.

Il ferait face. Il n'avait pas le choix. Mais il n'infligerait pas ce supplice à Peabody.

De sa main valide, il s'agrippa au montant du lit, tenta de se hisser en position assise.

Peabody bougea, changea de position.

— Qu'est-ce qu'il y a ?

— Rien. Je veux juste me lever. C'est bon.

— Attends, je vais t'aider. Lumière ! Dix pour cent.

— C'est bon, Peabody ! répéta-t-il.

Mais elle était déjà debout, et se précipitait à ses côtés.

— Je parie que tu as envie de pisser. Jamie et toi avez dû descendre trois litres de lait avec ce gâteau au chocolat. J'aurais pu te...

— Recouche-toi.

— De toute façon, je n'arrive pas à dormir. Cette enquête m'obsède, expliqua-t-elle en l'installant sur son fauteuil roulant. Je suppose que Dallas et Connors sont sur une piste, sans quoi, ils auraient...

— Assieds-toi.

— Je vais chercher de l'eau.

— Peabody, assieds-toi.

— Bon, bon, d'accord, répondit-elle avec un demi-sourire en se plaçant face à lui.

En faisait-elle trop ? se demanda-t-elle, le corps noué par la tension. Pas assez ? Comme il paraissait fatigué. Et si fragile...

— Ça ne marchera pas. On ne peut pas continuer comme ça.

— C'est ridicule de discuter de ça à 3 heures du matin.

Elle fit mine de se lever, mais il l'arrêta d'un geste.

Elle portait une nuisette rouge poinsettia, et les ongles de ses orteils étaient vernis d'une couleur identique. Ses cheveux étaient en désordre, sa bouche, pincée.

Se remémorant une conversation qu'il avait eue avec Connors récemment, McNab eut un coup au cœur. Connors avait raison : il était amoureux de Peabody.

— Écoute, commença-t-il, j'avais l'intention de te provoquer, de t'énerver au point que tu partirais en claquant
la porte. Ce n'est pas si difficile : tu prends la mouche pour
un rien. Mais ça ne me paraît pas la bonne solution. Du
reste, tu n'aurais pas été dupe. Donc, je vais être franc avec
toi, Peabody.

— Il est trop tard pour ce genre de conversation. Je suis
crevée.

— Tu ne dormais pas. Moi non plus. Sois gentille, laisse-
moi aller jusqu'au bout.

Il vit des larmes briller dans ses yeux.

— Ne pleure pas, d'accord ? C'est déjà assez pénible
comme ça.

— Je sais ce que tu vas me dire. Tu es foutu. Tu es handicapé, et tu veux rompre, parce que tu ne veux pas me
gâcher la vie. Blablabla.

Elle renifla, s'essuya le nez du revers de la main.

— Tu veux que je te plaque, parce que toi, tu ne le peux
pas, reprit-elle. Tu veux que je mène une existence épa-
nouissante. Eh bien, j'ai une nouvelle pour toi, McNab :
va te faire cuire un œuf. Je ne te quitterai pas. Et tu n'as
réussi qu'à m'énerver en t'imaginant que ce serait le cas.

Il poussa un profond soupir.

— C'est en partie le problème, avoua-t-il. Tu es solide,
Peabody. Je sais bien que tu ne me laisserais pas tomber
alors que je suis… comme ça. Ce n'est pas ton genre. Tu
resteras même si tes sentiments changent. Mais au bout
d'un certain temps, aucun de nous deux ne saura avec certitude si tu es avec moi parce que tu le veux, ou par sens
du devoir.

Elle fronça les sourcils et fixa le mur plutôt que de croi-
ser son regard vert si grave.

— Je refuse d'en entendre davantage.

— Il le faut, pourtant. Je ne veux pas d'une infirmière,
et tu ne veux pas l'être. Pour l'amour du ciel ! Si Dallas et
Connors ne m'avaient pas offert ce fauteuil, je ne pourrais
même pas aller pisser tout seul ! Elle me garde dans son
équipe alors que rien ne l'y oblige. Je ne suis pas près de
l'oublier.

— Tu t'apitoies sur ton sort.

— Merde !

Il faillit sourire.

— Mets-toi à ma place, et on verra si tu ne sors pas les violons. Je suis en colère et j'ai peur, et je ne sais pas ce que je vais devenir. S'il faut que je vive ainsi, c'est fini entre nous… Mais j'ai le droit d'établir les règles du jeu, et je ne veux pas que tu t'en mêles.

— Rien ne dit que ton état ne va pas s'améliorer !

Elle agita les bras, essayant de faire passer sa peine pour de l'exaspération, alors que les larmes lui brûlaient la gorge.

— Si tu n'as pas récupéré ta mobilité d'ici quelques jours, tu iras dans cette clinique.

— Je m'y rendrai. Là encore, je suis redevable envers Dallas et Connors, mais j'irai. Et peut-être que la chance sera avec moi.

— Leur taux de succès est très élevé. Soixante-dix pour cent de guérisons.

— Restent trente pour cent d'échecs. Je suis informaticien, Peabody. Les chiffres, ça me connaît. Il faut que je me concentre sur moi-même pendant quelque temps. L'avenir de notre relation, je ne peux l'envisager pour l'instant.

— En somme, tu veux qu'on arrête tout, histoire de t'éviter une angoisse supplémentaire ? Espèce de lâche !

— Nom de Dieu ! Tu ne comprends donc pas ? Lâche-moi un peu les baskets, à la fin !

— Figure-toi que, moi non plus, je ne sais pas où tout ça va nous mener. La plupart du temps, je me demande ce qui a pu me séduire, chez toi. Tu m'énerves, tu es désordonné, tu es maigre comme un haricot, et tu ne corresponds en rien à l'image que je m'étais faite du prince charmant. Mais je suis là, et j'estime avoir mon mot à dire. Quand j'en aurai assez, je partirai. D'ici là, tu peux la fermer, parce que je vais me recoucher.

— Je suppose que Connors correspond mieux à l'image du prince charmant de Delia, grommela-t-il.

— En effet.

Elle reprit sa place dans le lit, flanqua un grand coup de poing dans son oreiller.

— Beau, sexy, riche… Tout le contraire de toi, même avant l'accident. Tu ne lui arriveras jamais à la cheville, même une fois sur pied. Remets-toi au lit tout seul. Je ne suis pas ta bonne.

Il l'observa tandis qu'elle s'allongeait et croisait les bras sur sa poitrine, les yeux rivés au plafond.

Il ébaucha un sourire.

— Excellent ! Celle-là, je ne ne l'avais pas vue venir. Tu me traites comme une merde, tu m'insultes – entre nous, ne pas être sexy, c'est ce qui me vexe le plus –, et tu mets un terme à la discussion.

— Va te faire voir.

— Je n'ai pas envie de me disputer avec toi, Peabody. Mais je pense qu'on gagnerait tous les deux à prendre un peu de recul. Je tiens à toi, Dee. Énormément.

De nouveau, elle faillit éclater en sanglots. Il ne l'appelait jamais Dee. Elle serra les dents et afficha un air féroce. Dallas aurait été fière d'elle.

Puis elle se redressa d'un bond, les yeux écarquillés.

— Tu es en train de te gratter le bras.

— Quoi ?

Lentement, un peu tremblante, elle pointa le doigt vers lui. Il suivit la direction de son index, et constata qu'il se grattait distraitement le bras droit.

— Et alors ? Puisque ça me démange. Ce que j'essaie de te dire, c'est…

Il se pétrifia.

— Ça me démange, répéta-t-il. J'ai l'impression que des milliers d'aiguilles me transpercent la peau. Mon Dieu !

— Les sensations reviennent ! s'exclama-t-elle en sautant du lit pour s'agenouiller devant lui. Et ta jambe ? Tu sens quelque chose ?

— Oui, oui. Je…

Son cœur se mit à cogner dans sa poitrine.

— Tu peux m'aider ? Sur la hanche. Je ne peux pas l'atteindre. Aaahhhh !

— Il faut que j'appelle Summerset.

— Si tu cesses de me gratter, je te tue.

— Tu peux bouger les doigts, les orteils ?

— Je n'en sais rien… Je ne crois pas.

— Et ça ? Tu le sens ? s'enquit-elle en enfonçant le pouce dans sa cuisse.

— Oui.

Un flot d'émotions l'envahit, qu'il refoula aussitôt.

— Tu peux descendre un peu plus à gauche ? Distrais-moi avant que je ne me mette à hurler tellement c'est insupportable.

— Ta queue n'a jamais été paralysée.

Une larme roula sur sa joue, tomba sur la main de McNab. Ce bonheur, il ne l'oublierait jamais.

— Je t'aime, Peabody.

Elle le dévisagea, stupéfaite.

— Ne t'emballe pas...

— Je t'aime, répéta-t-il en lui caressant le visage de sa main valide. Je craignais de ne jamais pouvoir te le dire. Je ne veux pas laisser passer l'occasion. Ne dis rien, d'accord ? Pas encore.

Elle s'humecta les lèvres.

— Je... je vais appeler Summerset. Il devrait... faire quelque chose. Probablement.

Elle se releva, les jambes en coton. En se retournant, elle se cogna le tibia contre le lit.

— Et merde !

Elle fonça en boitant jusqu'au communicateur. McNab la suivit du regard en souriant, et en se grattant furieusement le bras.

À 7 h 30, Eve carburait déjà au café. Sa deuxième tasse à la main, elle se dirigea vers le laboratoire, pour s'entretenir brièvement avec Connors avant que son équipe ne déboule dans son bureau.

Elle approchait de la porte quand elle entendit sa voix.

Elle connaissait ce ton. Froid. Implacable.

— Aurais-tu oublié quelle est ta position ici, et quelles sont les règles de la maison ?

Tel un chat qui guette une souris devant son trou, Connors attendait la réponse avec une patience meurtrière.

— Bon alors, c'est quoi, le BFD ?

Eve secoua la tête. Le môme réagissait exactement comme la souris, convaincue de pouvoir se jouer du chat. Quelle imprudence ! Le pauvre ne le savait pas, mais il était déjà mort.

— Attention à la façon dont tu te comportes avec moi, James. Tu es jeune, certes, et je peux tolérer un certain nombre de bêtises de ta part, mais l'insolence, non. Est-ce clair ?

— Oui, d'accord, mais je ne…

Eve ne voyait pas le visage de Connors, mais elle imaginait aisément son regard. Quoi qu'ait voulu dire Jamie, il se contenta de balbutier lamentablement :

— Oui, monsieur.

— Tant mieux. À présent, je vais t'expliquer ce putain de marché dans un langage que tu ne devrais avoir aucun mal à saisir. Je t'ai donné un ordre spécifique. Or, quand je donne un ordre spécifique, je m'attends qu'il soit suivi. Point barre. Jusqu'ici, tu comprends ?

— Les gens sont censés penser par eux-mêmes.

— En effet. Mais quand on travaille pour moi, on fait ce que je demande. Sans quoi, on ne travaille plus pour moi. Si tu veux bouder, va te réfugier ailleurs.

— J'ai bientôt dix-huit ans !

Connors appuya la hanche contre le bureau.

— Tu te prends pour un homme ? Alors comporte-toi comme tel, et non comme un gamin pris la main dans la boîte de biscuits.

— J'aurais pu obtenir plus de données.

— Tu aurais pu exploser ton cerveau de génie. Figure-toi que j'ai des projets pour toi, Jamie, et que ceux-ci n'incluent pas l'organisation de tes funérailles.

Jamie se voûta, baissa le nez.

— J'aurais pris mes précautions.

— Tu aurais pris tes précautions ? Prendre ses précautions, ce n'est pas se glisser en douce dans le labo en pleine nuit pour télécharger un ordinateur infecté sans personne aux commandes de contrôle. C'était une initiative stupide et prétentieuse. Je peux accepter un minimum d'arrogance. Mais la stupidité, non. Qui plus est, tu as désobéi aux ordres.

— Je voulais juste vous aider.

— Tu nous as déjà beaucoup aidés, et tu continueras à le faire, à condition de me promettre de ne plus jamais recommencer. Regarde-moi. Tu dis que tu veux devenir flic. Dieu seul sait pourquoi, dans la mesure où tu travailleras comme un damné pour un salaire de misère, dans l'indifférence la plus totale de ceux que tu serviras et protégeras. Un bon flic obéit aux ordres. Il n'est pas toujours d'accord, ça ne lui plaît pas forcément, mais il les exécute.

— Je sais, murmura-t-il. J'ai merdé.

— Exact. Mais ç'aurait pu être pire. Je veux ta parole, Jamie, ajouta Connors en lui tendant la main. Ta parole d'homme.

Jamie contempla un instant la main tendue, se redressa, la serra.

— Je ne recommencerai plus. Promis.

— Dans ce cas, n'en parlons plus. Va vite prendre ton petit-déjeuner. On se remet au boulot dans une demi-heure.

Eve s'éclipsa discrètement, le temps que Jamie quitte la pièce et disparaisse au bout du couloir.

Connors était déjà devant sa console quand elle entra. Il était en train de transmettre des instructions particulièrement compliquées à son courtier. Quand il eut terminé, elle ouvrit la bouche pour parler, puis la referma aussitôt : il avait enchaîné sur une deuxième transaction.

Il lui consacrait énormément de temps, aux dépens de ses propres activités. C'est pourquoi elle garda le silence lorsqu'il se lança immédiatement après dans une troisième tractation.

— Au lieu de trépigner sur le pas de la porte, lieutenant, tu pourrais m'apporter un café. J'en ai encore pour dix minutes.

Ravalant son indignation, elle se dirigea vers l'autochef.

— Cette affaire que tu négociais, le complexe de bureaux. Si je comprends bien, ils se sont dégonflés et ont accepté ton offre.

— Oui.

— Et je ne trépignais pas sur le pas de la porte.

— Mentalement, si. Je vais avoir une réunion cet après-midi. Elle ne devrait pas durer plus d'une heure trente.

— Prends ton temps. Tu nous en as déjà consacré plus que ce que nous pouvions espérer.

— Paie-moi ! répliqua-t-il en l'attirant à lui pour l'embrasser.

— Tu n'es pas très exigeant.

— Ce n'était qu'un acompte. As-tu décidé de la façon dont tu vas procéder ce matin ?

— Plus ou moins. Avant de faire le point avec l'équipe, je tenais à te dire combien j'admirais ta technique avec ce gamin. Tu le casses, tu le brises, tu l'écrabouilles, et tu le reconstruis.

Il goûta son café.

— Tu as tout entendu ?

— J'aurais probablement ajouté quelques menaces bien imagées. Mais l'un dans l'autre, tu m'as impressionnée.

— Cet idiot a cru qu'il pouvait entrer ici, télécharger le programme, et nous présenter ses résultats ce matin. J'ai failli lui coller mon pied dans les fesses.

— Comment l'as-tu su ?

— J'avais pris la précaution de renforcer la sécurité de la porte et de verrouiller tous les ordinateurs, répondit-il en esquissant un sourire. J'étais sûr qu'il tenterait le coup. J'en aurais fait autant à son âge.

— Je suis étonnée qu'il n'ait pas réussi.

— Je suis un peu plus expérimenté qu'un adolescent, merci.

— C'est ça, et tu en as plus dans le pantalon, aussi. Je réfléchissais à son logiciel, justement. Tu lui as confisqué son prototype, mais je parierais volontiers un mois de mon salaire de misère qu'il en possède une copie.

— Tu veux parler de ça ?

Connors sortit un disque de sa poche.

— J'ai demandé à Summerset de fouiller sa chambre – discrètement, bien sûr. Comme il n'a rien trouvé, j'ai supposé – avec raison – qu'il l'avait sur lui. Alors je le lui ai piqué dans sa poche, pendant le dîner, hier soir. Et je l'ai remplacé par un autre, affligé de quelques défauts.

— À savoir ?

— Quand on commence à cloner la fonction, on reçoit une décharge désagréable. C'est mesquin de ma part, je suppose, mais il fallait que je le remette à sa place.

Amusée, elle trinqua avec lui, tasse de café contre tasse de café.

— Décidément, tu es très malin. Tu veux participer à la réunion, ou tu préfères disposer d'un peu de temps pour acquérir Saturne ou Vénus ?

— Je n'achète pas de planètes. Ça ne rapporte pas.

Il se leva. Lorsqu'ils pénétrèrent dans le bureau d'Eve, ils y découvrirent Jamie, Feeney et Baxter devant une montagne de nourriture.

— Ces œufs...

Baxter avala, puis engloutit un nouveau morceau.

— ... sont des œufs de poule. *Des œufs de poule !*

— Cot ! Cot ! Cot !

Eve s'approcha et se servit une tranche de bacon.

— Vous avez goûté le jambon ? C'est du jambon de cochon.

— Hongh ! Hongh ! intervint Jamie, hilare.

— Je vous accorde dix minutes pour finir votre petit tour de ferme, les prévint Eve. Où sont Peabody et McNab ? Qu'est-ce qu'ils fichent ? ajouta-t-elle en consultant sa montre.

Elle allait décrocher le communicateur pour les rappeler à l'ordre, quand Connors posa la main sur son épaule.

— Eve, murmura-t-il en la faisant doucement pivoter vers la porte.

Sa gorge se noua. Elle pressa machinalement le bras de Feeney. McNab s'avançait lentement vers eux.

Appuyé sur une canne, des gouttes de sueur lui perlant au front, il souriait de toutes ses dents.

Son pas était hésitant, laborieux. Mais il était debout. Et il marchait.

Derrière lui, Peabody luttait pour ne pas fondre en larmes.

Eve sentit la main de Feeney se poser sur la sienne.

— Il était temps ! gronda-t-il. On commençait à en avoir assez de te porter.

— J'ai bien pensé faire durer le plaisir une journée de plus, riposta McNab, le souffle court, en atteignant la table.

Il tendit la main, saisit une tranche de bacon, la porta à sa bouche.

— Mais j'avais une petite faim.

— Si vous vouliez un petit-déjeuner, il fallait arriver plus tôt, déclara Eve.

Elle attendit qu'il la regarde, puis ajouta :

— Dépêchez-vous de manger. On a du boulot.

— Oui, lieutenant.

Il voulut contourner une chaise, chancela. Eve l'agrippa par le coude, le temps qu'il retrouve son équilibre.

— Dallas ?

— Inspecteur.

— Je crains que cette occasion ne se présente plus jamais...

Il la gratifia d'un baiser sonore sur la bouche. Baxter applaudit. Eve ravala un rire et le dévisagea froidement.

— La prochaine fois, vous serez sévèrement réprimandé.

Épuisé, il se laissa tomber sur un siège. Reprit son souffle.

— Hé, le gamin ! Passe-moi les œufs, avant que Baxter ne lèche le plat !

Après la réunion, Eve congédia tout le monde, sauf Peabody.

— Il a l'air en forme, commenta-t-elle. Fatigué, mais en forme.

— Il n'a pas fermé l'œil. Il m'a bassinée avec ses « je suis pitoyable, il faut qu'on rompe », quand...

— Quoi ?

— Il n'avait pas le moral. Il s'était mis dans la tête que je devais le quitter. Il ne voulait pas être une charge pour moi. Il craignait que je me sente obligée de rester, bref... on se disputait, quand ça a commencé. Des démangeaisons dans le bras, d'abord, puis dans les jambes et ensuite... Excusez-moi, je suis un peu émue.

— N'en parlons plus. Je suis heureuse qu'il...

Les mots moururent sur ses lèvres, elle ferma les yeux et respira un grand coup.

— Vous aussi, vous êtes émue.

Peabody sortit son mouchoir.

— C'est touchant, ajouta-t-elle en reniflant.

— Nous sommes tous heureux pour lui, soupira Eve. Et maintenant, revenons à nos moutons. J'ai obtenu des données par une source parallèle que je ne nommerai pas. J'ai l'intention d'intervenir en m'appuyant sur ces données qui incluent certains fichiers que je ne suis pas encore autorisée, officiellement, à ouvrir.

Peabody l'écouta en silence. À présent, elle savait à quoi Connors et Dallas avaient passé une partie de la nuit. Elle n'osait pas imaginer comment ils s'y étaient pris. Et ne tenait pas à le savoir.

— Bien, lieutenant. Intervenir en vous appuyant sur ces dossiers qui sont tombés entre vos mains grâce à une source parallèle me paraît une procédure correcte. Les ignorer reviendrait à un manquement à votre devoir.

— Vous me représenterez s'ils me tombent dessus ?

— Je suppose que Connors pourra nous engager le meilleur des avocats.

— Vous ne serez pas dans la ligne de mire. Vous pouvez décider d'accepter une autre mission.

— Dallas…

— Ou alors, l'interrompit Eve, vous pouvez choisir de m'accompagner. En qualité d'assistante, vous n'aurez rien à craindre. Vous vous contentez d'obéir aux ordres.

— Bien évidemment, je vous suis, lieutenant. Si vous vous attendiez à autre chose, vous vous êtes trompée d'assistante.

— Je ne me suis pas trompée d'assistante. Nous risquons de prendre un coup de chaud, Peabody, mais pas de nous brûler les ailes. Je vous mets au courant en chemin.

Donald et Sylvia Dukes habitaient une maison de ville proprette. Rideaux de dentelle aux fenêtres, pots blancs remplis de fleurs rouges flanquant la porte d'entrée. Comme des soldats, songea Eve.

Elle appuya sur la sonnette, sortit son insigne.

La femme qui leur ouvrit était petite, mince, et tout aussi nette que ces compositions florales. Elle portait une robe à carreaux bleus et blancs, et un tablier blanc autour de la taille. Ses lèvres étaient fardées de rose pâle, ses boucles d'oreilles avaient la forme d'un triangle orné de trois perles. Elle était chaussée d'espadrilles blanches immaculées.

— Madame Dukes ?

— Oui ? Que se passe-t-il ? Que voulez-vous ?

Son regard passa du visage d'Eve à son insigne, puis revint sur son visage. Sa voix tremblait.

— Rien de grave, madame. Je voudrais simplement vous poser quelques questions. Pouvons-nous entrer ?

— Je suis en plein… je suis très occupée. Le moment est mal choisi.

— Nous pourrions prendre rendez-vous à votre convenance. Mais je suis là, et je m'efforcerai d'être brève.

— Qui est-ce, Sylvia ?

Donald Dukes apparut, immense, athlétique, le cheveu blond coupé en brosse.

— C'est la police.

— Lieutenant Dallas, et mon assistante, l'officier Peabody. J'ai des questions à vous poser, monsieur Dukes. Si vous pouviez m'accorder quelques minutes.

— C'est à quel sujet ?

Il avait déjà poussé sa femme de côté, bloquant le passage. Il n'y avait pas que les pots de fleurs qui gardaient le fort, nota Eve.

— C'est à propos des décès de Chadwick Fitzburgh et de Louis K. Cogburn.

— Ça n'a rien à voir avec nous.

— Monsieur, à une époque, vous avez déposé plainte contre ces deux hommes, à propos de votre fils, Devin.

— Mon fils est mort.

Le ton était glacial.

— Je suis désolée, murmura Eve, tandis que sa femme ravalait un sanglot derrière lui. Monsieur Dukes, est-ce que vous tenez vraiment à discuter de tout cela sur le pas de la porte ?

— Je ne veux pas en discuter du tout. Les fichiers de Devin sont scellés, lieutenant. Comment avez-vous obtenu notre nom ?

— Vos noms sont apparus au cours de mon enquête, monsieur Dukes. Les fichiers sont peut-être scellés, mais les gens parlent.

— Papa ?

Un garçon descendait l'escalier. Aussi grand que son père, il arborait la même coupe de cheveux. Il portait un pantalon et une chemise bleus parfaitement repassés. Comme un uniforme.

— Joseph, remonte dans ta chambre.

— Il y a un problème ?

— Cela ne te concerne pas. Remonte immédiatement.

— Bien, papa.

— Je ne veux pas que l'on vienne me déranger chez moi, lieutenant.

— Vous préférez peut-être venir au Central ?

— Vous n'avez pas le droit de...

— Si, monsieur, j'en ai parfaitement le droit. On peut faire simple ou compliqué. À vous de choisir.

— Cinq minutes, concéda-t-il en s'effaçant. Sylvia, monte là-haut avec Joseph.

— J'ai aussi besoin de Mme Duke.

Il était visiblement furieux. Ses joues étaient rouges, ses mâchoires serrées. Cet homme n'était pas habitué à ce qu'on lui donne des ordres.

Deux solutions s'offraient à Eve : l'attaquer bille en tête, ou calmer le jeu. Instinctivement, elle décida de changer de tactique.

— Monsieur Dukes, je suis désolée de vous ennuyer, mais je dois faire mon travail.

— Et votre travail consiste à interroger des citoyens honnêtes sur la mort de deux ordures ?

— Je ne suis qu'un fantassin. J'obéis aux ordres.

Elle vit tout de suite qu'elle avait appuyé sur le bon bouton. Il opina, sans un mot, puis tourna les talons et les précéda dans la salle de séjour. Sylvia resta où elle était, les poings crispés, les phalanges aussi blanches que son tablier.

— Je... voulez-vous un café, ou...

— Ce ne sont pas des invités, Sylvia, coupa Dukes.

Eve la vit frémir comme s'il l'avait giflée.

— Surtout, ne vous dérangez pas pour nous, madame.

La salle de séjour était étincelante de propreté. Le canapé bleu était flanqué de deux tables sur lesquelles trônaient deux lampes identiques. En face, deux fauteuils assortis au canapé. Au milieu, un tapis vert, impeccable. Sur la table basse, précisément centré, un vase contenant des fleurs blanches et jaunes, un bouquet sans âme.

— Je ne vous invite pas à vous asseoir.

Dukes se tenait debout, les mains croisées derrière le dos.

Encore un soldat, pensa Eve en se préparant à l'interrogatoire.

15

— Monsieur Dukes, je crois savoir qu'il y a environ quatre ans, votre fils a eu l'occasion de se fournir en produits illicites auprès de Louis K. Cogburn.

— C'est exact.

— En apprenant cela, vous avez porté plainte.

— C'est encore exact.

— Pourtant, Cogburn n'a pas été poursuivi. Pouvez-vous m'expliquer pourquoi ?

— Le bureau du procureur a refusé de donner suite au dossier.

Il se tenait au garde-à-vous.

— Cogburn a ainsi pu continuer à corrompre de jeunes esprits et de jeunes corps en toute impunité, reprit-il.

— Je suppose que votre fils a décrit précisément la façon dont les choses se sont passées. Dans la mesure où la substance illégale a permis de remonter jusqu'à Cogburn, l'attitude du procureur me surprend.

Dukes pinça les lèvres.

— La substance illégale avait été détruite. Je ne voulais pas de ça chez moi. Il semble que ma parole et celle de mon fils n'aient pas suffi.

— Je vois. Cela a dû être terriblement frustrant pour vous et votre famille.

— En effet.

Détail intéressant, Dukes portait pratiquement la même tenue que son fils cadet. Les plis de son pantalon étaient aussi effilés qu'une lame de couteau.

Plus intéressant encore, Dukes était submergé par la colère. Une rage brûlante, qu'il avait du mal à contenir.

— À votre connaissance, Devin a-t-il continué à se procurer de la drogue auprès de Cogburn ?

— Certainement pas.

Eve lut la vérité dans le regard de Sylvia. L'adolescent avait recommencé. Et tout le monde le savait.

— J'imagine que les Services de protection de l'enfance vous ont recommandé de faire suivre une thérapie à l'enfant ?

— Oui.

Eve marqua une pause.

— Il est allé jusqu'au bout du programme ?

— Je ne vois pas le rapport avec votre enquête, lieutenant.

De nouveau, elle changea de tactique.

— Pouvez-vous me parler des événements concernant Devin et Chadwick Fitzburgh ?

— Cet homme a abusé sexuellement de mon fils mineur, marmonna Dukes, plus dégoûté que peiné.

— Et cette agression a eu lieu chez Fitzburgh ?

— C'est exact.

— Comment Devin s'est-il retrouvé là ?

— Il y a été entraîné malgré lui.

— Vous a-t-il dit par quel moyen ?

— Ça n'a plus aucune importance. Il a été molesté. Nous avons prévenu la police, comme il se doit. L'agresseur n'a pas été poursuivi.

— Pourquoi ?

— Parce que la loi protégeait le prédateur, pas la proie. Vous êtes au bout de vos cinq minutes.

— Comment et quand Devin est-il mort ?

Ignorant la question, Dukes se dirigea vers le vestibule.

— Je peux obtenir cette information par le biais des archives publiques.

— Mon fils s'est suicidé. Il y a huit mois. Le système ne l'a pas protégé. Il ne m'a pas aidé à le protéger.

— Vous avez un autre fils. Jusqu'où iriez-vous pour le protéger ?

— Le cancer qui ronge notre société ne corrompra pas Joseph.

— Le cancer, c'est une sorte de virus, n'est-ce pas ? On peut tuer un virus avec un virus. Infecter l'hôte jusqu'à ce que les mauvaises cellules soient détruites. Vous êtes informaticien, monsieur Dukes. Vous vous y connaissez en matière de virus.

Une lueur vacilla dans les prunelles de Dukes. Quelque chose comme de la fierté.

— Votre temps est expiré.

— Le vôtre aussi, monsieur Dukes, répliqua Eve d'un ton posé. Je vous conseille de prendre vos dispositions au sujet de votre femme et de votre fils avant que vos amis du groupe Chercheurs de Pureté et vous tombiez.

— Sortez d'ici. J'ai l'intention de prévenir mon avocat.

— Excellente idée. Vous allez en avoir besoin.

Lorsqu'elles furent dans la voiture, Peabody lança un coup d'œil vers la maison, les sourcils froncés.

— Pourquoi lui avez-vous filé le tuyau ?

— C'est sa femme que je visais.

— Vous pensez qu'elle est en dehors du coup ?

— Il ne l'a pas touchée, l'a à peine regardée. Elle est là, ruisselante de larmes, et il l'ignore complètement. Non, c'est son truc à lui. Qu'avez-vous remarqué chez ces gens, Peabody ?

— Eh bien, c'est lui qui commande.

— Pire que ça. C'est un fichu camp militaire, et il en est le général. Elle ouvre la porte à 9 heures du matin, pomponnée comme une ménagère qui s'apprête à tourner une publicité pour l'autochef. Le gamin a quatorze ans, il remonte dans sa chambre sur un claquement de doigts. Je parie que tous les lits étaient faits et qu'une pièce de cinq crédits rebondirait sur chacun d'eux.

Elle fonça vers le centre-ville.

— Comment un ex-marine, qui exige que tout autour de lui soit tiré au cordeau, réagit-il en découvrant que son fils se drogue et qu'il est homosexuel ?

— Pauvre gosse.

— Oui, et maintenant, son père se sert de lui comme d'un symbole, d'un prétexte pour tuer. Il existe toutes sortes de cancers, marmonna-t-elle.

Son communicateur bipa.

— Dallas.

— Vous êtes dans votre véhicule ? s'enquit Nadine. Garez-vous. Ce que j'ai à vous dire va vous intéresser.

— Je peux vous écouter et conduire en même temps.

— J'ai reçu une nouvelle déclaration des Chercheurs de Pureté. Je passe à l'antenne dans un quart d'heure.

— Retardez la diffusion. Nous devons…

— Impossible, Dallas. Je vous donne la primeur, c'est déjà pas mal. Je suis prête à diffuser tout commentaire, de votre part ou de la part du département de police, si vous voulez. Mais on passe dans quinze minutes.

— Merde !

Contrariée, Eve fit une queue-de-poisson à un taxi, afin d'emprunter la rampe d'un parking.

— Allez-y.

— *Citoyens de New York*, lut Nadine, *nous voulons assurer votre sécurité, et vous réitérer notre promesse d'obtenir justice en votre nom. Nous nous consacrons à la protection des innocents, tout en infligeant aux coupables les sanctions que les poignets menottés de la loi ne peuvent vous garantir.*

Nous sommes vos frères, vos sœurs, vos parents, vos enfants. Nous sommes votre famille. Nous sommes vos gardiens.

Comme vous, nous sommes affligés par le décès brutal d'un officier de police, il y a deux jours. La mort de l'inspecteur Kevin Halloway dans l'exercice de ses fonctions est une preuve supplémentaire de la dégradation de notre société. Nous tenons Louis K. Cogburn pour responsable de ce crime honteux. S'il n'avait pas, par ces actions, rendu indispensable notre intervention, l'inspecteur Kevin Halloway serait aujourd'hui vivant, et libre – dans les limites des lois actuelles – de servir notre ville.

Louis Cogburn a été puni. Justice a été rendue, et continuera de l'être.

Nous vous demandons, citoyens de New York, de vous joindre à nous pour une minute de silence en mémoire de l'inspecteur Kevin Halloway. Nous présentons à sa famille, à ses amis et à ses collègues, nos plus sincères condoléances.

Nous adressons cet avertissement à tous ceux qui cherchent à nuire à nos frères, à tous ceux qui corrompent nos enfants et les innocents : notre main sera rapide et elle sera sûre.

Nous défendons la pureté.

Nous défendons le peuple de New York.

— C'est intelligent, commenta Eve quand Nadine eut terminé.

— Très. Fondez-vous dans la foule, pour ne pas donner l'impression que Big Brother vous surveille. Exprimez votre tristesse sur la mort d'un flic et pointez le coupable du doigt. Insistez sur vos buts afin que le message soit clair et net, et que résonne dans les oreilles de vos auditeurs le fait que vous êtes là pour les protéger. Question relations publiques, c'est irréprochable.

— Personne n'entend ce que j'entends ? s'exclama Eve. « Surtout, ne vous inquiétez pas. Nous nous occupons de tout. Nous déciderons qui est coupable, et qui ne l'est pas. Qui peut vivre, qui doit mourir. Et, mon Dieu, si quelqu'un est pris entre les deux, ce ne sera pas notre faute. »

— Non, vous n'êtes pas la seule à l'entendre, répliqua Nadine en secouant la tête. Mais beaucoup de gens entendront ce qu'ils veulent entendre. C'est en cela que c'est génial, Dallas. Ça marche à tous les coups !

— Il n'est pas question qu'ils se servent de l'un d'entre nous comme symbole. Vous vouliez un commentaire, Nadine, le voici : « Le lieutenant Eve Dallas, chargée de l'enquête sur les homicides attribués au groupe des Chercheurs de Pureté, déclare que l'inspecteur Kevin Halloway de la DDE a été tué dans le cadre de ses fonctions par cette même organisation terroriste. Nous soupçonnons cette dernière d'être responsable de la mort de quatre civils et d'un officier de police. Le lieutenant Dallas déclare par ailleurs qu'elle, les membres de son équipe et tous ses collègues du département de police travailleront d'arrache-pied pour démasquer, identifier et arrêter tous les membres de cette organisation, afin qu'ils soient jugés selon les lois de cette ville et, le cas échéant, punis. »

— C'est enregistré ! Pas mal, ajouta Nadine après avoir arrêté son magnétophone. Vous accepteriez une interview en face à face ?

— Non, Nadine. Je suis débordée. Et j'ai un flic à enterrer cet après-midi.

La cérémonie avait lieu dans un funérarium du centre-ville, tout près du Central. Chaque fois qu'elle y était allée pour rendre un dernier hommage à des officiers morts en service, Eve avait toujours eu une pensée pour le directeur de l'établissement : il n'avait sans doute pas choisi cet emplacement par hasard.

Pour Halloway, ils avaient ouvert un étage entier, et cependant, c'était tout juste suffisant. Les flics trouvaient toujours un moment pour venir veiller un collègue.

Elle aperçut le maire Peachtree, entouré de son escorte, qui serrait des mains avec une expression de circonstance.

Eve n'avait personnellement rien contre lui, et il semblait accomplir son devoir sans en faire trop. Peut-être même était-il sincère.

Il paraissait sincère – sincèrement énervé, songea-t-elle, quand son regard croisa le sien à travers la foule.

D'un geste bref, il l'invita à le rejoindre.

— Monsieur le maire.

— Lieutenant, murmura-t-il d'une voix teintée de colère. Votre palmarès est impressionnant. Vos supérieurs vous font entièrement confiance. Mais, dans cette affaire, vous n'êtes pas un simple policier. Vous êtes une figure publique. Votre déclaration à Furst, sur Channel 75, n'était ni approuvée ni autorisée.

— Ma déclaration était claire et précise.

— La précision, chuchota-t-il. La précision n'est pas le problème. La perception, l'image, le message, voilà l'essentiel. Nous devons absolument nous serrer les coudes, lieutenant.

Il posa la main sur son bras.

— Je compte sur vous, conclut-il avec un léger sourire.

— Oui, monsieur.

Dès qu'il s'écarta, il fut immédiatement assailli par ses sbires et tous les autres, avides d'un bref contact avec le pouvoir et la célébrité.

À l'attitude mondaine de Peachtree, Eve préférait de loin celle, réservée, du commandant Whitney. Il était venu en compagnie de son épouse. Anna Whitney excellait dans l'art de la représentation. Vêtue d'un sobre tailleur noir, elle tenait les mains d'une femme.

— C'est la mère de Halloway, souffla Feeney qui avait rejoint Eve. Je lui ai déjà parlé. Elle tient beaucoup à te rencontrer.

— Aïe !

— Oui, je sais. Moi aussi, j'ai horreur de ça. Tu vois la jolie rousse, à côté du patron ? C'est la fiancée de Halloway. Elle s'appelle Lily Doogan. Elle est bouleversée. Les insignes arrivent de partout. Halloway était très apprécié... Il est dans la pièce voisine. McNab s'y trouve en ce moment.

Feeney poussa un profond soupir.

— Je lui ai apporté une chaise. Il ne peut pas rester debout très longtemps. Connors est avec lui.

— Connors est ici ?

— Oui. J'ai dû sortir, avoua-t-il, visiblement peiné. C'est insupportable. Viens, je vais te présenter à sa mère.

Ils se faufilèrent dans la foule qui discutait à voix basse. Le parfum des fleurs était entêtant, l'éclairage, tamisé.

— Lieutenant.

Eve se retourna, et se retrouva nez à nez avec Jenna Franco. Elle décela une lueur d'irritation dans son regard. Elle dissimulait moins bien son agacement que Peachtree.

— Madame l'adjointe au maire.

— J'aimerais vous parler. En privé.

— J'ai quelque chose à faire d'abord.

Eve la planta là et s'éloigna, agacée. C'était idiot, mais elle n'avait aucune envie de s'abaisser à des salamalecs avec Jenna Franco.

Prenant son courage à deux mains, elle s'approcha de Colleen Halloway. Celle-ci devait avoir environ cinquante ans, mais paraissait plus jeune. Son teint pâle, presque translucide, tranchait sur le tailleur noir. Ce fut Anna Whitney qui parla la première.

— Lieutenant.

— Madame Whitney.

— La mère de l'inspecteur Halloway souhaitait vous parler.

Le dos légèrement tourné afin que seule Eve profite de ses paroles, elle ajouta :

— Savez-vous ce qui est encore plus difficile que d'être la femme d'un flic, lieutenant ?

— Non. J'ai toujours pensé que c'était ce qu'il y avait de pire.

Anna ébaucha un sourire.

— Le pire, c'est d'en mettre un au monde. Pensez-y.

— Oui, madame.

— Colleen ?

Avec douceur, Anna entoura du bras les épaules de Mme Halloway.

— Voici le lieutenant Dallas. Lieutenant, la mère de Kevin.

— Madame Halloway. Je vous présente mes sincères condoléances.

— Lieutenant Dallas, fit Colleen en lui agrippant la main avec une force inattendue. Merci d'être venue. Je me demandais si... il y a un petit salon, là-haut. Pourriez-vous m'accorder quelques minutes ?

— Volontiers.

Elle entraîna Eve vers un escalier où s'étaient regroupés un certain nombre de collègues. Ces derniers s'écartèrent respectueusement sur leur passage.

— Mon mari aimerait aussi vous rencontrer. Ainsi que Lily. Mais je leur ai demandé de me laisser quelques minutes seule avec vous. Ils ont compris.

Elle poussa une porte, et toutes deux pénétrèrent dans un petit salon tapissé de papier peint bordeaux.

— Ces lieux sont terriblement déprimants, vous ne trouvez pas ? Je ne comprends pas pourquoi ils ne laissent pas entrer la lumière.

Colleen s'approcha de la fenêtre et écarta les rideaux.

— Je suppose que beaucoup de gens trouvent du réconfort dans la pénombre. Est-ce votre cas ? demanda-t-elle à Eve, avant de secouer la tête. Excusez-moi... Asseyez-vous, je vous en prie.

Colleen prit place sur une chaise, le dos très droit.

— Je vous ai vue à la télévision. Vous semblez toujours si compétente, même dans les reportages sur les soirées mondaines où vous accompagnez votre mari. Il est très beau, n'est-ce pas ?

— Oui, madame.

— C'est gentil à lui d'être venu aussi. Vraiment très gentil. Kevin parlait de vous de temps en temps. Pourtant, vous n'avez jamais travaillé ensemble si j'ai bien compris ?

— Pas directement, non. Cependant, je fais souvent appel à la DDE. Hallow... Kevin était très apprécié au sein du département.

— Il vous admirait. Je tenais à vous le dire, ajouta-t-elle avec un petit sourire, devant l'air surpris d'Eve. Parfois, il nous racontait votre collaboration avec le capitaine Feeney et ce jeune inspecteur, Ian McNab. Je crois qu'il était un peu jaloux de cette relation.

— Madame Halloway…

— Si je vous dis ça, c'est uniquement pour que vous compreniez pourquoi il a pu dire ou faire certaines choses pendant sa crise.

— Madame Halloway, je n'ai besoin d'aucune explication. Kevin était très malade. Rien de ce qui s'est passé une fois qu'il a été infecté n'est sa faute.

— Vous me rassurez. J'ai entendu les déclarations, ce matin. Les deux. Je n'ai pas pu m'empêcher de me demander si vous suiviez les ordres du département, ou si vous étiez sincère.

— J'étais sincère. Chacun de mes mots était pesé.

Colleen opina. Ses lèvres frémirent brièvement.

— Je sais ce que vous avez fait pour tenter de sauver Kevin. Vous avez risqué votre vie, vous aussi. Et je sais, enchaîna-t-elle, empêchant Eve d'intervenir, ce que vous allez me répondre : que c'est votre métier. C'est ce que vous dites tous. Mais je tiens à vous remercier, d'abord en tant que mère.

Ses yeux brillaient de larmes.

— Mais aussi de la part de Kevin. Je vous en prie, laissez-moi terminer.

Elle se tut un instant, s'éclaircit la voix.

— Mon fils était fier d'appartenir à la police. Il croyait en ce qu'il faisait, il a donné son maximum…

Elle se tut un instant, fouilla dans son petit sac noir et en sortit l'insigne de son fils. Puis elle se pencha vers Eve, presque suppliante.

— Arrêtez-les. Vous allez les arrêter, n'est-ce pas ?

— Oui, madame.

Colleen s'adossa à son siège.

— Je vous ai retenue suffisamment longtemps, murmura-t-elle. Vous devez être débordée. Je vais rester ici un moment.

Eve se leva et se dirigea vers la porte. Puis elle pivota sur elle-même.

— Madame Halloway ? Je suis sûre qu'il était très fier de vous, lui aussi.

De nouveau, un petit sourire triste. Et une larme solitaire, sur la joue.

Eve s'éclipsa discrètement.

Elle avait presque atteint l'escalier lorsque Franco l'intercepta, Chang sur ses talons tel un chiot.

— Il est temps que nous ayons une petite discussion, déclara-t-elle.

Eve l'agrippa par le bras alors qu'elle fonçait vers le petit salon.

— Mme Halloway est dans cette pièce.

L'irritation de Franco s'estompa. Elle jeta un coup d'œil compatissant vers la porte fermée. Se ressaisissant, elle fila droit vers la salle voisine.

C'était une sorte de bureau, occupé par une jeune femme concentrée sur son ordinateur.

— J'ai besoin de cette pièce, annonça sèchement Franco. Je vous prie de bien vouloir sortir.

Eve haussa les sourcils tandis que l'employée obtempérait. Franco savait ce qu'elle voulait et où elle allait. Elle attaqua d'emblée :

— Vous aviez pour instruction de ne présenter que les déclarations officielles aux médias. Nous ne pouvons nous permettre de perdre notre temps à éteindre les feux derrière vous.

— Dans ce cas, arrangez-vous pour être là au bon moment. J'ai eu le scoop quelques minutes avant que le communiqué des Chercheurs de Pureté ne soit diffusé. J'ai répondu de la manière qui m'a semblé la plus appropriée.

— Ce n'est pas à vous de juger de ce qui est approprié ou non, glapit Chang. C'est mon boulot de vous le dire.

— Je ne suis pas votre subalterne, et si cela devait arriver un jour, je prendrais ma retraite.

— Le préfet Tibble vous a expressément demandé de coopérer, lui rappela-t-il. Cependant, vous avez refusé les interviews que nous vous avions organisées. Et aujourd'hui, vous avez fait une déclaration sans nous consulter au préalable. Une déclaration qui n'engage pas que vous, lieutenant, mais le département tout entier. C'est inacceptable.

— Si le préfet ou mon commandant ont quoi que ce soit à me reprocher, ils me sanctionneront, Chang. Vous n'avez aucun pouvoir en la matière.

Elle s'avança vers lui, constata avec satisfaction qu'il reculait.

— Ne vous risquez jamais à m'expliquer comment je dois exercer mon métier.

— Vous ne m'avez jamais respecté.

Eve inclina la tête de côté.

— Et alors ?

— Nous verrons bien comment réagira le préfet Tibble.

— Allez-y, dénoncez-moi, pauvre fouine, rétorqua-t-elle, avant de s'adresser à Franco. Vous avez autre chose à me dire ?

— En fait, oui. Chang, pouvez-vous nous laisser un instant, s'il vous plaît ? Nous nous retrouverons à mon bureau dans... disons, trente minutes.

Il sortit à contrecœur.

— Cherchez-vous à énerver les gens, Dallas, ou est-ce un talent inné ?

— Avec des imbéciles tels que Chang, ce n'est pas très difficile.

— Si je vous accorde que Chang est irritant et prétentieux – que ceci reste entre nous –, pourrions-nous mettre un frein à toute cette hostilité ?

— Pourquoi le gardez-vous s'il vous agace tant que cela ?

— Parce qu'il est remarquable. Si je devais aimer tous les gens avec qui je travaille, je ne ferais pas de politique. Bien... Premier point, votre déclaration de ce matin. Chang a le sentiment – et je suis d'accord, de même que le maire – que vous avez utilisé la mort de l'inspecteur Halloway à mauvais escient.

— Quoi ? Une petite seconde ! Ce sont les Chercheurs de Pureté qui se sont servis de lui en récusant leur responsabilité dans cette affaire. Je n'ai fait que désigner les vrais coupables.

— Je comprends ce qui a motivé vos paroles. Pour l'amour du ciel, Dallas, croyez-vous que je sois sans cœur ? Détrompez-vous. Je compatis avec cette femme. Elle a perdu son fils, bon sang ! J'ai un fils de dix ans. Je n'ose m'imaginer à la place de Colleen Halloway.

— Il me semble que ce serait encore plus douloureux si les gens en venaient à penser qu'il est mort pour rien.

— N'est-ce pas le cas ? riposta Franco. Oh, je sais comment vous raisonnez, vous, les flics ! Je ne discuterai pas, parce que j'ai du mal à le comprendre. Ce qui me tracasse, c'est que plus on citera son nom, plus il nous sera difficile de cibler notre message. Quoi que vous pensiez. Deuxième point : vous auriez dû nous consulter avant de vous exprimer.

— Je ne suis pas une fan des médias, mais si j'ai le sentiment qu'ils peuvent m'aider dans mon enquête, je n'hésite pas à les utiliser.

— Pourtant, vous avez refusé les rendez-vous que Chang vous avait organisés.

— Je ne peux et ne veux pas passer mon temps dans des studios à débiter des déclarations approuvées par le département, alors qu'une enquête de première importance réclame mon temps et mon énergie.

— En effet, c'est ce que nous a dit votre commandant.

— Où est le problème, alors ?

— Il fallait bien tenter le coup, lâcha Franco. Mais ce dont je souhaite vous parler est beaucoup plus grave. Le maire a appris que vous aviez interrogé les Dukes ce matin. Une famille qui a aussi perdu un fils récemment, et une affaire dont les dossiers sont sous scellés.

— Des informations sur les Dukes sont tombées entre mes mains, et il m'a paru nécessaire de les rencontrer. Vous avez l'intention de m'expliquer comment faire mon métier, à présent ?

Franco leva les bras au ciel.

— Seigneur ! Pourquoi vous obstinez-vous à croire que nous sommes dans des camps opposés ?

— C'est mon sentiment.

— Savez-vous ce qui va se passer si Donald Duke se confie aux journalistes ? S'il leur raconte qu'il a été harcelé chez lui par l'officier chargé de l'enquête ? Son fils est devenu toxicomane à cause de Cogburn...

— Rien ne prouve qu'il ait été son premier dealer.

— Aucune importance ! explosa Franco. C'est ce qu'il dira. Que Cogburn s'en est pris à un innocent gamin de douze ans, issu d'une famille respectable. Que la police a failli dans sa mission. Que plus tard, l'adolescent, accro à la drogue, est donc perturbé, est tombé dans les filets d'un pédophile. Chadwick Fitzburgh bat et viole le jeune Devin, maintenant âgé de quatorze ans. La famille est dans tous ses états, le gamin est traumatisé et, une fois de plus, la police manque à tous ses devoirs.

— Ce n'est pas ainsi que ça s'est passé.

— C'est ainsi que ce sera présenté à la population. Vérités, demi-vérités, mensonges, une fois passé à l'antenne, c'est du pareil au même. Le tableau est dessiné, et vous, vous déboulez chez eux, vous posez des questions à ces gens qui ont fait de leur mieux, qui s'en sont remis à un système qui les a déçus. Vous essayez de les impliquer dans une enquête pour homicide. Vous les accusez d'appartenir à un groupe que vous avez qualifié publiquement de terroriste. Et chez eux, en plus. Vous imaginez la réaction de la population ?

— Donald Dukes refusait, ou était incapable d'accepter l'homosexualité de son fils…

— Mon Dieu ! s'écria Franco en appuyant les doigts sur ses tempes. Si vous affirmez que l'adolescent était gay, c'est le procès assuré. Tout le monde y passera : vous, le département, la municipalité.

— Ce qui est sûr, c'est qu'il avait des problèmes d'identité sexuelle, s'entêta Eve. Il n'a pas eu le temps de décider de quel côté il penchait. Son père est rigide, dominateur. Le genre de type qui n'a jamais tort. Il a éliminé des preuves qui auraient pu aider à l'inculpation de Cogburn, mais c'est la faute du système. Il a omis et falsifié des faits concernant l'affaire Fitzburgh et, là encore, c'est la faute du système. À présent, par le biais des Chercheurs de Pureté, il a trouvé le moyen de libérer son agressivité et de faire valoir son point de vue.

— Vous avez des preuves ?

— J'en ai quelques-unes. J'en aurai d'autres.

— Dallas, j'ai moi-même du mal à vous croire, alors que dire de la population. De surcroît, vous évoquez des faits et des hypothèses auxquels vous n'auriez pas dû avoir accès. Une réprimande officielle et publique de votre commandant ne suffira peut-être pas à empêcher les poursuites ou à apaiser les médias.

— Si mon commandant juge nécessaire de me réprimander, c'est son droit, et c'est mon problème. Une tempête médiatique, c'est le vôtre et celui de Chang. Dukes peut me traîner devant les tribunaux. Ça ne le mènera nulle part une fois que je l'aurai mis en cage. En avons-nous terminé ?

— Vous semblez très sûre de vous.

— C'est mon métier.

Sur ce, Eve sortit. En redescendant l'escalier, elle entendit une voix de ténor entonnant les premières mesures de *Danny Boy*.

Les flics chantaient toujours *Danny Boy* aux enterrements. Elle n'avait jamais su pourquoi.

— Lieutenant.

Connors l'accueillit au bas des marches.

— J'ai besoin d'air, lâcha-t-elle en se précipitant dehors.

16

Une camionnette de livraison garée en double file avait provoqué un embouteillage sur plusieurs centaines de mètres. Résultat : une cacophonie assourdissante de coups d'avertisseur et d'invectives.

Un opérateur de glissa-gril avait trop cuit et trop épicé ses kébabs. L'air empestait le graillon.

Eve décida qu'elle préférait le bruit et les odeurs nauséabondes aux murmures et aux fleurs du funérarium.

Elle fonça vers le glissa-gril tout en sortant quelques pièces de sa poche.

— Une glace au chocolat.

— J'ai que des bâtonnets. Je vous en mets combien ?

— Six.

— Fruits, Pepsi, Coca ? Qu'est-ce que vous voulez ?

— Juste du chocolat.

Elle le paya et lui arracha littéralement les bâtonnets des mains. Elle mordit dans le premier. Ils fondaient déjà.

Connors acheta une grande bouteille d'eau et prit une poignée de serviettes en papier.

— Passe-m'en un. Tu vas te rendre malade si tu avales tout ça.

— Je suis déjà malade.

Elle lui prouva cependant son amour incommensurable en lui en tendant un.

— Peachtree me sermonne sur l'importance du travail en équipe. Ensuite, Chang et Franco me tombent dessus à propos de ma déclaration de ce matin sur Channel 75. Ils me reprochent de ne pas être passée d'abord par eux, et de semer la confusion auprès de la population. Je suis un flic, bon sang, pas la marionnette des relations publiques.

— Ce que tu n'as pas manqué de leur faire remarquer, j'imagine.

— En effet.

Elle eut un sourire amer, engloutit un gros morceau de glace.

— Franco ne me semble pas complètement idiote, surtout pour une politicienne. Mais elle paraît – comme tous les autres, d'ailleurs – nettement plus intéressée par son image que par l'enquête.

— C'est normal. Ils ont du mal à comprendre que tu te soucies aussi peu d'être sous les projecteurs que de choisir ton chemisier chaque matin.

Eve examina son chemisier. Il était blanc. Il était propre. Où était le problème ?

— On se porterait tous mieux s'ils me fichaient la paix. J'ai des suspects, nom de nom ! Price, Dwier, et maintenant, les Dukes. Si j'en coince un, c'est pratiquement gagné.

Elle entama un troisième bâtonnet.

— Dukes a appelé un avocat. Il n'a pas perdu de temps. Il se plaint d'être harcelé, menace de nous mener tous devant les tribunaux. Franco et compagnie sont dans tous leurs états.

— Tu ne t'y attendais pas ?

— Si, mais ils auraient pu patienter jusqu'à la fin de la cérémonie.

Elle jeta un coup d'œil en direction du funérarium. Plusieurs flics en émergeaient. Ils allaient reprendre leur service, songea-t-elle. La vie s'arrêtait parfois, le boulot, jamais.

— Il est impliqué, Connors. Jusqu'au cou. Le profil lui correspond comme un costume taillé sur mesure. Mon impression, c'est qu'il a transformé l'existence de son fils en un véritable enfer. Je vais le coincer, et tous les autres avec lui.

Elle leva la tête, observa la fenêtre du petit salon où elle avait bavardé avec Colleen Halloway.

— Je les arrêterai. Il faut que tu me récoltes un maximum d'informations sur le passé de Donald Dukes – dans les limites de la légalité, bien sûr.

— Pourquoi ne pas t'adresser à Feeney ou à McNab ?

— Parce qu'on va peut-être exiger que je laisse Dukes tranquille. Dans ce cas, ils ne pourront rien pour moi. En revanche, il me semble qu'un type comme toi, propriétaire de toutes ces sociétés, est toujours en quête d'un bon informaticien. Si tu envisageais de l'engager, il paraîtrait normal que tu effectues quelques vérifications avant de prendre ta décision, non ?

— En effet. Et je pourrais, par le plus grand des hasards, transmettre certains renseignements à mon épouse.

Il lui effleura le menton de l'index.

— Très malin, lieutenant.

— Je veux l'expédier dans une cellule et, pour y parvenir, je dois examiner la situation sous tous les angles. Je retourne voir Clarissa Price cet après-midi. Ma visite ne lui fera pas plaisir. Ensuite, je ferai peut-être un saut chez Dwier.

Elle baissa les yeux sur le dernier bâtonnet, qui avait entièrement fondu, le jeta dans une poubelle de recyclage, puis s'essuya les mains avec les serviettes en papier de Connors.

— Hé, madame !

Un homme sortit la tête de sa voiture.

— Vous pourriez pas exploser ce crétin, là-bas, qu'on avance enfin ?

— On voit ton arme, murmura Connors.

Elle remit sa veste d'aplomb. Deux collègues en uniforme sortaient du funérarium. Elle les interpella en brandissant son insigne.

— Faites-moi dégager cette camionnette de livraison. S'il ne déguerpit pas, collez-lui une amende.

— Vous êtes flic ? cria l'homme.

— Non, je porte une arme et un insigne pour le plaisir. Du calme avec l'avertisseur.

Elle se tourna vers Connors, qui arborait un large sourire.

— Quoi ?

— Tu as du chocolat sur ton insigne, lieutenant.

— Merde !

Elle faillit l'essuyer sur son pantalon, mais il s'en empara à temps.

— Lève la tête, ordonna-t-il.

— Quoi ? J'en ai aussi sur la figure ?

— Non, fit-il en se penchant pour déposer un baiser sur ses lèvres. J'ai juste envie de t'embrasser.

— Ah ! C'est intelligent ! Rends-moi mon insigne.

— Il est dans ta poche.

Elle vérifia, secoua la tête.

— Va donc faire travailler tes habiles petites mains sur ton clavier. Je passe chercher Peabody, et on fonce aux Services de protection de l'enfance.

— Je vais d'abord m'assurer que McNab est prêt.

— Tu l'as amené en limousine, non ? s'enquit-elle, tandis qu'ils rebroussaient chemin.

— Oui, pourquoi ?

— Tu pourris mon équipe.

Au moment où ils atteignaient l'entrée, Whitney apparut.

— Lieutenant, Connors. Je vous croyais partis.

— Nous n'allons pas tarder, commandant, fit Eve. Dès que j'aurai rassemblé mes hommes.

— Laissez donc Connors s'en charger, et accompagnez-moi jusqu'au Central à pied.

— Bien, commandant, répondit Eve. Dis à Peabody de me rejoindre au Central, ajouta-t-elle à l'adresse de Connors. Et qu'elle marche. Je ne veux pas que tu la déposes en limousine.

— À ta guise, lieutenant, dit-il avec un sourire. Je te verrai à la maison tout à l'heure.

Il salua Whitney d'un signe et tête et entra dans le funérarium.

— À en juger par la circulation, il n'atteindra pas le Central avant trente minutes, observa le commandant.

— Il trouverait un moyen, répliqua Eve. Et il en ferait tout un spectacle.

— En ce qui me concerne, je préfère marcher quand j'ai le choix, remarqua Whithey en se mettant en route. Vous avez discuté un peu avec la mère de Halloway.

— Elle est très courageuse.

— Oui. Je crois savoir que vous avez aussi parlé avec le maire.

— En effet, commandant.

— Il est très préoccupé par la situation. Ce qui se comprend.

— Nous le sommes tous.

— À quelques nuances près... Vous vous êtes aussi entretenue avec Chang et l'adjointe au maire.

— Nous avons eu des mots. Je suis convaincue que ma déclaration à Nadine Furst en réaction au communiqué des Chercheurs de Pureté était appropriée. L'inspecteur Halloway et sa famille méritent mieux que de servir d'instrument à une bande de terroristes.

— J'en suis conscient, lieutenant.

Au carrefour, une foule de piétons attendait le feu vert.

— En fait, je ne trouve rien à redire à votre déclaration. Le préfet non plus. Le bureau du maire est moins satisfait, mais Chang travaille à en amplifier l'effet, en notre faveur. C'est important, ajouta-t-il, bien qu'Eve n'ait fait aucun commentaire.

Tous deux accélérèrent le pas.

— Tout ce que je vous conseille, c'est de coopérer le plus possible avec Chang, reprit-il. Ça nous simplifiera la vie. Dans la mesure où cela n'empiète pas sur votre enquête, évidemment.

— Oui, commandant.

— Venons-en à l'interrogatoire de Donald et de Sylvia Dukes, ce matin.

— Il ne s'agissait pas d'un interrogatoire, commandant. Je suis seulement passée chez eux leur poser quelques questions. Avec leur permission.

— Peu importent les termes utilisés, il n'en reste pas moins que le dossier des Dukes est sous scellés.

— On peut obtenir des données par d'autres voies, commandant.

— Je n'en doute pas. Êtes-vous prête à révéler votre source ?

— Non, commandant. Rien ne m'y oblige, selon le code du département 12, article...

— Ne me citez pas le code départemental, Dallas, grommela-t-il en continuant de marcher à vive allure en dépit de la chaleur oppressante. Si procès il y a, ledit code et vous-même serez mis à rude épreuve.

— Ça n'ira pas jusqu'au procès. Quand j'arrêterai Dukes, il aura besoin d'une armée d'avocats pour assurer sa défense.

— Il est impliqué ?

— Jusqu'au cou.

— Et la mère ?

Eve secoua la tête.

— Je ne le pense pas. Elle est trop passive. Je vais me renseigner sur les capacités de programmeur de Dukes. Selon moi, c'est un personnage clé de l'organisation. Je pourrais le pousser dans ses retranchements en cours d'interrogatoire. Il est en colère, arrogant, il veut toujours avoir raison. Il déteste les femmes en position d'autorité. Il préfère qu'elles restent à leur place… Son épouse est pomponnée comme une poupée. Boucles d'oreilles et rouge à lèvres à 9 heures du matin.

— Ma femme se maquille avant le petit-déjeuner.

— Curieux. Mais personne n'intimide Mme Whitney. Personne ne la malmène. Avec tout le respect que je vous dois, commandant, ajouta-t-elle vivement. Il me manque encore quelques éléments. Ensuite, je pourrai mettre Dukes en examen. Je pense qu'il entretient des relations avec l'assistante sociale et le flic chargé du dossier de son fils. Et je mettrais ma main à couper qu'eux aussi sont mêlés à l'affaire. J'en coince un, je les coince tous.

— Faites attention. Une seule erreur, et c'en est fini. C'est sur vous que ça retombera… Pour passer du coq à l'âne, j'ai été très heureux de voir McNab de nouveau sur pied.

— C'est en effet une excellente nouvelle, commandant.

— Il paraît encore un peu fragile.

— Je le ménage. Et Peabody est…

Elle se tut. Se promener en touriste lui déliait la langue, constata-t-elle.

— Peabody met les bouchées doubles.

— Croyez-vous que je ne sois pas au courant de la relation entre l'inspecteur de la DDE et votre assistante, lieutenant ?

Eve regarda droit devant elle.

— Je n'aime pas en parler. Ça me flanque des tics.

— Pardon ?

— Littéralement ! Chaque fois, j'ai un spasme sous l'œil… Enfin, bref. L'inspecteur McNab et l'officier Peabody remplissent leurs fonctions de façon exemplaire. Je prévois de soumettre le nom de Peabody en vue d'une promotion au grade d'inspecteur.

— Depuis combien d'années est-elle avec nous ?

— Trois ans, dont plus d'un an à la brigade des homicides. Son travail et son dossier méritent le respect, commandant. Si vous pouviez prendre le temps de consulter ses fichiers et mes évaluations, et si vous êtes d'accord avec moi, elle pourrait commencer dès maintenant à préparer l'examen.

— Je vous tiens au courant. Pourriez-vous me prêter McNab une ou deux heures cet après-midi ?

— Oui, commandant, si c'est nécessaire.

— Alors, je vous l'enlève. Il fera une interview avec Furst, en studio, en réaction aux déclarations de ce matin.

— Si je puis permettre, commandant, j'ai un peu de mal à l'accepter. Braquer les projecteurs sur lui alors qu'il est encore convalescent ? Le jour des obsèques de Halloway ?

— C'est ce que l'on appelle un compromis, lieutenant, répondit-il calmement. Le pouvoir et l'autorité exigent certains compromis. Craignez-vous qu'il ne soit pas à la hauteur ? Ou, pire, qu'il ne défende pas Halloway ?

— Non, commandant. Je n'ai aucun doute là-dessus.

— Vous n'aimez pas qu'on se serve de lui comme d'un symbole, fit Whitney en poussant la porte de l'entrée du Central. Pourtant, c'est ce qu'il est, lieutenant. Vous aussi, du reste.

Une fois à l'intérieur, il scruta l'immense hall, avec ses innombrables postes d'information et ses plans de localisation animés. Son regard se posa tour à tour sur les flics, les victimes et les coupables.

— Cet endroit en est un autre, enchaîna-t-il. Il représente l'ordre et la loi. Les manœuvres et manipulations d'un groupe de terroristes l'ont placé dans la ligne de mire. Il ne s'agit pas uniquement de résoudre l'affaire. Il faut que le verdict nous soit favorable. Trouvez les éléments manquants. Si vous devez arrêter le père d'un gamin décédé, assurez-vous que c'est du solide.

Eve décida de commencer par rédiger un rapport détaillé sur ses activités matinales. Lorsqu'elle entra dans son bureau, Don Webster l'attendait.

— Si chaque fois que j'arrive, je trouve un type des AI dans mon fauteuil, je vais devoir changer de siège.

— Ferme la porte, Dallas.

— J'ai un rapport à rédiger, ensuite, je pars sur le terrain, riposta-t-elle.

Il se leva, ferma lui-même la porte.

— Je serai bref. Je suis obligé d'enregistrer cette conversation.

— De quelle conversation s'agit-il, et pourquoi dois-tu l'enregistrer ?

— Cela concerne la façon dont tu as accédé à des dossiers scellés. Réfléchis une seconde, ajouta-t-il, coupant court à ses protestations. Réfléchis une seconde avant que je mette l'appareil en marche.

— C'est inutile. Appuie sur le bouton et finissons-en. J'ai quelques meurtres à résoudre, pendant que tu cherches des poux dans la tête de tes collègues.

— C'était inévitable. Tu devais t'en douter.

— À vrai dire, je n'y avais pas songé... J'avais d'autres soucis.

— Assieds-toi.

— Rien ne m'y oblige.

— Comme tu veux.

Il brancha sa machine.

— Webster, lieutenant Donald, attaché au Bureau des Affaires Internes ; entretien avec Dallas, lieutenant Eve, homicides, Central, à propos de l'affaire Dukes, Donald, Sylvia et leur fils mineur Devin, décédé. Lieutenant Dallas, souhaitez-vous la présence du représentant de votre département ou d'un avocat de l'extérieur avant de procéder à cette interview ?

— Non.

— Avez-vous, dans le cadre de vos fonctions, rendu visite à Donald et à Sylvia Dukes (il cita leurs coordonnées), aux alentours de 9 heures ce matin ?

— Oui.

— Les avez-vous questionnés à propos de certains incidents ayant impliqué leur fils mineur décédé, Devin Dukes ?

— Oui.

Il haussa un sourcil. Agacement ou approbation ? Elle n'en savait rien. Et elle s'en fichait.

— Saviez-vous que les éléments concernant lesdits incidents étaient sous scellés ?

Elle demeura impassible.

— M. Dukes m'en a informé chez lui, ce matin.

— Vous ignoriez donc que ces données étaient sous scellés ?

— Je l'avais déduit.

— Comment étiez-vous parvenue à cette conclusion ?

— Aucun fichier avec les données susmentionnées n'était accessible lors de mes recherches en rapport avec mon enquête.

Webster la regarda droit dans les yeux.

— Comment avez-vous obtenu ces renseignements sur Donald Dukes ?

— Grâce à une source externe.

— Laquelle ?

— Je ne suis pas obligée de nommer une source employée dans le cadre d'une enquête, surtout une enquête prioritaire. Ces informations sont protégées par le code du département 12, article 86-B.

— Vous refusez de nommer votre source ? fit-il de la même voix neutre.

— Oui. Cela risquerait de compromettre et mon enquête, et ma source.

— Lieutenant Dallas, avez-vous utilisé le matériel et/ou les sources du département pour accéder à ces fichiers scellés ?

— Non.

— Avez-vous brisé le sceau protégeant celui des Dukes ?

— Non.

— Avez-vous donné l'ordre à un membre du département de police de le faire ?

— Non.

— Avez-vous persuadé, soudoyé, menacé ou ordonné à un autre individu de prendre cette initiative ?

— Non.

— Acceptez-vous, le cas échéant, de vous soumettre au détecteur de mensonge ?

— Pas de mon propre chef. Néanmoins, si mes supérieurs me le demandent, je m'exécuterai.

— Merci de votre coopération, lieutenant. Fin de l'interrogatoire. Arrêter enregistrement. Très bien.

— C'est tout ?

— Pour l'instant, oui. Je peux avoir un peu de café ?

Elle lui indiqua l'autochef.

— Si cela se termine au tribunal, il faudra dire la vérité. Es-tu prête ?

— L'entretien est terminé, Webster. J'ai du boulot.

— Écoute, j'ai sauté sur l'occasion de t'interroger moi-même parce que j'essaie de te donner un coup de main. Si les AI n'interviennent pas, ça paraîtra suspect. Ce n'est bon ni pour vous ni pour nous.

Jusqu'ici, elle avait réussi à contenir sa colère.

— S'il y a dissimulation, Webster, c'est du côté des Chercheurs de Pureté qui cachent des fichiers sous des scellés officiels et jouent la légalité pour que cela dure le plus longtemps possible. Tout ça dans le but de ralentir mon enquête. J'ai contourné le système, et ça ne leur plaît pas.

— Ton flair te dit qu'un flic est impliqué ?

Elle ne répondit pas. Comme elle se tournait vers son ordinateur, il donna un coup de pied dans son bureau. Une réaction qu'elle comprenait, et respectait, même.

— C'est donc si difficile pour toi de comprendre que je suis de ton côté ?

— Non. Mais je ne dénonce pas les flics aux AI. Du moins, pas avant d'être sûre de moi. Si je découvre les coupables, je te les amènerai sur mon dos. Mais pas avant d'être absolument certaine que ce sont des ripoux.

Il but une gorgée de café.

— Si tu as des noms, je pourrais jeter un coup d'œil officieux.

Elle étudia son profil. Il le ferait.

— Je te crois, et je t'en remercie. Mais j'ai plusieurs éléments à examiner d'abord. Si je suis dans une impasse, je te solliciterai. En avez-vous terminé avec Trueheart ?

— Oui. Il est lavé de tout soupçon. Il ne méritait pas de passer au broyeur.

— Tant mieux. À présent, il faut que je travaille, Webster.

Il se dirigea vers la sortie.

— S'il y a des flics dans le coup, je les veux.

— Fais la queue comme tout le monde ! rétorqua-t-elle.

Elle s'attela à son premier coup de fil. En attendant une réponse, elle commença à rédiger son rapport au brouillon, se référant à ses notes afin de n'omettre aucun détail.

Elle le peaufina, le téléchargea et l'expédia aux intéressés. Dès qu'elle eut le feu vert, elle prit contact avec Trueheart.

— J'ai besoin d'un uniforme, annonça-t-elle d'un ton brusque. Pour un sale boulot. Présentez-vous à l'inspecteur Baxter, chez moi.

— Lieutenant, je dois attendre l'autorisation officielle pour reprendre mon travail.

— C'est votre autorisation officielle. J'ai tout arrangé. Chez moi, officier, et vite !

— Oui, lieutenant. Merci, lieutenant.

— Attendez d'avoir passé quelques heures en compagnie de Baxter avant de me remercier.

Elle coupa la communication et partit à la recherche de Peabody.

— Suivez-moi ! ordonna-t-elle.

— Lieutenant, commença Peabody lorsqu'elles furent dans le véhicule, je n'ai rien voulu vous dire à l'intérieur du bâtiment, au cas où. Baxter vient de me transmettre des infos pour vous. Au sujet de l'inspecteur Dwier.

— Je vous écoute.

— Il a surpris des conversations, pendant les obsèques. L'endroit était infesté de flics, et certains d'entre eux venaient du Un-Six. Apparemment, Dwier aurait passé un sale moment, il y a quelques années. Un divorce pénible. Sa femme est partie s'installer à Atlanta avec leur fils. Il ne le voyait plus aussi souvent qu'il l'aurait voulu. D'après cette source, ça l'a fichu par terre, Mais il a rencontré quelqu'un peu après – dans le cadre de son boulot. Il la fréquente régulièrement depuis un an. Elle travaille pour les Services de protection de l'enfance.

— Certains jours, ça vous tombe du ciel.

Elle émergeait du parking quand elle reçut l'appel.

Les Chercheurs de Pureté avaient encore frappé.

Ce nouvel homicide la retarda au point qu'elle arriva aux Services de protection de l'enfance quelques minutes à peine avant la fermeture. Elle ignora l'hôtesse d'accueil et fonça droit dans le bureau de Clarissa Price.

Eve avait du sang sur son pantalon. Les taches se voyaient à peine, sur le tissu noir, mais elle en sentait l'odeur.

— Je suis désolée, lieutenant, je n'ai pas le temps de vous recevoir.

Tirée à quatre épingles, Price masqua les données sur son écran, puis consulta ostensiblement sa montre.

— Je dois finir ce rapport et, ensuite, j'ai un rendez-vous.

— Trouvez le temps.

Price pinça les lèvres, croisa les mains.

— Lieutenant, vous avez déjà dépassé les bornes en vous rendant chez les Dukes ce matin. Vous avez déclenché un processus qui ne fera qu'accroître leur désespoir, et aboutira probablement à un procès auquel cette institution et moi-même risquons d'être mêlés. Je ne suis pas disposée à vous consacrer du temps ni à tolérer votre façon de faire irruption ici à la fin d'une rude journée.

Eve posa les paumes à plat sur le bureau et se pencha en avant.

— Comment qualifiez-vous les activités des Chercheurs de Pureté ? Ils viennent de se rendre coupables d'une nouvelle exécution, mademoiselle Price. Nick Greene, ça vous dit quelque chose ? Peut-être en avez-vous entendu parler au cours d'une de vos rudes journées ? Drogue, vidéos porno, prostitution, petites faveurs exceptionnelles… Le client n'avait qu'à demander, Nick fournissait. Certains de ces clients avaient un faible pour les mineurs. Nick était une ordure, mais je peux vous assurer qu'il a vécu de *rudes journées*, ces temps-ci.

— Si c'est votre manière de m'annoncer que vous avez un mort de plus sur les bras, cela ne me concerne en rien. Et si cette personne a été repérée par nos services, je ne confirmerai ni n'infirmerai quoi que ce soit tant que vous ne m'aurez pas présenté un mandat en bonne et due forme.

— Tôt ou tard, je coincerai celui qui fait barrage. Je vous le promets. Et Hannah Wade, ça ne vous rappelle rien ? Une métisse de seize ans. Fugueuse impénitente. Ses parents ont abandonné la partie la dernière fois qu'elle a fichu le camp. Selon mes renseignements, elle est restée dans la rue environ trois mois. Elle a vécu de prostitution, de vente de drogue et de vols à l'étalage. Hannah a des problèmes depuis l'âge de douze ans. Mais elle n'en posera plus aucun vu qu'elle est morte.

Eve sortit trois photos de sa mallette et les fourra sous le nez de Price.

— C'était une jeune fille ravissante, d'après sa photo d'identité et d'après les témoins qui l'ont vue. Difficile à croire, n'est-ce pas ? Personne n'est beau après avoir reçu cinquante ou soixante coups de couteau.

Blanche comme un linge, Price repoussa les clichés.

— Je ne la connais pas. Vous n'avez aucun droit...

— Dur d'être confronté au résultat, hein ? Rien de pur là-dedans. Je viens de marcher dans son sang. Ça aussi, c'est dur. Ça perd beaucoup de sang, une adolescente, Clarissa. Surtout quand elle essaie d'échapper à un type armé d'un poignard, et dont le cerveau est sur le point d'exploser.

— Elle... C'est Greene qui l'a tuée ?

— Non. Ce sont les Chercheurs de Pureté. Regardez bien ces photos. Voyez ce qu'ils lui ont fait. Apparemment, ils ne savaient pas qu'elle vivait avec Greene depuis une semaine ou deux. Ils n'ont pas su identifier la fugueuse qui squattait son appartement. Qui dormait dans son lit pendant que l'infection commençait à lui frire la cervelle. Celle de la petite aussi, peut-être. L'autopsie permettra de le savoir.

— Je ne vous crois pas. Sortez !

— Rien n'est pur, Price, continua Eve impitoyablement. Vous ne comprenez donc pas ? Aucun système n'est à l'abri d'une faille. Mais quand celui-ci échoue, les gens meurent. C'était une enfant. Vous étiez censée la protéger. Mais vous ne pouvez pas les protéger tous. C'est impossible... Était-ce votre idée ? Ou vous a-t-on recrutée ? Qui dirige cette organisation ?

— Je ne suis pas obligée de vous répondre, fit Price d'une voix tremblante.

— Dukes a aidé à créer le virus. Qui d'autre ? Est-ce Dwier qui vous a entraînée là-dedans, ou le contraire ?

— Sortez ! cria Price qui se leva d'un bond.

— Je résoudrai cette affaire, et vous tomberez avec vos petits camarades. Pour qui vous prenez-vous ? Vous jugez, vous exécutez à distance, puis vous mettez la mort d'innocents sur le compte de parasites de la société. C'est vous, le parasite, Clarissa. Vous et vos amis.

Eve ramassa les photos d'Hannah Wade.

— Vous avez tué cette petite. Et vous le paierez cher.

— Je... j'appelle mon avocat, bredouilla Price, les yeux voilés de larmes. Vous me harcelez et...

— Je vous harcèle ? s'exclama Eve avec un sourire féroce. Je vous en prie. Vous avez vingt-quatre heures pour vous rendre. Dénoncez-vous, apportez-moi des preuves, et je me débrouillerai pour qu'on vous envoie dans un centre de réhabilitation sur terre. Si c'est moi qui vais vous chercher dans vingt-quatre heures et une minute, vous finirez dans une cage de béton hors planète. Vous ne verrez plus jamais la lumière du jour.

Eve consulta l'heure.

— 17 h 12, demain. Pas une minute de plus.

Eve savait qu'elle avait violemment ébranlé Clarissa Price. Elle savait aussi que celle-ci ne prendrait contact avec un avocat que si ses amis lui en donnaient l'autorisation. En revanche, elle appellerait Dwier.

Devant les photos d'Hannah Wade, Clarissa Price n'avait pu dissimuler son horreur. Son expression avait trahi aussi une certaine incrédulité, mais l'horreur dominait. L'horreur qui la rongerait jusqu'à ce qu'elle se réveille en hurlant dans la nuit.

Pour ne pas en faire autant, Eve devait continuer à avancer. Se concentrer sur son travail avant tout, se dit-elle en fixant les derniers clichés sur le tableau de son bureau.

Elle ne pouvait se permettre de céder aux sentiments qui avaient refait surface lorsqu'elle avait pénétré dans l'appartement de Greene, sur Park Avenue. L'effroi qui l'avait propulsée, l'espace d'un éclair, dans une minuscule pièce glacée à Dallas, un couteau maculé de sang serré dans sa main…

Connors entra, ferma la porte. Poussa le verrou.

— Je veux que toute l'équipe se rassemble ici, sauf Jamie. Je dois les mettre au courant des derniers meurtres.

— Dans une minute.

Il la rejoignit, la prit par les épaules, la fit pivoter vers lui. Elle avait les yeux cernés. La fatigue, bien sûr. Le cauchemar, surtout.

— Je le vois en toi, murmura-t-il en pressant les lèvres contre son front. Tu as mal.

— Ça ne m'empêchera pas d'agir.

— Non, en effet. Mais accorde-toi un instant de répit, Eve.

Il avait déjà les bras autour de sa taille. Elle s'accrocha à son cou.

— Ce n'était pas pareil. Ça n'avait rien à voir. Mais... ça m'a rappelé le passé. J'étais là, à les contempler tous les deux. J'avais tellement froid. Je me suis déjà retrouvée devant ce genre de scène sans que cela me fasse cet effet.

— C'était une jeune fille.

— Plus âgée que moi à l'époque. Deux fois plus âgée. Ç'aurait pu être moi.

Elle laissa échapper un profond soupir.

— Si je ne l'avais pas tué, si je n'avais pas réussi à lui échapper, ç'aurait pu être moi.

Se ressaisissant, elle posa la tête sur l'épaule de Connors, le regard rivé sur le tableau d'affichage.

— Tu vois ce qu'ils lui ont fait ?

C'était épouvantable. L'adolescente était déchiquetée. Sa chemise et son short étaient en lambeaux, trempés de sang.

— Il faut que je m'y mette, lâcha-t-elle enfin. Je veux que tu occupes Jamie ailleurs. Il est hors de question qu'il voie ça. J'enlèverai les clichés entre les réunions.

— Je vais l'expédier à la piscine ou à la salle de jeux. Je demanderai à Summerset de le surveiller.

Elle opina, recula d'un pas.

— Une question : T'ai-je persuadé, soudoyé ou menacé afin que tu accèdes aux fichiers sous scellés ?

— Non, tu as sollicité mon aide avec réticence, en grinçant des dents.

Elle faillit sourire.

— C'est bien ce qui me semblait. Si les AI avaient employé le terme « demander », j'aurais menti. Ça ne me plaît pas, mais je peux vivre avec.

Elle jeta un nouveau coup d'œil sur les photos d'Hannah Wade.

— Oui, je peux vivre avec.

Elle attaqua sans préambule.

— Nick Green fournissait des services. Il se prétendait « consultant en divertissements ». Si une partie de sa clientèle était honnête, la majorité ne l'était pas. Drogues, vidéos pornographiques montrant des images de mineurs violentes et bestiales. Il fournissait aussi des compagnons non licenciés des deux sexes. Il a un casier, ce qui indique qu'il employait souvent ces prostitués à titre personnel. Il a été conduit au poste pour interrogatoire à huit reprises, mais relâché chaque fois. De toute évidence, son affaire marchait : son appartement sur Park Avenue est somptueux.

— Il y a un lien entre lui et Price ou Dwier ? s'enquit Baxter.

— Leurs noms ne figurent nulle part sur les fichiers, mais je suis sûre qu'il était connu des Services de protection de l'enfance. Deux des plaintes déposées à son encontre venaient de mineurs. L'un de ces dossiers est sous scellés. Et sous ce sceau, nous trouverons un ou plusieurs membres des Chercheurs de Pureté.

— Lieutenant, intervint Trueheart en levant la main comme un écolier, est-il possible qu'ils aient infecté Greene uniquement pour ce qu'il était, sans qu'il y ait de connexion avec l'organisation ?

— Il est trop tôt pour qu'ils s'en prennent à ce genre de cible. La première vague vise des gens auxquels ils en veulent personnellement.

— Forcément, renchérit Feeney. Les fondateurs prennent de sacrés risques. Ils ne vont pas agir juste pour le principe. Ils veulent d'abord se venger. Il doit aussi y avoir quelques fous parmi eux. Des psychopathes qui aiment l'idée de tuer sans se salir les mains.

— Des disciples, enchaîna Connors. Des flics frustrés, des employés municipaux ou de l'assistance sociale qui ont vu des coupables repartir libres une fois de trop. Et d'autres, à mon avis, qui sont simplement intrigués, sur le plan intellectuel, par la démarche.

Eve désigna le tableau d'affichage.

— La première vague est en place. Ils n'ont pas perdu de temps. Selon moi, ils ont atteint leur but. Ils ont donné satisfaction à leurs membres en multipliant les succès et en tenant les médias en haleine. Ils se sont délibérément concentrés sur des cibles qui, d'une manière ou d'une autre, avaient abusé de mineurs.

De nouveau, elle fixa le tableau.

— D'après les déclarations des voisins, Hannah Wade a été vue pour la première fois dans l'immeuble il y a une dizaine de jours. Il est possible qu'elle soit arrivée là avant. Ses parents n'avaient aucune nouvelle d'elle depuis trois mois. Ils n'avaient pas pris la peine de signaler sa disparition à la police : c'était une habituée des fugues. McNab, vous visionnerez les disques de sécurité du bâtiment afin de déterminer la date précise du début de son séjour chez Greene.

— Entendu.

— Je veux le détail de ses allées et venues. Je veux aussi savoir qui a rendu visite à Greene au cours des deux dernières semaines. Les parents ont dressé la liste des relations de la petite. Peabody et moi les examinerons. Baxter, voyez si l'un des flics qui a interrogé Greene serait prêt à parler. Feeney, Connors et le gamin continueront à travailler sur les ordinateurs que nous avons confisqués.

— On avance, déclara Feeney. On devrait pouvoir coincer le virus d'ici huit à dix heures.

— Tenez-moi au courant. L'affaire Greene/Wade suit le même schéma que les précédentes. Greene s'était enfermé chez lui depuis cinq jours. Trois portiers se relaient dans le hall de huit heures à minuit. Un droïde assure la surveillance pendant la nuit. Personne n'a vu Greene entrer ou sortir durant cette période. Apparemment, c'était inhabituel. En général, il passait ses journées dehors, et au moins cinq soirées sur sept. Le troisième homme confirme que Greene a ramené une jeune fille correspondant à la description de Wade, il y a dix jours, et qu'elle semblait aller et venir à sa guise. Personne ne se rappelle l'avoir vu passer hier.

Eve pivota sur ses talons.

— Enregistrement scène du crime, écran numéro un.

L'image qui apparut était crue et macabre. Le salon blanc était aspergé de sang. Des morceaux de verre brisé scintillaient dans les filets rouges qui serpentaient sur le tapis. Tables renversées, écran de divertissement défoncé, plantes tropicales déracinées composaient le décor autour du cadavre de la jeune fille.

Elle gisait à plat ventre, bras et jambes écartés. Sous le sang coagulé, on apercevait quelques mèches blondes et bouclées, rehaussées de bleu saphir.

Eve entendit sa propre voix décrire la scène, se vit approcher, s'accroupir près du corps.

— Le tapis est jonché de produits illicites. On a retrouvé les éclats d'une coupe brisée à cet endroit ; le fond contenait des traces de Jazz et d'Éros. Passer à la chambre.

L'image changea, montrant une vaste chambre, rouge et noire, inondée de soleil. On avait arraché les draps du lit. L'ordinateur sur le bureau était allumé. On pouvait y lire :

OBJECTIF PURETÉ ABSOLUE ATTEINT

— Une autre coupe, plus petite, indemne, est visible sur la commode. Elle contient diverses drogues. Il y en a aussi par terre. Apparemment, Greene a continué à s'intoxiquer tandis que les symptômes de l'infection se manifestaient. Il y avait du sang sur les draps, résultat d'un saignement de nez, probablement ; et des traces de sperme, ce qui indique qu'il était encore capable de se masturber ou d'avoir des relations sexuelles avec Wade, peu avant sa mort. L'autopsie nous en dira davantage. Le corps de Wade ne présentait aucune trace d'activité sexuelle récente.

— Où diable est-il ? demanda Baxter.

— On y arrive. D'après mes constatations, il a dû passer un certain temps reclus dans sa chambre, à engloutir des euphorisants et à se masturber, pendant que Wade se distrayait dans le salon. Greene n'était sûrement pas de bonne compagnie, mais squatter un appartement sur Park Avenue en disposant à sa guise de stupéfiants, de nourriture et d'alcool valait sûrement mieux que de traîner dans la rue. Elle tenait sans doute le coup parce qu'elle pensait qu'il allait se remettre.

Trueheart leva une fois de plus la main. Baxter lui donna un petit coup de coude, et secoua la tête.

— Non, chuchota-t-il. Elle est en plein dedans.

— On a compté huit appels au cours des trois derniers jours. Tous destinés à Greene. Il n'a pas décroché, et Wade n'avait pas l'intention de jouer les secrétaires. À un moment, cet après-midi, elle se lève. Peut-être a-t-elle envie de sortir. Peut-être tente-t-elle d'entrer dans la chambre, mais il s'est enfermé à clé. Le salaud. Ses vêtements sont à l'intérieur. Elle veut les récupérer. Elle veut qu'il lui ouvre cette fichue porte, mais il refuse. Elle flanque un coup de pied dedans, se fait mal. Ça l'énerve. Elle recommence, avec sa hanche gauche. Là encore, elle ne récolte que des bleus. Qu'il aille au diable.

Eve sentait presque la frustration de l'adolescente.

— Elle file à la cuisine en quête d'une friandise. Le Jazz provoque un besoin de sucre. Elle se sert une glace, et comme elle est furieuse, elle écrit *connard* sur le comptoir avec du sirop au chocolat. Elle se retourne, et il est là. Il est dans un état pitoyable. Il saigne du nez, ses yeux sont injectés de sang. Son haleine empeste. Il ne semble pas s'être changé depuis des jours. S'il pense qu'il va la sauter maintenant, il se goure.

Eve se remémora la cuisine, blanche, acier, et rouge de sang.

— Elle lui lance une vanne. Elle se croit maligne. Il la frappe au visage. Déséquilibrée, elle se cogne la tête contre l'autochef, lâche sa glace. Elle a mal. Elle s'est ouvert le crâne : il y a des cheveux et de la peau sur la porte de l'autochef. La douleur lui brouille la vue, et elle prend peur. Mais ce qui l'effraie surtout, c'est que Greene vient de s'emparer d'un long couteau. Elle lève les bras, et la lame lui lacère les deux paumes. Elle essaie de lui échapper. Le sang de ses mains gicle sur le mur blanc. Greene l'atteint à l'épaule. Ses gestes sont souples, amples, de gauche à droite, de droite à gauche. Elle hurle, elle supplie, elle sanglote. Elle veut s'échapper. Mais il continue. Le dos, les fesses… Il la poursuit dans le coin salle à manger. Là, il lui tranche une artère, et le sang jaillit. Elle est morte. Elle ne le sait pas encore. Elle s'imagine encore qu'elle peut s'enfuir. Elle parvient jusqu'au salon, où elle s'effondre sur le tapis blanc. Elle rampe sur quelques centimètres. Puis il la met en pièces.

— Seigneur ! souffla McNab.

— Il ne sait pas qui elle est. Ça n'a aucune importance, reprit Eve, impassible, en fixant l'écran. Elle a cessé de crier, mais sa tête à lui va exploser. Il jette la coupe à terre, défonce l'écran, renverse les tables, poignarde le canapé. La douleur est insupportable. Il retourne dans la chambre, ouvre les portes sur la terrasse. Il a toujours son couteau à la main. Il hurle. Contre les voitures dans la rue, contre les passants, contre sa voisine qui sort sur son balcon, deux étages plus bas. Elle rentre aussitôt chez elle et appelle les flics. Mais c'est trop tard. Vue sur la terrasse de la chambre, ordonna-t-elle.

Il était couché sur le dos, dans une mare de sang.

Il avait plongé la lame dans son propre cœur.

— J'ai les infos que vous vouliez.

Pour rester au cœur de l'action, McNab s'était installé dans un coin du labo. Il aimait écouter les échanges familiers entre les fanatiques d'informatique. Feeney, Jamie et Connors étaient sur des charbons ardents.

Ils étaient sur le point d'aboutir, de réussir à dupliquer le virus. Une fois cette étape franchie, ils pourraient le combattre.

Eve s'approcha de lui. Elle ne savait pas trop pourquoi elle était venue ici. Sinon pour échapper à ses propres pensées.

— Voici notre jeune fille, expliqua-t-il. En compagnie de Greene. Elle n'est jamais venue auparavant. Ce pervers se frotte à elle quand ils entrent. Il pourrait être son père.

— Elle est là de son plein gré, commenta Eve en étudiant le visage de l'adolescente.

Un sourire suggestif, les yeux brillants. « Oh oui ! pensa-t-elle. Tu croyais savoir où tu mettais les pieds. Tu étais loin d'imaginer ce qui t'attendait. »

— Peut-être, mais il n'en est pas moins pervers, répliqua McNab. Elle va et elle vient. Elle n'apparaît jamais avant midi. Quand elle part dans la journée, elle est de retour avant la tombée de la nuit. En général, elle porte un ou deux sacs en provenance de boutiques chics. Je suppose que c'est lui qui paie. Elle se dit qu'elle est drôlement bien tombée.

— Hmm… Ils sortent ensemble.

— Oui, confirma McNab en enfonçant la touche *avance rapide*. Elle est pomponnée pour une soirée de fête. Elle paraît déjà à moitié partie. Jusqu'au sixième jour précédant l'implosion, ils sont sortis chaque soir. On a trois visiteurs au cours de cette période, tous des hommes.

Il zooma sur la porte de Greene.

— Le premier reste seize minutes. Je parie qu'il a échangé le contenu de sa mallette durant ce bref rendez-vous d'affaires.

— Juste le temps de tester la marchandise et de compter les billets, renchérit Eve. Est-ce qu'on sait si la brigade des stupéfiants le traquait ?

— Non. Mais je peux me renseigner.

Inconsciemment, McNab délia ses doigts encore un peu engourdis.

— J'ai des contacts, là-bas. D'après moi, le pervers était prudent.

— Le deuxième visiteur ?

— Là, c'est différent. Il est resté quatre-vingt-dix-huit minutes. Pas de sac.

Eve l'examina.

— Sexe, déclara-t-elle d'une voix neutre. Et le troisième ?

— Quarante minutes, une pochette à disque à l'entrée et à la sortie. Un adepte du sexe sur vidéo, je suppose.

— Je connais ce type. Tripps. Un dealer de vidéos de contrebande. Il emploie quelques coursiers dans la rue. Oui, je le connais. S'il le faut, je l'interrogerai : il pourrait peut-être me mettre sur une piste. Enregistrez les autres pour identification, en cas de besoin.

Eve vit McNab se masser la cuisse droite tandis qu'il s'apprêtait à effectuer la recherche.

— Non, pas maintenant. Demain matin, ça suffira. Allez vous reposer. Pourquoi ne pas proposer à Peabody une baignade dans la piscine ? Ou une petite promenade.

— Quoi ? Vous prenez pitié du convalescent ?

— Profitez-en, camarade. Ça ne durera pas.

Il sourit.

— Je ne refuserais pas un verre dans un bar. Un peu de musique. Je ne suis pas encore assez solide pour danser. Vous savez ce qui serait vraiment formidable ? Une scène de club virtuelle. Si vous nous permettez d'utiliser la salle holographique.

— Si vous programmez un fantasme sexuel pervers, je ne veux pas le savoir.

— D'accord, maman.

Elle regagna son bureau et passa l'heure suivante à disséquer la vie de Nick Greene.

Diplômé en management, il avait commencé à déraper dès l'adolescence. Amendes pour possession de drogue, entrées par effraction, vidéos de contrebande. Il était né entrepreneur, songea-t-elle.

Pendant un temps, cela avait marché. Un bel appartement sur Park Avenue, une armoire remplie de costumes de marque.

Elle fronça les sourcils en étudiant ses relevés de banque. Il possédait trois voitures ainsi qu'un bateau, amarré dans sa résidence secondaire dans les Hamptons. Il avait assuré des bijoux et des œuvres d'art pour un montant de trois millions de dollars.

— Ça n'a aucun sens, murmura-t-elle.

Elle bipa Connors.

— J'aimerais que tu viennes un instant.

Il entra quelques secondes plus tard, l'air vaguement irrité.

— Si tu veux que j'avance, lieutenant, il faut me laisser travailler.

— J'ai besoin de ton avis d'expert dans un autre domaine. Tu vois cette liste de biens, revenus déclarés et débits. Qu'en penses-tu ?

Connors les examina un moment.

— De toute évidence, la personne en question n'a pas déclaré tous ses revenus. C'est choquant.

— Épargne-moi tes sarcasmes. Quel montant supplémentaire pourrais-tu gagner sur la vente de produits illicites, la prostitution, la vidéo de contrebande ?

— Je préfère me sentir flatté plutôt qu'insulté à l'idée que tu me soupçonnes de m'y connaître dans ces domaines. Tout dépend des frais généraux, bien sûr, enchaîna-t-il. Il faut acheter ou fabriquer les stupéfiants avant de les vendre, recruter et entretenir les prostitués, produire les vidéos. Ensuite, il faut prévoir les dessous-de-table, les dépenses de sécurité, les salaires des employés. Avec du talent et une clientèle régulière, on peut compter sur un bénéfice de deux à trois millions.

— Ça ne colle pas. Il gardait profil bas. Donc, imaginons qu'on ajoute les trois millions aux revenus qu'il a déclarés l'an dernier. Il reste en dessous des cinq millions. On peut vivre vraiment confortablement avec ça.

— Certaines personnes, oui. C'est tout ?

— Non. Tu as cinq millions de dollars à ta disposition. Regarde ce qu'il a dépensé pour sa garde-robe l'année dernière.

Réprimant son impatience, Connors scruta les données qu'elle venait d'appeler à l'écran.

— Et alors ? La mode ne l'intéressait pas.

— Au contraire. Son armoire est pleine à craquer de costumes de marque. Il a au moins cent paires de chaussures. Il y en avait pour au moins un million, là-dedans. Probablement plus.

— Il préfère peut-être payer en espèces.

Malgré lui, Connors était intrigué.

— On achète rarement toutes ces babioles en une seule année.

— Certes, mais le montant estimé de ses revenus de l'an dernier s'élève à plus de sept cent cinquante mille dollars. Aucun débit signalé. Paiements en espèces. Soustrais encore soixante-quinze mille. Matériel vidéo assuré pour un million cinq. Deux caméras neuves d'une valeur d'un demi-million. Deux véhicules dans un garage en ville. Coût mensuel, combien ? Deux, trois mille par mois pour chaque voiture. Dont une XR-7000 Z acquise en septembre dernier. Ça vaut… ?

— Euh… deux cent mille, s'il a pris toutes les options.

— Un quatre-pièces sur Park Avenue. Coût annuel, sensiblement le même que pour la voiture, non ?

— À peu près.

— Ajoute à tout cela une demeure dans les Hamptons, et un emplacement pour son bateau. Ce qui fait ?

— Environ un million.

— Très bien. Ensuite, il dîne dehors presque chaque soir, et mène une vie de débauché. Qu'est-ce que tu en déduis ?

— Qu'il avait une autre source de revenus.

— Une autre source de revenus, répéta-t-elle en se perchant sur le bord du bureau. Je résume. Tu diriges une entreprise discrète qui fournit des services à une clientèle exclusive. Certains des clients en question pourraient rougir si leur hobby était étalé au grand jour. Tu as des goûts de luxe, et tes affaires tournent plutôt bien. Mais bon ! Tu veux davantage. Qu'est-ce que tu fais ?

— Du chantage ?

— Gagné !

— Très bien. Donc, il avait racketté en douce. Et en tirait un évident profit. Quel rapport avec l'affaire qui nous préoccupe ?

— Il y a un lien avec les Chercheurs de Pureté. Il conservait peut-être ses archives de maître chanteur dans un coffre-fort. Si oui, ce devait être près de chez lui. Facilement accessible. Nous vérifierons auprès des banques. Peut-être avait-il tout ça chez lui, tout bêtement. Je file inspecter une nouvelle fois son appartement.

— Tu veux que je t'accompagne ?

— On sera plus efficaces à deux.

Il était convaincu que c'était une perte de temps. Mais il supposait que son instinct de flic lui interdisait de négliger la moindre piste.

Et il n'avait aucune intention de la laisser retourner seule dans un endroit qui ravivait ses cauchemars.

L'air empestait la mort. L'odeur l'assaillit dès qu'il entra, mêlée à celle des produits chimiques utilisés par les techniciens.

Taches rouges, éclaboussures, rivières écarlates maculaient les murs blancs, les tapis, les meubles. Il repéra aussitôt l'endroit où était tombée l'adolescente. Où elle avait rampé. Où elle était morte.

— Seigneur ! Comment fais-tu pour supporter ça sans craquer ?

— Si on craque, on est fichu.

Il lui effleura le bras. Il ne s'était pas rendu compte qu'il s'était exprimé à haute voix.

— Était-ce bien nécessaire de revenir ici ? Qu'est-ce que tu cherches ? À te prouver que tu es capable de faire face ?

— Possible. S'il n'y avait que cela, je serais venue seule. La chambre d'amis et le bureau sont par là. Nous avons passé l'appartement au peigne fin la première fois. Mais nous ne cherchions pas une cache.

Elle confia à Connors le soin de fouiller la chambre d'amis, tandis qu'elle s'attaquait au bureau. L'équipe avait emporté l'ordinateur, le communicateur, exploré le poste de travail et le placard dans lequel Greene rangeait ses fournitures.

Eve recommença. Il y avait un coffre-fort. L'un des techniciens était tombé dessus avec son scanner, il avait relevé la combinaison. Elle n'avait rien trouvé de particulier. Des espèces, des documents sur disques, quelques paperasses.

Pas assez d'espèces, songeait-elle à présent. Si trois clients étaient passés au cours des deux derniers jours – dont deux, au moins, alors que les symptômes de Greene s'amplifiaient –, où avait-il planqué l'argent ?

Avait-il envoyé Wade le porter à la banque ? Eve en doutait. S'il n'hésitait pas à sauter une adolescente, voire à la vendre à un client, il n'était pas assez bête pour lui confier une telle mission.

Elle ôta deux tableaux du mur, palpa le panneau.

— Rien dans la chambre d'amis, annonça Connors.

— Il a un autre coffre-fort. Logiquement, il est ici. Dans le bureau.

— C'est peut-être trop logique, justement.

— D'accord. Si tu habitais ici, où cacherais-tu tes trésors ?

— Si j'aimais allier travail et plaisir, comme cela semble avoir été le cas de Greene, je dirais dans ma chambre.

— Parfait. Allons-y.

Elle le précéda, puis s'immobilisa sur le seuil.

— L'argent n'est pas synonyme de bon goût, commenta-t-il en secouant la tête à la vue de ce déploiement de rouge et de noir.

Il s'approcha de l'armoire, l'ouvrit.

— En matière de vêtements, au moins, il avait un minimum de classe. Très beaux tissus.

— Oui, et il est mort en caleçon.

— Que fait la ville de ce genre de choses ?

— Les vêtements ? S'il n'a pas de famille, pas d'héritiers, on les donne aux centres d'accueil.

Connors poussa la seconde porte coulissante, examina le mur de chaussures qui se dressait devant lui.

— Les sans-abri vont être bien habillés cette année. Et voilà ! ajouta-t-il avec un sourire.

— Quoi ?

— Une seconde, murmura-t-il en laissant courir ses doigts sur les étagères, puis en dessous. Ah, nous y sommes ! Voyons un peu.

Il enclencha un petit levier. Le tiers inférieur des étagères céda lentement. Il s'accroupit.

— Le voilà, ton coffre-fort, lieutenant.

Elle était déjà penchée sur son épaule.

— Tu peux l'ouvrir ?

— Serait-ce une question pour la forme ? la taquina-t-il.

— Ouvre-le, nom de nom !

Il sortit de sa poche le décodeur programmé par Jamie.

— Voilà pourquoi tu es flic et pas moi.

— Parce que tu sais ouvrir un coffre-fort ?

— Non. Je pourrais t'apprendre à le faire, même sans ce joujou. Mais parce que j'ai pensé que venir ici ce soir était une perte de temps.

— Tu continues à le croire.

— Je suppose que oui, mais tu as trouvé ton coffre-fort… Abracadabra !

S'accroupissant aux côtés de Connors, Eve contempla les piles de billets.

— Je comprends mieux, à présent. Voilà comment il a évité si longtemps la prison. Pas de dettes, pas de virements suspects. Que des espèces. Et une boîte remplie de disques et de vidéos.

— Mieux encore ! s'exclama Connors en s'emparant d'un petit appareil. Son Palm personnel, sans doute non infecté et bourré de données intéressantes.

— On va le télécharger, déclara Eve en sortant son propre mini-ordinateur.

— Qu'est-ce que tu fais ?

— Je télécharge l'entrée. Tu n'as pas intérêt à piquer quoi que ce soit, camarade.

— Là, tu m'offenses !

Il se redressa, brossa son pantalon.

— Si je piquais quelque chose, je te garantis que tu n'y verrais que du feu.

18

Eve visionna les disques dès son retour au bureau. Elle mit de côté ceux étiquetés *Finances* et *Comptabilité*. Ils pouvaient attendre.

Elle confia le Palm à Connors, pour qu'il le teste en laboratoire. Greene avait tout noté dans son journal de bord.

Il citait des clients, mais toujours par leurs initiales ou un surnom. GrosLard avait versé son paiement mensuel. G.G. avait demandé un délai supplémentaire. Il racontait tout, ses expéditions dans les magasins, ses soirées dans les bars, ses exploits sexuels. Tout cela d'un ton plein de dérision et de dédain.

Greene avait détesté ceux qu'il servait.

Donc, il les avait fait chanter, songea Eve. Il les avait poussés dans leurs retranchements, jusqu'à devenir comme eux. Riche, indifférent et pervers.

Ramassé un joli petit cul aujourd'hui, notait-il, le jour où il avait rencontré Hànnah Wade. *Je l'observe depuis plusieurs jours. Elle traîne autour des clubs, choisit une cible, l'aborde pour qu'il la fasse entrer. En général, ils montent directement dans un salon privé. Quand elle a fini, elle erre dans le bar, en quête d'un peu d'action. J'ai décidé de lui en donner. J'ai des clients qui paieront cher pour une petite séance avec ce numéro. Elle connaît la chanson. Je pense que je vais la garder ici une quinzaine de jours, profiter des avantages, la relooker. Habillée comme il faut, elle pourrait passer pour une gamine de quatorze ans. H.C. me demande de la chair fraîche. Je viens de ramener une vache à la maison.*

— Salaud ! s'exclama Eve.

Deux jours plus tard...

Ce fichu mal de tête. J'ai eu la migraine toute la journée. Même le Zoner n'y fait rien. J'ai des rendez-vous. Je ne peux

*pas les rater. J'ai dit à G.G. de passer demain avec son dû,
plus les intérêts, sans quoi son cher mari aura de mes nouvelles. Comment réagira-t-il en voyant sa femme forniquer
avec un Saint-Bernard ?*

*Toutes des salopes. Si elle essaie de me doubler, elle va le
regretter.*

Les trois jours suivants, les confidences se suivaient et
se ressemblaient. De plus en plus enragées, pleines de
menaces vagues, de gémissements, de frustrations. Il évo-
quait ses migraines et un premier saignement de nez.

La veille de sa mort, il sanglotait en frappant du poing
contre le mur tant la douleur était devenue insupportable.

*Ils veulent m'entuber. Tous autant qu'ils sont. Je les tuerai
d'abord. Je les tuerai. Je l'ai enfermée dehors, cette petite garce.
Elle croit que je ne suis pas au courant. Mon Dieu, ma tête !
Elle m'a mis un truc dans la tête ! Je ne peux pas me montrer
comme ça. Il faut que je reste dans ma chambre. Là, je suis
à l'abri. Il faut que je dorme. Il faut que je dorme. Aïe ! Elle
ne m'aura pas, la salope.*

Eve archiva le disque, puis passa dans la cuisine chercher un café. Elle ouvrit la porte de la terrasse et aspira une
grande bouffée d'air.

On suivait nettement la progression de l'infection. Para-
noïa, colère, peur. Les symptômes avaient fait leur appa-
rition peu après qu'il eut installé Wade chez lui ; il l'en
tenait donc pour responsable.

Dans son délire, il l'avait tuée en état de légitime défense.

Sa tasse à la main, elle regagna son bureau pour prendre
des notes. Puis, malgré sa fatigue, elle s'attaqua aux vidéos.

Greene n'avait eu aucun mal à augmenter ses revenus.
Les films étaient non seulement très bien réalisés, mais
révélaient un sens de la créativité étrangement théâtral.

À condition d'avoir un faible pour les scènes crues et
perverses.

— Tu travailles encore ? s'étonna Connors en fonçant
directement dans la cuisine. Tu veux un verre de vin ?

— Volontiers.

— J'ai envoyé les autres se coucher. Tu vas savourer ton
petit digestif ici, lieutenant, puis je vais...

Les mots moururent sur ses lèvres tandis qu'il revenait avec leurs verres. Il arrondit les yeux.

— Qu'est-ce que c'est que ça ? Un ours ?

— Non. Un gros chien. Un Saint-Bernard, je crois.

Il s'approcha.

— Tu as raison. Quelqu'un devrait dénoncer cette activité à la ligue des droits des animaux. Quoique... hum. Il a l'air d'apprécier, à en juger par la taille de son... Juste ciel !

— Tu me donnes mon vin ?

Elle but longuement.

— Là, ça dépasse les bornes, commenta-t-elle. Je ne sais pas comment qualifier un truc pareil. Tu reconnais la femme qui s'envoie en l'air avec Fido ?

— Difficile à dire, on la voit mal.

— Sur la liste de Greene, elle figurait sous le nom de G.G. J'ai effectué une recherche sur elle pendant qu'elle se tartinait de beurre pour attirer Fido. Gretta Gowan, épouse de Jonah Gowan. Le professeur Jonah Gowan, de l'université de New York. Il dirige le département de sociologie. Membre du parti conservateur et diacre méthodiste. Tu paries combien que Clarissa Price a suivi ses cours ?

— Je ne parie jamais contre la maison, riposta Connors, fasciné malgré lui par ce qui se passait sur l'écran.

— Elle l'a recruté pour les Chercheurs de Pureté, ou inversement. J'en suis sûre. Bref... Greta est maman de deux... Oh, la la ! C'est monstrueux ! Greta siège au conseil d'administration de plusieurs comités d'œuvres charitables.

— Elle apparaît sur le Palm – qui, au passage, n'est pas infecté. G.G. a payé Greene six mille dollars dans les six jours précédant les meurtres.

— Ça correspond à son journal de bord. Cette vidéo n'a pas été tournée chez lui, poursuivit Eve. D'autres, que j'ai déjà visionnées, l'ont été. Il se servait de la chambre d'amis. Les films sont moins hard. Échangisme, déguisements, menottes, jeux de rôle. Dans l'un d'entre eux, il a utilisé une adolescente. D'après mes renseignements, c'était aussi une fugueuse. Greene semblait avoir un flair tout particulier pour les repérer. Copier disque et archiver, ordonna-t-elle.

Connors lâcha un profond soupir.

— Si on se mettait une comédie musicale, histoire de se rafraîchir le palais ?

— Je veux terminer ça ce soir. Obtenir au moins les identifications.

— Dans quel but, Eve ?

— D'une part, pour savoir, répliqua-t-elle en sélectionnant un nouveau disque. D'autre part, pour voir si je trouve un lien.

— Crois-tu vraiment que des terroristes tuent tous ces gens uniquement pour se débarrasser d'un maître chanteur ?

— Non, mais je suis convaincue que chacune des victimes est soigneusement ciblée, et que Greene était visé pour partie à cause du chantage. Télécharger disque… Tu n'es pas obligé de rester, Connors.

— Si tu tiens le coup, je le peux aussi.

— Tiens ! Nous voilà de nouveau chez lui. À mon avis, il préparait ses caméras avant l'arrivée des clients et les actionnait par télécommande jusqu'à la fin de la séance. Il procédait ensuite au montage et aux copies. Il les remettait aux clients, moyennant finances. Il a dû en perdre quelques-uns, mais il a maintenu ses revenus. Bénéfices purs. Lever de rideau !

Une femme émergea de la salle de bains attenante. Une femme plutôt élégante, vêtue d'une somptueuse robe noire. Ses longs cheveux blonds cascadaient sur ses épaules. Les jambes gainées de collants noirs, elle était juchée sur des talons aiguilles.

Elle portait un collier orné d'un diamant et du rouge à lèvres écarlate.

— C'est curieux, j'ai l'impression de la connaître, commença Eve. Quel rôle joue-t-elle ? Cliente ou prostituée ?

— Tu veux qu'on fasse une recherche ?

— Attends un peu.

Un homme apparut sur le seuil de la pièce, torse nu, en pantalon de cuir noir. Sa poitrine huilée était luisante, ses cheveux, coiffés en arrière, étaient fixés avec du gel. Il avait un visage osseux saisissant, et un tatouage sous le sein gauche. Eve figea l'image un instant, l'agrandit, et découvrit que c'était un crâne.

Il tenait une cravache à la main.

— Roseanna, dit-il, et la jeune femme porta la main à son diamant.

— Comment es-tu entré ?

— Jeu de rôles, marmonna Eve. On lance une recherche sur les deux.

De nouveau, elle arrêta l'image.

— Eve ?

— Mmm ?

— Regarde-la attentivement.

— Je fais que ça. Je connais ce visage. Continuer, ajouta-t-elle.

Avec un demi-sourire, Connors s'adossa contre le bureau.

— Regarde mieux.

Eve fronça les sourcils. L'homme caressait le ventre de la femme du bout de sa cravache. Elle frémit. Se détourna comme pour s'enfuir. Il la rattrapa. Un long baiser. Beaucoup de mains.

Les mains.

Eve se redressa brusquement.

— Ce n'est pas une femme.

Ahurie, Eve vit l'homme dénuder la blonde jusqu'à la taille. Elle portait un corset noir sous sa robe. Les seins qui en débordaient étaient généreux, mais ils n'étaient qu'un accessoire parmi d'autres.

Coups de cravache sur les fesses, gémissements, protestations étouffées. La robe tomba à terre.

— Pas mal, pour un mec, fit remarquer Eve.

Les jambes étaient fines, mises en valeur par les bas de soie et le porte-jarretelles. Mais les épaules étaient trop larges, les mains, trop grandes. Sous le diamant, on devinait la protubérance d'une pomme d'Adam.

Mentalement, Eve élimina la perruque, le maquillage. Ce visage, elle le connaissait.

— Ô mon Dieu ! s'exclama-t-elle.

— Tu l'as reconnu ? s'enquit Connors. Pas moi. Accorde-moi quelques secondes de plus.

Cependant, quand l'homme au torse nu fit s'agenouiller l'autre, Connors grimaça.

— Euh... si on se mettait en « avance rapide » ? Ce n'est pas... enfin... euh...

— Je suis d'accord avec toi. Je préférerais éviter de contempler M. le maire en train de tailler une pipe à son partenaire.

Connors se détourna, souleva le menton d'Eve.

— C'est pour ça que tu es flic. Tu ne nous as pas fait perdre de temps, bien au contraire. Ça m'apprendra à douter de toi.

— Il faut que j'aille jusqu'au bout.

— Est-ce absolument nécessaire ?

— Si j'abats cette carte demain, il faut que je sache de quoi je parle. Il ne s'agit pas d'un banal travesti. Peachtree est désormais mêlé à un scandale sexuel et à une enquête pour homicide.

— Dans ce cas, je vais remplir nos verres.

— Très ingénieux, déclara-t-elle un peu plus tard. Greene offre ses services à une clientèle triée sur le volet – des gens riches à l'esprit tordu. Parmi eux, il sélectionne un groupe. Une poignée de personnes qui ont fait appel à lui, qui lui font confiance et ne peuvent se permettre le moindre écart. Les prix sont exorbitants, mais ils ont les moyens de payer. Ils sont une douzaine à verser vingt-cinq mille dollars par mois. Additionne le tout, et on obtient…

— Trois millions six par an. De quoi baigner dans le luxe.

— Et d'après ce que je déduis de ses archives, la plupart de ceux qu'il faisait chanter sont restés de fidèles clients.

— Tu crois que le maire appartient au groupe des Chercheurs de Pureté ?

— Aucune idée. Mais j'ai suffisamment d'éléments pour pouvoir lui poser la question, non ?

— Tu risques de te brûler les ailes, lieutenant.

— Je sais.

Elle se pinça la racine du nez pour soulager un début de migraine.

— Il faut que je le mette au courant de ce que je viens d'apprendre. Si jamais les médias flairent le scandale, ce sera un désastre. Bon sang ! Quand je pense que j'ai voté pour lui.

— Il aurait peut-être remporté davantage de voix s'il avait mené sa campagne dans cette petite robe noire. Très seyante, ajouta Connors en souriant devant l'air dubitatif d'Ève. Que dirais-tu d'aller dormir ? Nous sommes fatigués.

— Si tu commences à t'extasier devant des mecs en petite robe noire, c'est que tu es plus que fatigué.

— Tu sais, je ne verrais pas d'inconvénient à ce que tu mettes un corset, un porte-jarretelles et des bas de soie.

— C'est ça ! riposta-t-elle en bâillant. Tu peux toujours rêver.

Dix minutes plus tard, elle dormait à poings fermés.

Quand le cauchemar commença, elle ne s'en rendit pas compte.

Une pièce blanche, maculée de sang. Elle se voyait la traverser, ses chaussures éclaboussées de rouge.

Même dans son sommeil, elle sentait l'odeur.

La fille était à plat ventre sur l'épaisse moquette blanche tachée de sang. Son bras était étendu, les doigts écartés comme si elle avait tenté d'attraper quelque chose.

Mais il n'y avait rien.

Si, le couteau.

Dans le rêve, elle s'accroupissait, l'attrapait par le manche.

Il était visqueux de sang.

Se retournant, elle ne vit plus la jeune fille, mais un bébé. Découpé en morceaux, recroquevillé sur lui-même. Les yeux grands ouverts, aussi vides que ceux d'une poupée.

Les souvenirs ressurgirent. Une si petite chose. Tout ce sang, jailli d'un corps si minuscule. Et l'homme qui avait commis le crime, le père, drogué jusqu'à la moelle. Les hurlements du petit tandis qu'Ève gravissait l'escalier quatre à quatre.

Trop tard. Elle était arrivée trop tard. Elle avait leur sang sur les mains.

La lame scintillait entre ses doigts.

La pièce n'était plus blanche. Elle était étroite, sale, glaciale. Du rouge partout.

— Eve...

Connors l'étreignit. Elle sanglotait.

— Eve. Réveille-toi. Allons, reviens ! Ce n'était qu'un cauchemar, chuchota-t-il en lui embrassant le front, les joues. Ce n'était qu'un cauchemar… Chut ! Je suis là, près de toi. Tu n'as rien à craindre.

— Tout ce sang.

Il s'assit, la tint contre lui, la berça dans l'obscurité.

— Ça va, murmura-t-elle enfin, blottie contre lui. Je suis désolée. Ça va.

— Pas moi, alors tu peux me tenir un moment dans tes bras.

— Hannah Wade… la façon dont elle est morte. Ça m'a rappelé une petite fille. Un bébé. Son père l'avait découpée en morceaux. Je suis arrivée trop tard.

— Je m'en souviens. C'était juste avant qu'on se rencontre.

— Elle me hante. Je n'ai pas pu la sauver. Si tu n'étais pas entré dans ma vie à ce moment-là, cette affaire m'aurait sans doute brisée à jamais. Mais je n'ai pas oublié, Connors. C'est un fantôme de plus…

Des lèvres, il effleura ses cheveux.

— Tu es peut-être la seule à ne pas l'avoir oubliée, Eve.

Le lendemain matin, elle se leva suffisamment tôt pour s'offrir une séance intense de gym et quelques longueurs dans la piscine.

Puis, sachant qu'il ne la lâcherait pas tant qu'elle n'aurait pas obéi, elle s'installa dans le salon contigu à leur chambre et mangea les céréales que Connors lui avait commandées.

Elle jeta un coup d'œil suspicieux sur le verre rempli d'un liquide laiteux, à côté de sa tasse de café.

— Qu'est-ce que c'est que ça ?

— Une boisson protéinée.

— Je n'en ai pas besoin ! J'avale déjà tes céréales de malheur, non ?

— Tu prendras les deux.

Il caressa la tête de Galahad.

— Ça te permettra de tenir le coup jusqu'à ce soir, d'autant que ton déjeuner se réduira probablement à une barre de chocolat. En outre, tu n'as pas bien dormi.

— J'ai des soucis. Pourquoi n'en bois-tu pas, toi ?

Il engloutit un quartier de pamplemousse.

— J'ai horreur de ça. Et ce n'est pas moi qui vais affronter le maire aujourd'hui.

— Oui, il faut aussi que je me mette là-dessus.

— Je suis sûr que ce sera encore plus désagréable pour lui que pour toi. Allez, lieutenant, bois !

Elle grogna, mais s'exécuta. À vrai dire, elle commençait à apprécier les produits mystérieux qu'il l'obligeait à ingurgiter.

— On ne parle de rien à l'équipe. Je dois d'abord consulter Whitney, et peut-être Tibble. Je sens que je vais m'amuser !

— On devrait avoir identifié le virus d'ici la fin de la journée. Ton affaire sera bientôt résolue.

— J'ai réfléchi à ça aussi, dit-elle en jetant un coup d'œil vers l'ordinateur. J'ai fait pas mal de foin. Ils vont se douter que je suis sur une piste sérieuse. Tu crois qu'ils pourraient tenter de nous transmettre le virus ?

— Ce système de sécurité est infiniment plus complexe que ceux d'un ordinateur lambda.

Galahad s'approcha discrètement de la table. Connors le fixa d'un regard sévère. Le chat souleva une patte et entreprit de faire sa toilette comme si c'était ce qu'il avait prévu depuis le début.

— Et j'ai pris des précautions supplémentaires, enchaîna Connors, en me servant du filtre qu'on a conçu en laboratoire. Je ne peux pas te le garantir à cent pour cent, mais, à mon avis, nous n'avons rien à craindre. Ils ne peuvent pas infecter ce système.

— Laisse-moi te poser la question autrement. S'il y avait une tentative d'infection, pourrais-tu installer une sorte d'alarme, ou un détecteur, qui nous aiderait à remonter à la source ?

— Intéressant, lieutenant. Je me suis déjà penché sur le problème. C'est impossible tant que nous n'aurons pas complètement identifié le virus. Mais tes rats de labo sont très créatifs. Surtout Jamie. Il est particulièrement doué en ce domaine. S'il ne s'était pas mis en tête de prendre ta place un jour, je t'assure qu'il pourrait gagner son premier million avant... euh... bien plus vite que moi.

— Est-ce que vous avez la possibilité de... Bon, d'accord, je sais, je n'y connais rien. Obtiens-moi un résultat aujourd'hui, et je consentirai peut-être à m'acheter un porte-jarretelles.

— Je veux aussi le corset. Et les talons aiguilles.

— Si tu parviens à trouver l'endroit d'où part le virus, tu auras les escarpins.

— Ce boulot me plaît de plus en plus. Tu devras les porter pendant tout le temps où nous...

— Là, tu pousses un peu loin le bouchon, camarade.

Elle se leva.

— Je vais dans mon bureau.

Elle ferma la porte. Elle ne connaissait pas l'emploi du temps de Whitney, mais il était probablement en route pour le Central. Elle tenta de le joindre dans sa voiture.

— Whitney.

— Commandant. Il y a du nouveau dans l'enquête qui requiert votre attention, ainsi que celle du préfet Tibble.

— De quoi s'agit-il ?

— Je préférerais éviter d'en parler par communicateur, commandant. D'après moi, c'est un Code cinq.

Elle le vit plisser les yeux. Un Code cinq signifiait un blocage total vis-à-vis des médias, et des rapports sous scellés jusqu'à la fin de l'enquête.

— Vous êtes chez vous ?

— Oui, commandant. Je peux vous rejoindre au Central d'ici...

— Non. Le préfet est plus près de chez vous que du centre-ville. Moi aussi, d'ailleurs. Je l'appelle. Nous serons là dans trente minutes.

— Bien, commandant.

— Votre équipe est au courant ?

— Non. Uniquement l'expert consultant, qui travaillait avec moi à ce moment-là.

— Très bien. Bouche cousue pour le moment.

Il disparut de l'écran. Au même instant, on frappa à la porte. Nadine fit irruption dans la pièce.

— Nom de nom, Nadine, quand je ferme la porte, c'est pour qu'elle reste fermée ! Je n'ai pas de temps à vous consacrer. Dehors !

— Du calme, riposta la journaliste en se précipitant vers elle, un disque sans sa main tendue. Je me suis donné beaucoup de mal pour vous transmettre ceci. Personne ne doit savoir que vous l'avez eu par mon intermédiaire.

— Pourquoi ? Qu'est-ce que c'est ?

— Pourquoi ? Parce que ce serait mal perçu par certains, notamment mes supérieurs à Channel 75. Qu'est-ce que c'est ? La copie d'une vidéo amateur achetée par 75 après une négociation aussi animée que rapide avec un touriste. Un touriste qui se baladait en AéroBus quand Nick Greene s'est rué sur son balcon. Ils vont diffuser les images à 9 heures précises. Je tenais à ce que vous soyez au courant.

— Channel 75 va montrer un type en train de se poignarder ?

— Je ne dis pas que j'approuve. Ni que je désapprouve. Ça passe à l'antenne à 9 heures, et c'est un scoop majeur. Ce que je vais dire, mais cela doit rester entre nous, c'est que je suis contre le fait de diffuser cet extrait avant d'en avoir informé la police. Cette séquence ne change rien au problème ni à l'enquête, mais elle risque d'accroître le soutien de la population à la cause des Chercheurs de Pureté, ce qui me déplaît. Donc, je vous donne le temps de préparer une réponse.

— Vous l'avez visionné ?

— En chemin, oui. C'est horrible. Greene apparaît comme un monstre. Tout le monde pensera : « Dieu merci, il est mort. »

— Donnez-moi le nom du touriste.

— Je ne peux pas, souffla-t-elle en repoussant une mèche de cheveux. Dallas, même si je le connaissais, je serais tenue au silence. Une source est une source.

— C'est votre reportage ?

— Non.

— Donc, ce n'est pas votre source.

Nadine secoua la tête.

— Comme vous, je veux bien franchir certaines limites, mais pas toutes, déclara-t-elle. Je ne vois pas comment ce type pourrait être malhonnête, mais je veux bien me renseigner. Si je flaire un complot, je vous préviendrai.

Satisfaite, Eve acquiesça.

— Une dernière chose. Combien l'ont-ils payé ?

— Dallas...

— Entre nous, Nadine. Je suis curieuse.

— Un million pour vingt secondes.

— Il a touché le jackpot. Je sais que rien ne vous obligeait à m'avertir. Je ne l'oublierai pas... Nous sommes sur le point de clôturer l'affaire, annonça Eve après un bref silence. Ne me posez pas de questions, je ne dirai rien. Quand ce sera terminé, et que je serai libre de m'exprimer, je vous accorderai une interview exclusive.

— Une heure après, maximum.

— Je ne peux pas vous le promettre. À la première occasion.

— Entendu. Il faut que je file. Vous ne m'avez pas vue !

Dès qu'elle fut partie, Eve glissa le disque dans la fente de son ordinateur.

Elle vit le balcon de Greene, la porte qui s'ouvrait. Il se précipita dehors, couvert de sang. L'image vacilla tandis que l'opérateur tressaillait devant l'horreur de la scène. Il émit un juron, mais eut la présence d'esprit de faire un zoom avant.

Oui, Greene avait tout d'un monstre, songea Eve. Le sang dégoulinait de ses cheveux, de ses doigts. Il avait la bouche grande ouverte, les yeux exorbités. Il brandit un couteau, abattit le poing sur sa tête.

Il se mit à courir d'un bout à l'autre du balcon en agitant les bras comme pour chasser une nuée d'insectes. Puis il agrippa le manche du couteau à deux mains, renversa la tête en arrière, et se plongea la lame dans le cœur.

— Merde alors !

Jamie se tenait sur le seuil du bureau de Connors, l'air effaré.

— Nom de nom ! Arrêter image, cria Eve. La porte était fermée !

— Désolé. Connors m'a demandé de vous... Laissez tomber.

Il inspira un grand coup, se frotta la bouche.

— C'est le type d'hier, non ? L'homicide.

— Tu devrais être au labo.

— Je fais partie de cette équipe, rétorqua-t-il. Mon grand-père était flic, et je le serai aussi. J'ai déjà vu du sang. J'ai tué un homme.

— La ferme ! glapit Eve en fonçant pour refermer la porte derrière lui. Le rapport officiel, signé par moi, stipule qu'Alban est mort au cours d'une bagarre pour le désarmer et l'arrêter. Si tu veux me fiche en rogne, Jamie, continue à dire que tu as tué un homme.

— Je ne ferai jamais rien pour vous embêter, dit-il avec ferveur, dissimulant avec peine ce qu'il ressentait pour elle. Jamais de la vie, Dallas.

Elle se calma.

— D'accord.

— Ça restera entre vous et moi. Vous n'avez pas voulu de moi à la réunion d'hier, et je comprends pourquoi. Vous ne vouliez pas que je voie des trucs comme ça. Le nouveau, Trueheart, il a quoi ? Trois ans de plus que moi ? Peut-être quatre. Où est la différence ?

— Il porte un uniforme.

— Moi aussi, bientôt.

Elle le dévisagea.

— Je n'en doute pas. Écoute, je ne dis pas que tu ne tiendrais pas le coup. Mais tout ça, c'est très moche. Il faut savoir se préserver. Finis tes études à l'Académie, endosse ton uniforme. Tu affronteras toutes ces horreurs bien assez tôt.

— D'accord.

— Maintenant, du balai ! Et rends-moi un service. J'ai une réunion dans quelques minutes. Une réunion privée. Que personne n'approche de mon bureau.

— Très bien.

Il sourit.

— Trueheart en pince pour vous.

— Dehors !

Il s'esclaffa. Elle le poussa légèrement et claqua la porte derrière lui. Elle retourna à son poste de travail, copia le disque dans ses archives, puis scella l'original pour Whitney.

Elle employa le reste de son temps à mettre à jour ses données, codées, elles aussi. Puis elle mit ses idées en ordre.

Quand on frappa, elle aspira une grande bouffée d'air et se leva pour accueillir les deux super flics.

19

— Dans le cadre de l'enquête sur les homicides Greene/Wade, commença Eve, j'ai découvert que l'état des finances de Greene ne correspondait en rien à son train de vie. Même en supposant qu'il arrondissait ses fins de mois grâce à ses activités illicites, les acquisitions accumulées au cours de cette dernière année excèdent de loin toute projection.

— Vous en avez donc déduit qu'il avait une autre source de revenus, devina Whitney.

— En effet, commandant. Au cours de la recherche initiale et de l'inspection des lieux du crime...

Tibble leva la main pour l'interrompre.

— Lieutenant, pourquoi tournez-vous autour du pot ?

— Je pense que ce que j'ai découvert doit reposer sur des fondations solides.

— Très bien. Mais épargnez-nous les formalités. Mettez cartes sur table.

— Bien, monsieur. Nous avions trouvé un coffre-fort lors de notre première visite. Il ne contenait pas grand-chose, alors que, d'après les disques de sécurité, nous savions que Greene avait dû traiter trois affaires chez lui durant la semaine. Il n'était pas sorti, il n'avait donc pas pu déposer d'argent à la banque. Or, Greene n'acceptait que des espèces. Il hébergeait une adolescente qu'il avait ramassée dans un bar, mais il ne lui aurait jamais confié une mission de ce genre. Il y avait donc forcément une cache quelque part, de même qu'il y avait une autre source de revenus. Vu sa clientèle, le chantage semblait l'hypothèse la plus logique.

— Vous aviez le sentiment que cette activité parallèle avait un lien avec les Chercheurs de Pureté ? demanda Tibble.

— Il ne suffit pas d'établir des liens pour obtenir le tableau final. Chaque affaire doit être traitée individuellement, étape par étape, sans quoi les détails nous échappent.

Tibble opina.

— Puisque nous sommes ici, j'imagine que ce n'est pas le cas.

— Je suis retournée chez Greene avec le consultant civil. Nous avons déniché le deuxième coffre-fort. Il contenait huit cent soixante-cinq mille dollars en espèces, le code d'un coffre à la National Security Bank, agence de la 88e Rue, cinq disques de données et douze DVD.

Elle désigna son bureau.

— Tout a été consigné et scellé, de même que mon rapport de confiscation.

— À en juger par votre prudence, lieutenant, vous êtes tombée sur des éléments brûlants.

Elle rencontra le regard de Whitney.

— En effet. Toute sa comptabilité. Son journal intime, dans lequel apparaît clairement la dégradation de son état de santé depuis les premiers symptômes.

— Et les vidéos ? intervint Tibble. Chantage ?

— Oui, monsieur. J'ai effectué des recherches d'identité et des comparaisons avec les séquences enregistrées par Greene. De toute évidence, les personnes ne savaient pas qu'elles étaient filmées. Certains films ont été tournés dans un lieu pas encore localisé ; les autres, dans la chambre d'amis de l'appartement de Greene. Y figurent un certain nombre de citoyens haut placés, immortalisés en situations sexuelles et/ou compromettantes, illégales, humiliantes. Parmi eux : un juge à la cour d'assises, l'épouse d'un professeur d'université, un membre du parti conservateur, un journaliste et le maire de New York.

— Seigneur ! souffla Tibble.

Il demeura pétrifié durant quelques secondes, puis se frotta les tempes.

— Peachtree, c'est confirmé ?

— Oui, monsieur. Je l'ai d'abord reconnu, puis j'ai procédé à une vérification.

— Alors, nous sommes dans un sacré pétrin.

Il laissa retomber ses mains.

— Très bien, l'imbécile a trompé sa femme et il a été filmé.

— C'est un peu plus… compliqué que cela.

— Accouchez, Dallas, marmonna Whitney d'un ton impatient. Nous sommes tous majeurs et vaccinés.

— Il portait des vêtements féminins, et a eu des rapports avec un autre homme. Pratiques sadomaso et… euh… plaisir oral.

— De mieux en mieux !

Tibble se cala dans son fauteuil, examina le plafond.

— Le maire Peachtree est un travesti ; il était victime d'un chantage exercé par un dealer, aujourd'hui décédé, et dont la mort a été précipitée par une organisation terroriste désormais responsable de sept meurtres.

— En gros, c'est à peu près ça, acquiesça Eve.

— Si jamais les médias tombent là-dessus…

Il secoua la tête, se leva péniblement, et alla se planter devant la fenêtre.

— Quoi qu'il en soit, pour lui, c'est terminé. Malgré tout son talent, même Chang sera incapable de le sortir de là. Nous n'avions vraiment pas besoin de ça. Pour l'heure, on garde le silence.

— Il faut que je le rencontre, monsieur, de même que les autres individus qui apparaissent sur ces vidéos.

Tibble lui lança un coup d'œil par-dessus son épaule.

— Croyez-vous que Peachtree soit lié aux Chercheurs de Pureté ? Le maire, laisser une organisation terroriste agir à sa guise dans sa ville ? S'il ne s'est pas montré très malin du point de vue du comportement personnel, il n'est tout de même pas assez stupide pour pisser dans sa propre piscine.

« Qui sait ? » pensa Eve.

— Je ne peux rien affirmer tant que je ne l'aurai pas interrogé.

— Vous voulez l'entraîner dans une enquête majeure pour homicide sous prétexte qu'il porte un fichu soutien-gorge ?

La patience d'Eve se fissura.

— Il peut se déguiser en bergère et séduire un troupeau de moutons si ça lui chante, je m'en contrefiche, répliqua-t-elle. À moins que cette activité n'ait un lien avec mon enquête. Je suis convaincue que les Chercheurs de Pureté comptent parmi ses membres des gens de pouvoir et d'influence. J'avais requis un mandat de perquisition afin d'accéder à des dossiers scellés ; il a été refusé et continue de l'être sans raison. De même, on m'a refusé l'accès aux archives des Services de protection de l'enfance. Ces blocages m'empêchent de faire mon travail correctement.

— Avec les Dukes, vous avez trouvé le moyen de passer outre.

Elle prit une profonde inspiration.

— En effet. Et je recommencerai s'il le faut. Sept personnes, dont un policier, sont mortes. Je continuerai à passer outre jusqu'à ce que j'aie trouvé les réponses à mes questions et que justice soit rendue. Le maire de New York est à présent un suspect, que cela vous plaise ou non.

— Monsieur le préfet Tibble, intervint Whitney en se levant, le lieutenant a raison.

Tibble lui décocha un regard noir.

— Croyez-vous que je ne le sache pas ? Pour l'amour du ciel, Jack, bien sûr qu'elle a raison. Je sais aussi qu'une fois la nouvelle divulguée, il nous faudra des mois pour nous en remettre. Un travesti terroriste. Doux Jésus ! Les médias vont se jeter dessus comme des requins !

— Les médias m'importent peu.

Tibble se tourna vers Eve.

— Vous avez tort. Si vous voulez gravir les échelons, l'image, la façon dont vous êtes perçue ont leur importance. Vous avez fait des choix qui vous ont empêchée de devenir la plus jeune femme capitaine du département de police de New York.

— Harry.

Tibble éluda l'objection de Whitney d'un geste.

— Excusez-moi. Tout ceci me perturbe affreusement. Je travaille avec cet homme. Je ne peux pas dire que nous soyons amis, mais nos rapports sont amicaux. Je connais sa famille. Je croyais le connaître. Je prendrais volontiers un café. Noir, sans sucre. Si ça ne vous ennuie pas.

Sans un mot, Eve se dirigea vers la cuisine où elle programma l'autochef tout en ravalant sa colère.

Leurs galons de capitaine, ils pouvaient se les mettre où elle pensait.

Lorsqu'elle revint dans la pièce, Tibble faisait de nouveau face à la fenêtre. Elle posa une tasse sur son bureau et tendit l'autre à Whitney.

— M'ordonnez-vous de méconnaître les preuves tombées entre mes mains et d'ignorer la piste qui mène au maire Steven Peachtree ?

Tibble lui répondit, le dos tourné :

— Si je vous en donnais l'ordre, lieutenant, je me doute que vous y désobéiriez ou que vous me jetteriez votre insigne à la figure. Comme je vous crois suffisamment en colère pour opter pour la seconde solution, je vous prie, une fois de plus, d'accepter mes excuses. Je n'ai pas à m'en prendre à vous. Je vous dirais que le droit est affaire de nuances, Dallas, et que plus on monte dans la hiérarchie, plus elles sont nombreuses et subtiles.

— Je sais combien cette situation est difficile pour vous, monsieur.

— Mais vous vous en fichez.

S'autorisant l'un de ces sourires qui avaient tout autant terrifié les flics que les criminels au fil des ans, il traversa la pièce et s'empara de sa tasse de café.

— Et vous avez raison. Non, lieutenant, je ne vous ordonne pas d'ignorer les preuves tombées entre vos mains.

Sans réfléchir, il prit place dans le fauteuil d'Eve.

— Je vous demande de repousser l'interrogatoire jusqu'à ce que je me sois entretenu avec le maire. Tout ce qui, dans cette conversation, aura un rapport avec votre enquête vous sera transmis. Il ne s'agit pas seulement de l'homme, mais de la fonction. Celle-ci requiert un minimum de respect et de protection. J'espère que vous me faites confiance.

— Bien entendu, monsieur. Comment voulez-vous que je traite les autres individus identifiés sur les vidéos ?

— Avec discrétion. J'ai besoin des copies de ces films, de vos notes et de vos dossiers.

— Tout est à l'intérieur, fit-elle en lui tendant une enveloppe.

— Jack, j'ai l'impression qu'on va commencer la journée par une séance de porno.

— C'est comme ça que j'ai terminé la mienne, hier, lui rappela Eve.

Tibble s'esclaffa.

— On ne s'ennuie pas dans ce métier.

— Qu'est-ce que je peux révéler à mon équipe ?

— La confiance est une rue à double sens. Je vous laisse juge.

Il se leva.

— Si Peachtree est impliqué, nous l'arrêterons. Vous avez ma parole.

Il lui serra la main.

— On les arrêtera tous. Je vous le promets, dit Eve.

Après leur départ, Eve fit venir Peabody dans son bureau.

— Asseyez-vous. J'ai de nouvelles données qui pourraient avoir un impact direct sur notre enquête. Je ne suis pas libre de vous les révéler pour le moment, mais vous assisterez aujourd'hui à plusieurs entretiens sensibles. Tant que vous n'aurez pas eu mon accord, vous n'en soufflerez pas un mot à vos collègues.

— Vous ne les mettez pas au courant ?

— Pas encore. C'est un Code cinq. Tout rapport devra être scellé.

Peabody ravala les dizaines de questions qui lui brûlaient les lèvres.

— Bien, lieutenant.

— Avant d'attaquer cette série d'interrogatoires, nous allons revoir Dukes. Il a besoin qu'on le bouscule un peu. Je pense que nous terminerons par Price et Dwier. Un peu comme, je ne sais pas, moi, des serre-livres.

— Parce que ce qu'il y a entre les serre-livres est lié à l'ensemble ?

— Tout est lié. En route, je vous dirai ce que je peux.

— Le chantage, dit Peabody dès le premier feu rouge. Greene trempait sûrement dans des tas de trucs louches.

— Lucratifs, surtout. Grâce au chantage, il ramassait plus de trois millions de dollars par an.

— Vous pensez que les Chercheurs de Pureté l'ont ciblé à cause de ça ?

— Oui. Regardez les autres. Tous des prédateurs d'enfants. Greene a exploité quelques adolescents, mais la majorité de sa clientèle et de ses employés étaient des adultes.

— Vous aviez prévu que l'organisation élargirait ses critères de sélection.

— Ça ne fait aucun doute, mais il est trop tôt. Les types comme Fitzburgh ont de quoi les occuper encore un moment. Greene était sur le fil. Selon moi, une personne, voire plusieurs lui en voulaient personnellement. Éliminer un autre salaud était un élément, mais se débarrasser d'un maître chanteur et de la menace qu'il représentait, c'était carrément un bonus. Seulement, c'était stupide. Une erreur. Tuer le maître chanteur avant d'avoir détruit les preuves qui vous lient à lui.

— Dukes figurait-il sur la liste ?

— Non. Mais il sait comment ça marche. Il sait qui a été infecté et qui va l'être. Il est à la base du groupe. On va le secouer un peu. Ou sa femme. C'est elle, le maillon faible.

— Vous pensez qu'elle va le dénoncer ?

— C'est possible, si on lui fait assez peur. Elle ne fait pas partie du jeu, mais elle connaît Dukes – son emploi du temps, ses habitudes. Sinon, comment pourrait-elle tenir la maisonnée comme il le souhaite ? S'il a l'impression qu'on la pousse dans ses retranchements, il se pourrait bien qu'il se lâche.

Eve se gara, puis traversa la rue en diagonale pour rejoindre le domicile des Dukes. Un détail la frappa aussitôt : les fleurs fanées, de part et d'autre de la porte.

— Ils sont partis.

Peabody suivit la direction du regard de Dallas.

— Elle a peut-être oublié de les arroser ?

— Non, elle n'oublierait pas. Elle doit avoir une liste de tâches à accomplir quotidiennement, qu'elle coche au fur et à mesure. Merde ! Merde ! Et merde !

Elle appuya sur la sonnette malgré tout. Attendit. Sonna de nouveau. Attendit.

— Les meubles sont encore là, constata Peabody qui avait collé le nez à la vitre.

— Ils ont tout laissé. Ils se sont sans doute enfuis dans les vingt-quatre heures qui ont suivi notre visite. On va interroger les voisins.

Une porte s'ouvrit enfin, et Eve montra son insigne à une dame aux cheveux blancs, vêtue d'un jogging rose.

— Il y a un problème ? Un accident ? Mon mari...

— Non, madame, tout va bien. Je suis désolée de vous déranger. Je suis à la recherche de M. et Mme Dukes. Ils ne répondent pas.

— Les Dukes.

Elle se recoiffa machinalement.

— Je ne suis pas certaine de... Ah oui ! Bien sûr ! J'ai vu le reportage à la télévision. Mon Dieu, vous êtes la femme policier qu'ils veulent poursuivre en justice.

— Que je sache, ils n'ont encore intenté aucune action légale. Savez-vous où ils sont ?

— Mon Dieu, je les connais à peine. La jeune femme est très jolie. Je la voyais passer tous les lundis et les jeudis. En route pour le marché. À 9 h 30 précises. Maintenant que j'y pense, je ne sais plus quand je l'ai aperçue pour la dernière fois... Ils ont perdu leur fils aîné, n'est-ce pas ? Ils ont emménagé il y a deux ans. Je n'étais au courant de rien. Ils vivaient assez repliés sur eux-mêmes. C'est terrible de perdre un enfant.

— Oui, madame.

— Lui allait et venait de temps en temps. Il n'avait pas l'air très avenant. Le dimanche, ils sortaient tous ensemble. À 10 heures pile. Habillés comme ils l'étaient, ils allaient sûrement à la messe. Ils revenaient à midi et demi. Leur garçon ne jouait jamais dehors avec les autres enfants.

Elle soupira, fixa l'autre côté de la rue.

— Je suppose qu'ils le couvaient de crainte qu'il ne lui arrive quelque chose, à lui aussi. Tiens, voilà Nita ! Ma partenaire de jogging.

Elle fit un signe du bras à son amie, qui sortait de l'immeuble d'en face. Elle aussi était en tenue de sport. Bleu ciel.

— Nita vous renseignera mieux que moi, ajouta-t-elle.

— Alors ? Tu te fais arrêter ? s'enquit cette dernière d'un ton enjoué lorsqu'elle les eut rejointes. Enfermez-la à double tour, lieutenant. Sally est une véritable anguille.

— On en reparlera plus tard, riposta Sally. Ces dames m'interrogent à propos des Dukes.

— Ils sont partis en voyage il y a deux jours. Ils ont chargé la voiture. La femme ne semblait pas enchantée, et si vous voulez mon avis, elle avait pleuré. C'était… voyons voir… mercredi. Oui, mercredi matin. J'étais en train d'arroser mes fleurs.

— Avez-vous remarqué s'il avait reçu de la visite auparavant ?

— La vôtre, répliqua Nita avec un sourire. La veille. D'après ce que j'ai pu voir à la télé dans la soirée, le commandant était furieux.

— Nita.

— Oh, arrête, Sally ! Cet homme ne me plaisait pas, et je n'ai pas peur de le dire tout haut.

Elle agita la main.

— J'avais un vieux cocker, Frankie. Il est mort l'an dernier. Quelques mois auparavant, je le promenais, comme chaque jour. Je me suis arrêtée devant chez les Dukes pendant quelques minutes pour bavarder avec une voisine. Pendant que j'avais le dos tourné, ce pauvre Frankie a laissé sa carte de visite au bord de leur pelouse.

Elle poussa un profond soupir.

— Ce cher Frankie. J'aurais tout ramassé, comme je le faisais depuis seize ans. Mais le commandant a surgi de chez lui et m'a injuriée, me menaçant de porter plainte contre moi. À l'entendre, on aurait cru qu'il n'avait jamais vu une crotte de sa vie. Je lui ai répondu du tac-au-tac. Je ne supporte pas ce genre de comportement.

Elle eut un frémissement.

— Il a claqué sa porte, j'ai nettoyé, et je suis rentrée tranquillement chez moi. Quelques minutes plus tard, un flic a débarqué. Une jeune femme, visiblement ennuyée. Elle m'a annoncé que Dukes avait porté plainte. Vous vous rendez compte ? Comme j'avais éliminé les preuves, il n'y a pas eu de suites. Le flic voulait juste me prévenir qu'il voyait rouge. Elle m'a expliqué qu'elle l'avait calmé, mais qu'il vaudrait mieux que je garde mes distances.

— C'est la seule fois que vous avez eu affaire à lui ?

— Je ne lui ai plus jamais adressé la parole, et réciproquement.

— Ils ont perdu un enfant, lui rappela Sally. Ça rend amer.

— Ils sont nés amers, décréta Nita. Lui, en tout cas.

Eve interviewa les trois premières personnes de la liste de Greene, chez eux ou à leur bureau. Les trois réagirent plus ou moins de la même manière : déni, indignation, embarras et honte.

Le juge Vera Archer manifesta seulement de la froideur.

— Je préférerais poursuivre cette conversation sans la présence de votre assistante, lieutenant Dallas.

— Peabody, sortez, je vous prie.

Archer croisa les mains sur son bureau. Son espace de travail était à son image : sobre et en ordre. À soixante-trois ans, c'était une grande femme mince, séduisante dans le genre sévère. Elle avait la réputation de prendre des décisions rapides, réfléchies, et sans appel la plupart du temps.

Elle ne tolérait pas les manifestations théâtrales dans son tribunal.

Apparemment, en privé, il en allait tout autrement. Sur la vidéo, elle portait une robe de bal rose, et s'offrait un strip-tease devant deux hommes bien musclés, en prélude à un athlétique ménage à trois.

— J'ai pressenti ce qui allait se passer quand j'ai appris la mort de Nick Greene. Ma vie personnelle ne concerne que moi. Je n'ai enfreint aucune loi.

— Pourtant, vous avez payé Nick Greene soixante-quinze mille dollars le mois dernier.

— Cela n'a rien d'illégal. Et si l'on voit là un chantage, c'était lui le criminel. Je ne m'étendrai pas sur le contenu de la vidéo ni sur mes motivations éventuelles. C'est mon affaire.

— Certes, madame. Mais il n'empêche que vous êtes à présent impliquée dans une enquête pour homicide.

Archer ne cilla pas.

— J'étais plus à l'aise de son vivant. L'argent ne présentait aucun problème ; la possibilité d'un scandale, si. Par rapport à mes confrères, à mon mari. Celui-ci est au courant depuis un an. Vous pouvez le vérifier si vous le souhaitez, mais là encore, cela ne concerne que nous. Je peux vous assurer que nous sommes tombés d'accord pour poursuivre les paiements.

— Vous savez dans quelles circonstances Nick Greene est mort ?

— Oui.

— Vous savez aussi que je suis à la poursuite des terroristes responsables de sa mort ainsi que de celle de six autres personnes à ce jour ?

— Oui. Mais je ne vois pas en quoi le fait de révéler le contenu de cette vidéo vous aidera. J'ai besoin du respect de mes pairs quand je siège au tribunal. Vous pourchassez, vous arrêtez, mais ensuite, c'est à nous d'achever la tâche. Comment y parviendrai-je si je suis la risée de tous ?

— Je ferai mon possible pour respecter votre vie privée. Dites-moi comment vous en êtes venue à utiliser les services de Nick Greene.

Archer pinça les lèvres.

— J'ai entendu parler de lui par une relation. Cela me paraissait inoffensif. C'était pour moi une façon de me défouler, en quelque sorte. J'ai fait appel à lui une fois par mois, pendant plusieurs mois. Puis il m'a remis une copie du film et un échéancier pour les paiements en m'expliquant quels risques j'encourais si j'oubliais de les honorer.

— Vous avez dû être très en colère.

— Je l'étais, oui. Mais surtout, je me sentais bête. Une femme comme moi, de plus de soixante ans, juge depuis quatorze ans, n'aurait pas dû se laisser duper aussi facilement. J'ai payé parce que je n'avais pas le choix. Cependant, j'ai cessé de solliciter ses services.

— Craigniez-vous qu'il ne vous dénonce malgré tout ?

Elle inclina la tête, feignant la surprise.

— Au risque de se priver d'une source de revenus stable ? Non.

— A-t-il augmenté les tarifs ou menacé de le faire ?

— Non. À sa manière, c'était un homme d'affaires honnête. Si on saigne trop vite, on éviscère.

Archer leva ses mains, premier geste trahissant une émotion depuis le début de l'entretien.

— Je ne lui en voulais même pas. Ces paiements mensuels me rappelaient que je suis un être humain, avec ses faiblesses. J'avais besoin de m'en souvenir. Je suppose que vous avez effectué une recherche sur mon compte ?

— En effet, madame.

— Sur le plan professionnel, je n'ai rien à me reprocher. Je n'envisage pas de prendre ma retraite.

Elle jeta un coup d'œil sur l'écran mural.

— J'ai vu le reportage, ce matin, sur Channel 75. C'est une mort atroce qu'ils lui ont infligée. Greene était un maître chanteur, et il trempait dans le péché ; il exploitait les failles secrètes de ses clients. Mais il ne méritait pas de mourir ainsi. Pas plus que cette enfant.

Elle dévisagea Eve.

— Vous me soupçonnez d'appartenir à cette organisation qui aspire à une soi-disant pureté ? Ces gens-là représentent tout ce que je déteste, lieutenant. Tout ce contre quoi j'ai lutté au cours de ma carrière. Ce sont des brutes et des lâches qui se prennent pour Dieu. Je suis prête à renoncer à un représentant légal et à passer au détecteur de mensonges. À une condition : que cela se fasse en privé, avec un seul technicien autorisé et licencié. Et qu'une fois lavée de tout soupçon, les résultats du test, la vidéo ainsi que l'ensemble du dossier soient mis sous scellés.

— Je m'en occupe. Je peux demander au Dr Mira d'intervenir.

— Entendu.

— Je pense que cette démarche mettra un terme à votre implication dans cette affaire, madame.

— Merci.

— Puis-je vous demander votre avis personnel sur un autre sujet, lié à mon enquête ?

— Oui.

— J'ai demandé des mandats pour rouvrir des dossiers concernant des mineurs directement liés à cette affaire, mais les Services de protection de l'enfance et le TRO font barrage.

— Les dossiers sous scellés, notamment dans le cas de mineurs, sont un problème sensible.

— Les homicides en série aussi, répliqua Eve. De même que le terrorisme, et l'obstruction à une enquête prioritaire. Le temps est compté, pourtant, on me prive d'un outil essentiel. Il ne s'agit pas de divulguer ces documents au public. Si l'on vous soumettait de tels mandats, comment réagiriez-vous ?

Archer se cala dans son fauteuil.

— Si votre cause est solide, lieutenant...

— Comme un roc. Le TRO prétend qu'il cherche à protéger les mineurs en question et leurs familles.

— Qui a signé les mandats initiaux ?

— Le juge Matthews.

— Mais il est ensuite revenu sur sa décision ?

— Non, madame. C'est le juge Lincoln qui a pris cette décision.

— Lincoln. Je vois. Je vais me renseigner.

Eve quitta le tribunal en compagnie de Peabody.

— Si elle a quelque chose à cacher, c'est que je perds la boule.

— On reprend la liste ?

— Oui. Entre-temps, faites-moi une recherche sur le juge Lincoln.

— Encore un juge ? Seigneur !

— Il n'apparaît pas sur la liste de Greene. Mais il est sur celle d'Archer. Elle est habile, poursuivit Eve en montant dans sa voiture, mais pas tant que ça. Quand j'ai cité son nom, elle a tiqué.

Fronçant les sourcils, elle sortit son communicateur qui bipait furieusement.

— Dallas.

— Chez *O'Malley*, lâcha Dwier. Dans vingt minutes. Venez seule.

— *L'Écureuil bleu*, rétorqua Eve, qui préférait œuvrer sur son terrain. Dans un quart d'heure.

Elle coupa la transmission.

20

Eve n'allait plus aussi souvent à *L'Écureuil bleu* qu'autrefois. C'était un établissement sans grand intérêt, où la nourriture comme le service laissaient à désirer. Dans la journée, il était fréquenté par une poignée de clients réguliers et moroses, et quelques âmes perdues qui espéraient – à tort – s'offrir un repas bon marché et un peu d'action.

Le soir, il accueillait une foule de fous furieux. La musique était forte, les tables, minuscules et rarement propres. D'une façon générale, l'air empestait l'alcool de mauvaise qualité et le Zoner.

Malgré tout, Eve éprouvait une affection particulière pour cet endroit, et elle fut soulagée de constater que rien n'avait changé depuis sa dernière visite.

Mavis y avait fait ses premiers pas de chanteuse, tourbillonnant dans des costumes improbables et s'époumonant devant une piste de danse archibondée.

Eve se demanda si le fait de devenir mère allait la calmer.

Sûrement pas.

— Prenez une table en face, ordonna Eve à Peabody. Mangez si vous osez.

— Leurs frites de soja sont acceptables. Je cours le risque.

Eve s'installa dans un coin. Peabody n'avait pas tort. Les frites de soja étaient acceptables. Elle programma donc sa commande sur l'ordinateur destiné à cet effet, avec une bouteille d'eau minérale. Dwier n'étant pas arrivé, elle sortit son communicateur et appela Feeney.

— Où en sommes-nous ?

— On est presque au but, répondit-il, le front luisant de sueur et les cheveux hirsutes. Dans deux heures, on l'aura. Qu'est-ce que tu fais ?

— Je déjeune. À *L'Écureuil Bleu*.

— Tu n'as peur de rien, Dallas.

— Je ne te le fais pas dire ! J'ai rendez-vous avec Dwier. Il ne va pas tarder. Je crois qu'il veut négocier.

— Qu'il essaie !

Feeney exhala bruyamment.

— Tu peux m'expliquer ce que les huiles fabriquaient ici ce matin ?

— Impossible. J'attends des infos. Ça m'ennuie, Feeney, mais je n'ai pas le choix.

— Tu as accroché un gros poisson, pas vrai ? Pas de problème. Mais rappelle-toi que certains gros poissons ont de grandes dents.

— Je serai prudente. Voilà Dwier. À plus !

Elle fourra son communicateur dans sa poche. Sa bouteille d'eau apparut sur un petit tapis roulant.

— J'avais dit seule, lança Dwier. Virez l'uniforme, ou on arrête ici.

— L'uniforme a besoin de se restaurer. Si vous voulez vous en aller, c'est votre problème. Je vous conseille d'éviter le café, ajouta-t-elle sur le ton de la conversation.

Il se laissa tomber sur la banquette. Elle ne s'étonna pas qu'il commande une bière.

— Votre petite amie vous a rapporté notre conversation d'hier ?

— Quand on parle de Clarissa, c'est avec respect. C'est une dame. Une femme comme vous ne sait pas reconnaître une dame.

— Mais elle sait reconnaître les flics pourris, les conspirateurs, les assassins et les fanatiques.

Sans le quitter des yeux, elle avala une gorgée d'eau.

— Je veux que vous lui fichiez la paix, siffla-t-il. Je ne renouvellerai pas mon avertissement.

Eve se pencha en avant.

— C'est une menace, Dwier ? Est-ce à dire que si je poursuis mon enquête sur Clarissa Price, vous vous en prendriez à moi physiquement ?

— Vous avez un micro ou quoi ?

— Non. Je souhaite simplement m'assurer de la nature de votre mise en garde. Afin de ne pas vous jeter dehors à coups de pied pour vous avoir mal compris.

— Vous vous prenez pour qui ? Vous autres, de la brigade des homicides, vous vous croyez tellement importants. L'élite, et blablabla. Vous arpentez les rues, vous fouillez dans les bennes à ordures, vous ramassez les morceaux d'un môme violé ou battu, vous ressortez la merde d'un ado mort d'une overdose de Jazz qu'il a achetée à un vautour opérant dans les cours de récréation. Ah oui, bravo, vraiment !

Malgré elle, elle éprouva un élan de sympathie pour ce collègue qui, de toute évidence, en avait trop vu.

— Est-ce la raison pour laquelle vous êtes impliqué, Dwier ? Parce que vous en aviez assez de suivre les étapes ? Est-ce pour cela que vous avez décidé d'être à la fois jury, juge et bourreau ?

Ses frites apparurent devant elle. Elle les ignora. La bière de Dwier arriva un instant plus tard. Il s'en empara et la décapsula d'un geste brutal, comme s'il tordait le cou d'un adversaire.

— Laissez Clarissa tranquille.

— Vous vous répétez. Racontez-moi quelque chose de nouveau.

Il but goulûment.

— Je ne dis pas que j'ai quoi que ce soit à vous révéler. Mais si c'était le cas, il faudrait négocier… Je suis des vôtres. Si j'avais des éléments à vous fournir en rapport avec les homicides en question, j'exigerais l'immunité pour moi-même et pour Clarissa.

— L'immunité.

Eve s'adossa contre la banquette, sélectionna une frite, l'étudia un instant.

— Vous voulez que j'efface votre ardoise, tout simplement ? Sept morts, dont un flic, et vous voulez un tour de manège gratuit pour votre copine et vous ?

— Vous y parviendrez. Vous avez du poids.

Elle saupoudra sa frite de sel.

— En quel honneur m'en servirais-je ?

— Vous voulez résoudre l'affaire. Maintenir votre taux de succès. Vous espérez une autre fichue médaille.

— Vous ne savez rien de moi, murmura-t-elle. Vous voulez un dessin ? Que diriez-vous de celui-ci : une gamine de seize ans, déchiquetée, son sang partout sur les murs et la moquette parce qu'elle a tenté d'échapper à un type rendu fou par un groupe qui a décidé qu'il devait mourir. Elle s'appelait Hannah Wade. C'était une adolescente stupide et rebelle, qui s'est trouvée au mauvais endroit, au mauvais moment. Comme Kevin Halloway, un jeune flic, qui se contentait de faire son boulot. Comment qualifiez-vous ces morts dans vos statistiques ? Des pertes acceptables ?

— En ce qui concerne cette petite, Clarissa en est malade. Effondrée. Elle n'a pas fermé l'œil de la nuit.

Eve ravala le flot de bile qui lui montait à la gorge.

— Le procureur sera sensible à ses remords. Peut-être avez-vous été tous deux induits en erreur par les membres de l'organisation. Vous cherchiez juste un moyen de protéger les enfants sous votre surveillance.

— Ouais.

Il commanda une deuxième bière.

— Si c'est le cas, on peut espérer l'immunité.

— Ce n'est pas à moi de vous l'accorder, vous le savez bien. Je ne peux que la requérir.

— Vous pouvez insister. Vous savez quelles ficelles tirer.

Elle se détourna, écœurée.

— Je ferai ce que je pourrai. Mais vous êtes suspendu, et elle aus…

— Vous ne pouvez pas…

— Taisez-vous, Dwier. Taisez-vous, parce que vous devrez vous contenter de ce que je vais vous proposer. J'accepte de demander l'immunité. J'expliquerai que vos informations et celles de Price m'ont permis d'avancer dans mon enquête. Mais si ce que vous avez à m'apprendre ne vaut rien, Dwier, ne comptez pas sur moi. Ni vous ni Price n'irez en prison. Mais vous soumettrez votre demande de retraite, et elle démissionnera des Services de protection de l'enfance. Aux huiles de décider si vous garderez ou non vos allocations. Ce n'est pas mon problème. Mais vous serez libres.

Elle poussa son assiette de côté.

— Si vous refusez, je vous promets que je vous ferai tomber tous les deux.

Une lueur de rage dansa dans les prunelles de Dwier.

— J'ai seize ans de carrière. Seize ans à me défoncer pour le département.

— Et maintenant, vous avez cinq minutes pour prendre une décision.

Elle se leva.

— À mon retour, soit vous serez parti, soit vous serez prêt à parler.

Comme elle traversait la salle, Peabody voulut la suivre. Eve secoua la tête et continua son chemin.

Elle s'enferma dans les toilettes, s'aspergea la figure d'eau froide, encore et encore, jusqu'à ce que sa colère et son dégoût se dissipent.

Le visage ruisselant, elle releva la tête et s'examina dans la glace. Sept morts, pensa-t-elle. Sept. Et elle était sur le point d'aider deux des responsables à s'en sortir pour pouvoir coincer les autres.

Était-ce le prix à payer pour défendre Kevin Halloway et Hannah Wade ?

Elle s'essuya, sortit son communicateur de sa poche.

— Commandant. Il faudrait qu'on négocie avec Thomas Dwier et Clarissa Price.

Dwier était encore là quand elle revint. Il entamait sa troisième bouteille. Elle se demanda depuis combien de temps il noyait ainsi sa mauvaise conscience.

— Je vous écoute.

— Je veux d'abord des garanties.

— Je vous ai fait ma proposition une fois pour toutes. Ou vous parlez, ou vous partez.

— Il faut que vous compreniez : on a fait ce qu'on devait faire. On s'épuise à éliminer les parasites, et ils reviennent en force. Le système ne fonctionne plus. Entre les droits de l'homme et les avocats véreux, on ne s'en sort plus.

— Épargnez-moi vos sermons, Dwier. Je veux des faits. Qui tient les rênes ?

— Je vais vous le raconter à ma manière.

Il s'essuya la bouche du revers de la main, appuya les coudes sur la table.

— Clarissa et moi, on s'est rapprochés. Elle a consacré sa vie à aider des gosses paumés, dont plus de la moitié finissent par se faire avoir par le système. Au début, on sortait ensemble pour se défouler. Petit à petit, on est devenus intimes. Après le décès du môme Dukes, elle a songé à tout arrêter. Cette affaire-là l'a brisée. Elle a pris deux semaines de congé pour réfléchir. Et... Don est venu la voir.

— Don ? Donald Dukes ?

— Oui. Elle allait mal. Elle traversait une sale période. Il lui a parlé d'un groupe qui œuvrait pour trouver une solution au problème. Un groupe secret.

— Les Chercheurs de Pureté ?

— C'est ça. Don lui a suggéré d'assister à une réunion.

— Où ?

— Dans une salle paroissiale. En ville. L'Église du Sauveur.

— Une salle paroissiale ? s'exclama Eve, indignée sans trop savoir pourquoi, dans la mesure où elle n'était pas croyante.

— C'est un de nos lieux de rencontres. Nous nous retrouvons dans des églises, des écoles. La première fois, elle y est allée avec Don. Ça lui a remonté le moral. Elle s'est ressaisie. La fois suivante, je l'ai accompagnée. Leur programme est sensé. Vraiment, insista-t-il. Il s'agit de faire le ménage dans la ville, de la débarrasser de toutes les ordures qui y traînent. Les flics et les tribunaux sont débordés. Personne ne respecte la loi parce que la loi est sans effet. Et vous le savez.

Elle le dévisagea. Il avait les joues écarlates.

— Qui préside ces réunions ?

— C'est une démocratie, annonça Dwier non sans fierté. Nous avons tous notre mot à dire. Dukes est l'un des fondateurs. Il y a des médecins, des flics, des juges, des scientifiques, des pasteurs. Des penseurs, aussi.

— Je veux des noms.

Il baissa le nez. Frotta la bouteille contre son front.

— On s'appelle par nos prénoms, mais j'en ai reconnu quelques-uns, et j'ai effectué des recherches sur d'autres. Il vaut mieux savoir avec qui on couche. Écoutez, on a eu des soucis avec le logiciel. Peut-être qu'on a voulu aller trop vite. Les techniciens pensaient pouvoir supprimer le virus une fois la pureté absolue obtenue, mais il y a eu un problème. Ils travaillent jour et nuit pour y remédier. On a fait une collecte pour Halloway. L'argent ira à la Fondation pour les survivants de la police, en son nom.

— Je suis sûre que cela réconfortera sa famille. Je veux des noms, Dwier.

— Vous croyez que c'est facile de cafter ? s'écria-t-il en posant brutalement la bouteille presque vide sur la table. Vous croyez que c'est facile de donner les gens avec qui vous avez bossé ?

— C'était plus facile de tuer ? De jeter quelques billets dans un chapeau pour un flic mort parce qu'il y a eu un problème technique ? Je ne veux rien savoir de vos états d'âme, Dwier, ni de votre sens tordu de la loyauté. Je veux des noms.

— Garce !

— Mais oui, c'est ça. Alors ? Donald Dukes ? Son épouse ?

— Non, elle est en dehors de tout ça. Il n'aime pas beaucoup travailler avec des femmes.

— Pourtant, il a recruté Clarissa.

— Je pense qu'on a fait pression sur lui pour qu'il la prenne, parce qu'ils avaient un passé commun.

Dwier haussa une épaule.

— Matthew Sawyer, du Kennedy Memorial. Neurologue. Keith Burns, informaticien. Il a travaillé avec Dukes sur le virus. C'était le parrain de Devin. Stanford Quillens, un autre médecin. Le juge Lincoln, Angie et Ray Anderson – leur enfant a été violé par Fitsburgh. Angie dirige sa propre société de consultants en ville.

Il continua à citer des noms. Eve les enregistra. Il commanda une autre bière. Il était encore lucide. Quatre bières en moins d'une heure, et il paraissait sobre. Ce qui prouvait que son corps en était imbibé.

Il y avait d'autres médecins, d'autres flics, une conseillère municipale, d'autres informaticiens, deux autres ex-assistantes sociales et un pasteur.

— C'est tout ce que j'ai de confirmé. Clarissa pourra peut-être en rajouter deux ou trois.

— Et les fonds ? D'où proviennent-ils ?

— Chacun donne ce qu'il peut, notamment du temps. Certains ont les poches profondes. Nous bénéficions d'un soutien politique solide – et nous aurions pu nous agrandir sans ces accidents.

— Qui est votre soutien politique ?

— Le maire. Peachtree. Il n'assiste jamais aux réunions. Mais il envoie des déclarations, et des contributions. Selon moi, il est de mèche avec Saywer, Lincoln et Dukes.

— Êtes-vous en train de me dire que l'organisation émane du bureau du maire ?

— J'en ai bien l'impression. Peachtree veut des réformes. Il a trouvé un moyen de les mettre en œuvre. C'est un foutu héros.

Eve réprima un nouveau sursaut de dégoût.

— Comment sélectionnez-vous vos cibles ?

— On soumet les noms et les dossiers aux membres. Puis on vote.

— Qui d'autre est désigné ?

— Une seule personne a été infectée – on a décidé de patienter jusqu'à ce qu'on ait réglé les problèmes. Dru Geller. Elle gère des clubs privés, vend de la chair fraîche. Surtout des fugueuses qu'elle ramasse dans la rue et nourrit à l'Erotica.

— Comment savez-vous que votre victime est atteinte ?

— Ce n'est pas mon domaine. Trop technique. Mais je sais qu'on peut suivre l'utilisation de l'ordinateur infecté. Ils ont effectué des simulations. Ils savent le temps que ça mettra pour aboutir.

— Quand a lieu la prochaine réunion ?

Dwier ferma les yeux.

— Ce soir, à 20 heures. À l'église.

— Où est Dukes ?

Il hocha la tête.

— Dans une maison sécurisée au nord d'Albany. Je suis censé l'aider à se reconvertir. Il continue à travailler sur le programme. Lui et Burns, et d'autres techniciens. Tout sera prêt dans quelques jours. Ils en ont la certitude. Personne n'avait imaginé qu'il y aurait cette fille chez Greene. Comment diable voulez-vous qu'on prévoie un truc pareil ? Au fond, elle n'est pas très différente de Greene. Elle n'a eu que ce qu'elle méritait, comme lui. Ce n'est qu'une petite pute…

La gifle partit toute seule. Le claquement sec résonna à travers la salle. Quelques regards se tournèrent vers eux, brièvement. Eve se leva.

— Restez où vous êtes. Peabody ! Vous venez avec nous, Dwier. Vous allez raconter votre histoire au Central. Quelqu'un est allé chercher Price.

— Hé, une seconde !

— Fermez-la, espèce de salaud. Vous l'aurez, votre immunité. Mais vous allez m'accompagner maintenant, et vous resterez au Central jusqu'à ce que vos héros auto-proclamés soient tous arrêtés. Il y a une voiture dehors, ainsi qu'un représentant du bureau du procureur. Thomas Dwier, vous êtes désormais en garde à vue. Remettez-moi votre insigne et votre arme. Sur-le-champ, ajouta-t-elle, sans quoi, je vous traiterai comme j'en meurs d'envie, au lieu de suivre ce règlement pour lequel vous montrez tant de mépris.

— La population sait que nous avons raison, marmonna-t-il en jetant les objets requis sur la table. Grâce à nous, quatre monstres ont disparu des rues.

— Il existe toutes sortes de monstres, Dwier. Vous n'en êtes pas tout à fait un. Vous n'êtes qu'une fouine. Une honte pour notre métier.

Une fois qu'il fut dans le véhicule, Eve monta dans le sien. Puis elle posa le front sur son volant.

— Ça va, Dallas ?

— Non, ça ne va pas.

Elle sortit l'insigne et le revolver de Dwier de sa poche.

— Mettez tout ça dans un sachet scellé. Je ne veux plus y toucher. Je lui ai garanti l'immunité. Il repartira libre comme l'air. Peut-être que je réussirai à le coincer. Mais en attendant…

— Le procureur n'aurait jamais accepté l'immunité s'il ne pensait pas que c'était la meilleure solution.

— Quand on veut le gâteau tout entier, sacrifier une petite part paraît raisonnable. C'est ce que s'est dit le procureur. C'est ce qu'espérait Dwier. J'aimerais en être convaincue, moi aussi. Trouvez-moi l'adresse de Dru Geller. Elle est dans le système.

Elle brancha son communicateur pour appeler Whitney.

Il lui fallut une heure pour tout arranger comme elle le souhaitait. Un temps précieux, mais elle ne voulait pas perdre un flic de plus. Pas aujourd'hui.

— On ne sait pas dans quel état elle est, expliqua Eve à l'équipe de crise qu'elle avait sélectionnée. Partons du principe qu'elle sera violente et armée. Trois hommes à la porte, trois aux fenêtres. On entre rapidement. On la maîtrise et on l'emmène. En aucun cas il ne faut tirer avec une arme standard, même réglée au niveau le plus faible. L'infection s'est probablement déjà répandue, si bien qu'un choc électrique l'achèverait. On n'utilise que des tranquillisants.

Elle désigna le plan de l'appartement affiché à l'écran.

— Vous avez pu vous familiariser avec les lieux. Nous savons que le sujet est à l'intérieur. On ne sait pas où, précisément, mais sans doute dans la chambre principale, que vous voyez ici. Vous maintiendrez la communication pendant toute la durée de l'opération. Une fois le sujet neutralisé, elle sera transférée au centre médical où elle est attendue.

Peut-être qu'ils réussiraient à la sauver, songea Eve en s'approchant de la porte de Dru Geller. Peut-être pas. Si les renseignements de Dwier étaient fiables, il leur restait moins de huit heures. Morris prétendait que dès le sujet était atteint, l'infection était irréversible.

Six collègues, son assistante et elle-même allaient risquer leur vie pour une femme qui était vraisemblablement déjà morte.

Elle dégaina son pistolet hypodermique, ordonna d'un signe de tête à un des flics de décoder les serrures.

— On décode, murmura-t-elle dans son communicateur. Attendez mon signal.

Poussant la porte, elle fut assaillie par une odeur nauséabonde, mélange de nourriture pourrie et d'urine rance. Les lumières étaient éteintes, les stores, baissés.

D'un bond souple, elle fut à l'intérieur et se posta à droite.

— La voie est libre.

C'est alors qu'elle entendit une sorte de grondement. Comme celui qu'émettrait un chien enragé acculé dans un coin.

— Je me dirige vers la chambre principale. Surveillez les fenêtres.

Elle pénétra dans la pièce.

Dru Geller se tenait le dos contre le mur. Elle était en petite culotte. Le sang dégoulinait de ses seins, qu'elle avait lacérés avec ses ongles. Elle saignait du nez.

En un éclair, Eve embrassa la scène. Et vit la paire de ciseaux qu'elle serrait dans sa main.

Les ciseaux volèrent, telle une flèche jaillissant de son arc. Eve pivota, visa, atteignit Geller à l'épaule gauche.

— Allez-y !

Eve lui infligea une seconde injection de calmants, dans le ventre. Pourtant, Geller bondit comme une lionne, toutes griffes dehors, les yeux rouges, exorbités. Un hurlement lui échappa tandis qu'une troisième dose de tranquillisant venait se ficher dans son épaule droite.

Elle s'effondra. Le tout ne dura que quelques secondes.

— Au centre médical ! ordonna Eve. Vite !

— On a un officier à terre.

— Quoi ?

Eve fit volte-face.

Peabody gisait sur le sol, les ciseaux plongés dans l'épaule.

— Non ! Bordel de merde, non !

Elle se précipita vers elle, s'agenouilla, effleura son visage de la main.

— J'ai esquivé à droite, j'aurais dû esquiver à gauche, articula Peabody. Ce n'est pas trop grave, hein ? Pas trop grave.

— Non, ce n'est rien. Faites monter un médecin ! cria Eve. Dépêchez-vous !

Elle ôta sa veste et s'en servit pour éponger le flot de sang.

— Vous pouvez les arracher ? S'il vous plaît ? chuchota Peabody en cherchant la main d'Eve. Ça me rend malade de les voir là.

— Il vaut mieux attendre le médecin.

— Un centimètre plus loin, et mon gilet pare-balles me protégeait. Ça tient à peu, hein ? Aïe ! Bon sang, ce que ça fait mal. C'est horrible. J'ai froid. C'est le choc, n'est-ce pas ? N'est-ce pas, Dallas ? Je ne vais pas mourir ?

— Mais non, répliqua Eve en s'emparant du couvre-lit froissé. Je n'ai pas de temps à perdre à former une nouvelle assistante. Ah ! Ce n'est pas trop tôt ! ajouta-t-elle à l'adresse du médecin. Faites quelque chose !

Ignorant Eve, il s'accroupit près de Peabody, vérifia ses signes vitaux.

— Comment vous appelez-vous ?

— Peabody. Vous allez me sortir ces ciseaux de là, oui ou non ?

— Bien sûr. Mais d'abord, je vais vous administrer un petit calmant.

— J'en veux plein. C'est Dallas qui aime souffrir.

Il lui sourit, prépara sa seringue.

— Elle perd beaucoup de sang, aboya Eve. Vous comptez la laisser se vider complètement ?

— Du calme, rétorqua-t-il d'un ton posé. Dommage pour la veste. Le tissu était beau. Je vais maintenant procéder à l'extraction de l'objet invasif. À trois, Peabody, d'accord ?

— Un, deux, trois.

Le médecin accrocha le regard d'Eve et articula en silence : « Maintenez-la. »

Vingt minutes plus tard, Dallas arpentait la salle d'attente des urgences. Elle avait failli assommer le médecin qui lui avait ordonné de rester à l'écart. Elle s'était retenue, parce que, après tout, il valait mieux qu'il soit conscient pour sauver Peabody.

McNab fit irruption en boitant, Connors sur ses talons.

— Où est-elle ? Qu'est-ce qu'ils lui font ? C'est grave ?

— Ils sont en train de la soigner. Comme je vous l'ai déjà expliqué, McNab, elle a une blessure profonde à l'épaule, mais les artères sont épargnées. Ils vont nettoyer la plaie, la recoudre, la panser. Ensuite, après l'avoir transfusée, ils la lâcheront dans la nature.

Elle le vit fixer ses mains. Elle n'avait pas pris le temps de les laver, et elles étaient pleines de sang. Marmonnant un juron, elle les fourra dans ses poches.

— Quel box ?

— B. Première porte à gauche.

Il s'éloigna.

— Je ne peux pas rester ici, grommela Eve avant de se ruer dehors.

— C'est plus sérieux que ce que tu as raconté à McNab ? s'enquit Connors.

— Je ne le pense pas. Le médecin était optimiste. Il ne pouvait pas la traiter sur place, mais il ne semblait pas inquiet. Elle a perdu beaucoup de sang.

— Tu en as perdu un peu aussi, murmura-t-il en examinant son menton, là où Geller l'avait griffée.

— Ce n'est rien. Nom de nom, ce n'est rien !

Se détournant, elle flanqua un violent coup de pied dans le pneu d'une ambulance garée devant l'entrée.

— C'est moi qui l'ai entraînée là-dedans.

— Elle est moins flic que toi ?

— Ce n'est pas le problème ! Je l'ai emmenée avec six autres collègues. C'est moi qui ai organisé cette opération. J'ai esquivé les ciseaux quand Geller les a lancés sur moi.

Ses yeux s'étaient voilés de larmes. Un spasme la secoua. Connors la serra contre lui.

— Peabody a été moins rapide. Est-ce ta faute ?

— La question n'est pas là. Je les ai tous entraînés à ma suite pour neutraliser et transporter à l'hôpital une femme qui va probablement mourir. J'ai ordonné à ces gens de risquer leur vie pour elle. Une femme qui vend des fillettes. Quelle ironie, non ? À quoi ça sert, tout ça, tu veux me le dire ?

— Lieutenant.

Elle tressaillit en reconnaissant la voix de McNab, se retourna vivement.

Il ne l'avait jamais vue pleurer, ne l'en savait pas capable.

— Elle est consciente. Vous aviez raison, ils vont la laisser partir. Ils la gardent encore en observation une heure. Elle est un peu groggy, mais elle m'a demandé si vous étiez dans les parages.

— Je vais la voir.

— Dallas.

McNab lui barra le chemin, lui prit le bras.

— Si vous lui demandez à quoi ça sert, tout ça, elle vous le dira. Vous ne m'avez pas posé la question, mais je vais vous répondre tout de même. Quand il faut intervenir, c'est nous qui sommes censés le faire. Je n'étais pas présent, mais je sais que c'est vous qui avez franchi le seuil la première. Donc, vous savez déjà pourquoi.

— J'avais peut-être besoin que quelqu'un me le rappelle.

Connors la suivit des yeux tandis qu'elle rentrait à l'intérieur.

— Vous êtes un type bien, McNab, déclara-t-il. Que diriez-vous d'aller acheter un bouquet de fleurs pour Peabody ?

— D'habitude, les fleurs, je les pique.

— On fera une exception pour cette fois.

21

Whitney écouta le rapport d'Eve. Elle avait ôté sa veste, et une petite tache de sang séché maculait son chemisier.

— Peabody a-t-elle quitté l'hôpital ?

— Ils allaient lui faire signer la décharge quand je suis partie. Elle va devoir prendre deux ou trois jours de congé maladie.

— Voyez ça avec elle. Dwier et Price sont en garde à vue, et seront maintenus au secret jusqu'à ce que nous en ayons terminé. Nous avons trouvé la maison sécurisée à Albany. Quand vous aurez mis de l'ordre ici, nous arrêterons Dukes. Nous sommes d'accord pour qu'il ne le soit pas avant votre descente à la réunion de ce soir ?

— Oui, commandant. Dwier et Price ne sont que des soldats. Dukes est un des généraux. Il est sans doute en contact avec d'autres dirigeants du groupe. On va le laisser mariner. Commandant, dans la mesure où Dwier m'a révélé la participation du maire Peachtree à cette organisation, je demande qu'on m'autorise à l'interroger officiellement.

— Le maire a accepté une assignation provisoire à résidence. Ses communications sont surveillées. Son avocat lui a conseillé d'avouer certaines… transgressions sexuelles, mais il continue de nier tout lien avec les Chercheurs de Pureté. Sur le plan politique, il est fichu.

— Sur le plan politique, murmura Eve.

— Je sais, c'est insuffisant. Cependant, l'opération de ce soir est prioritaire. Si l'on n'arrête pas tous les membres, on détruira au moins l'essentiel de l'organisation, et c'est ce qui importe.

— Que le bureau du maire soit une façade pour des terroristes, importe tout autant, commandant.

— Quelle différence que vous l'interrogiez demain plutôt qu'aujourd'hui ?

— Il pourrait nous fournir des informations supplémentaires.

— Avec sa cohorte d'avocats, vous perdrez un temps précieux sans lui arracher un seul nom. Je vous donne ma parole qu'à 10 heures, demain matin, il sera à vous.

— Bien, commandant. Merci.

— Vous avez accompli un travail remarquable sur cette affaire, en dépit de nombreux obstacles.

Il hésita, la dévisagea.

— J'ai discuté avec le préfet Tibble, ce matin. Vous méritez une promotion.

— Les galons ne m'intéressent pas.

— Allons donc ! Ceci est entre vous et moi. Vous les avez gagnés. Si ce n'était qu'une question de mérite, vous les auriez depuis longtemps. Mais l'âge entre en ligne de compte. Quel âge avez-vous, Dallas ?

— Trente et un ans, commandant.

Il laissa échapper un petit rire.

— J'ai des chemises qui sont plus vieilles que vous. Ma femme ne le sait pas, mais je les conserve précieusement.

— Commandant, je n'ignore pas que ma vie privée entre aussi en ligne de compte. Je suis mariée avec Connors, que d'aucuns, notamment au sein de ce département, considèrent avec méfiance – à moins qu'il ne leur rende service. Je sais que cela m'a empêchée de gravir les échelons. Le préfet Tibble avait raison. J'ai fait un choix.

— Si cela ne tenait qu'à moi, vous auriez votre promotion.

— À une époque, cela me paraissait important. Plus aujourd'hui.

Il changea de position, et son fauteuil grinça.

— Vous verrez, vous changerez d'avis. Rentrez chez vous. Changez-vous. Et préparez-vous à coincer cette bande de salauds.

Eve décida de suivre ces ordres à la lettre. Dès qu'elle fut chez elle, elle fonça sous la douche. Si seulement elle pouvait laver la frustration et la colère aussi facilement que le sang et la sueur !

Plaquant les mains contre le carrelage, elle baissa la tête sous les jets d'eau chaude. Et s'accorda vingt minutes de détente. Une fois calmée, elle passa dans le tube de séchage, s'enroula dans une serviette et retourna dans sa chambre.

Connors l'attendait.

— Assieds-toi, Eve.

Elle pâlit.

— Peabody.

— Non. Elle va bien. Elle ne va d'ailleurs pas tarder à arriver. Mais tu as besoin de t'asseoir.

— Je lance une opération majeure dans quelques heures. Il faut que je mette mes hommes au courant.

— Ça peut attendre, riposta-t-il en la forçant à s'asseoir sur le canapé.

— Je n'ai pas le temps ! protesta-t-elle tandis qu'il prenait place à côté d'elle.

— Tourne-toi, et ferme les yeux.

— Écoute, Connors ! Hmm…

Paupières closes, elle savoura la sensation de ses mains qui lui massaient la nuque.

— Tu es pleine de nœuds. Je pourrais t'obliger à avaler un antalgique, mais j'ai une meilleure idée.

— Ah oui ? Si ce n'est pas terminé dans un quart d'heure, tu auras droit à un coup de pied dans les fesses.

Il se pencha, effleura son dos des lèvres.

— Je t'aime, Eve. Malgré ton obstination.

— Je ne suis pas obstinée. Je suis… Je manque de confiance en moi. Ce salaud de Dwier sait qu'il a raison. Il n'a pas l'ombre d'un doute. Il essaie simplement de sauver sa peau et celle de sa copine.

— Beaucoup de gens se targuent d'avoir raison alors qu'ils ont tort. Le fait de douter te rend humaine.

— Pas toujours. Aujourd'hui, j'ai promis l'immunité à un flic pourri afin de résoudre une affaire.

— Tu avais un choix à faire.

Elle lui agrippa les mains. Elle l'avait choisi, lui. C'était la meilleure décision de sa vie. Là-dessus, au moins, elle n'avait aucun doute.

— Il a dit… qu'ils avaient lancé une collecte pour Halloway. Pour honorer sa mémoire. Comme s'ils en avaient le droit !

Connors l'enveloppa de ses bras, et la laissa déverser sa bile.

— J'étais là, assise en face de lui, à écouter ses justifications de merde, sa propagande, et je me suis rappelé la manière dont Colleen Halloway m'avait remerciée. Elle m'a remerciée, et moi, je laisse courir des gens qui sont responsables de la mort de son fils.

Elle plia les genoux, posa le menton dessus.

— Je revois Hannah Wade. À plat ventre dans une mare de sang. Dwier a dit que c'était regrettable. Que c'était un accident. Mais qu'après tout, ce n'était qu'une sale petite pute, et qu'elle avait mérité ce qui lui était arrivé. Je l'aurais volontiers étranglé. Au lieu de quoi, j'ai négocié avec le procureur pour qu'il n'ait pas à payer pour ses crimes. Est-ce que je défends les morts, ou est-ce que je les piétine ?

— Tu connais déjà la réponse, murmura Connors en la faisant pivoter doucement face à lui.

— Autrefois, j'étais sûre de moi, souffla-t-elle, les yeux brillants de larmes. Quel genre de flic vais-je devenir si je n'y crois plus ?

— Je ne connais pas ce Dwier, mais je sais une chose : s'il ne passe pas le restant de ses jours en cage, il n'en sera pas libre pour autant. Toi, je te connais, Eve. Ce que tu as fait, tu l'as fait pour Halloway, pour Hannah Wade et les autres.

— J'espère seulement que cela valait le coup. Ce soir, je vais les briser. Et demain, j'enverrai Peachtree les rejoindre en enfer.

Elle s'essuya les yeux, fourragea dans ses cheveux.

— Pour ça, il faut que je me ressaisisse.

— Tu veux une bonne nouvelle ?

— Volontiers.

— Nous avons identifié le virus. Nous l'avons dupliqué. Ce qui signifie que nous pouvons à présent créer un filtre permanent et accéder sans danger aux données des ordinateurs infectés.

— Vous pouvez remonter à la source ?

— Oui, et nous le ferons. Cela prendra un peu de temps, mais nous sommes sur la bonne voie.

— Tant mieux. J'ai un mandat de perquisition, ajouta-t-elle en songeant au juge Archer. Tout le matériel de Dukes – enfin, ce qu'il a laissé chez lui – doit être confisqué. J'aimerais que tu ressortes les transmissions. Quelqu'un lui a donné l'ordre de filer. Nous aurons les ordinateurs de Dwier et de Price aussi. Au cas où ils ne nous auraient pas cité tous les noms.

— Ça va nous occuper un moment.

— Jamie et toi pouvez-vous travailler là-dessus ce soir pendant que j'effectue ma descente ?

— Je croyais que toute l'équipe devait y participer ?

— Il est hors de question que j'emmène un môme avec moi.

Elle se leva, alla se planter devant son armoire.

— Tu me seras plus utile au labo. Je ne t'en donne pas l'ordre, je te le demande.

— Subtil. Très bien, répondit-il en se levant à son tour. Ce pantalon ne va pas avec ce chemisier. À quoi penses-tu ?

— Je vais sur le terrain, pas à un gala de charité.

— Ce n'est pas une raison pour t'habiller n'importe comment. Voyons… Que pourrais-tu porter d'élégant pour démanteler une organisation terroriste ? Le noir, c'est idéal.

— Tu plaisantes ?

— Non. Mais c'est bon de te voir sourire, lieutenant, murmura-t-il en lui caressant la joue. Ah ! Et mets les boots noirs, pas les marron.

— Je n'en ai pas.

Il se pencha, en sortit une paire de l'armoire.

— Bien sûr que si.

À cinquante mètres de l'église du Sauveur, Eve discutait avec Peabody dans le véhicule de surveillance.

— Écoutez, vous avez de la chance d'être là. Vous êtes en congé maladie.

— Non, parce que je n'ai pas signé ma requête.

— Je l'ai signée à votre place.

— J'ai déchiré la fiche.

Eve montra les dents.

— Vous avez oublié « lieutenant ».

— Pas du tout !

— Vous voulez que je vous sanctionne pour insubordination ?

— Allez-y ! riposta Peabody en croisant les bras. Je suis en état de participer à cette opération.

Eve poussa un soupir.

— Vous avez peut-être raison.

Feeney détacha un instant les yeux de son écran pour jeter un coup d'œil à Eve. « Aïe ! Aïe ! Aïe ! » pensa-t-il.

— On m'a recousue, insista Peabody. Je suis en pleine forme. Ce n'était pas si grave.

— Après tout, vous devez savoir mieux que moi comment vous vous sentez.

— Absolument. Lieutenant.

— Très bien.

Eve lui tapota l'épaule, puis la pressa brièvement. Son assistante blêmit, arrondit la bouche en un « o » de douleur.

— Et maintenant ? Comment vous sentez-vous ?

— Juste…

— Recousue ? En pleine forme ? s'enquit-elle, tandis que des gouttes de sueur apparaissaient sur le front de Peabody.

— Je suis…

— Asseyez-vous et bouclez-la.

— Oui, lieutenant.

Jambes flageolantes, Peabody obéit et se pencha en avant, la tête entre les genoux.

— Vous resterez ici et assisterez McNab, décréta Eve. Vous ne dites rien, McNab ?

— Non, lieutenant. Ça va, mon ange ? ajouta-t-il en caressant le dos de Peabody.

— Pas de « mon ange » ! s'écria Eve. Pour l'amour du ciel, un peu de tenue ! Si vous continuez comme ça, je vous transfère dans le Queens.

Elle tourna les talons et prit place auprès de Feeney.

— Où en sommes-nous ?

— Pour l'instant, c'est plutôt calme… Elle a du cran, reprit-il, tout bas.

— Elle aura d'autres occasions.

L'église était une petite bâtisse sans prétention. Elle avait dû être blanche, un jour. À présent, elle était d'un gris sale, et surmontée d'une croix noire toute simple.

Eve en avait soigneusement étudié les plans, fournis par Baxter. Il avait exploré les lieux déguisé en clochard. S'il n'avait pu descendre au sous-sol, il avait cependant réussi à dessiner le rez-de-chaussée avec précision.

Au passage, il avait récupéré un don de dix crédits de la part du pasteur... pour déguerpir.

Il avait compté cinquante bancs, vingt-cinq de part et d'autre de l'allée centrale. D'un côté de l'estrade, à l'avant, se trouvaient deux portes. Baxter s'était débrouillé pour en pousser une. Il avait eu le temps de jeter un œil dans le bureau qu'elle desservait avant que le pasteur ne fasse irruption.

Le matériel était très sophistiqué, d'un niveau nettement supérieur à ce que pouvait s'offrir une banale paroisse.

L'entrée principale, devant, l'entrée latérale, à l'est, et celle du fond, qui menait au sous-sol, étaient sous haute surveillance. Quand Eve donnerait le signal, les policiers cerneraient le bâtiment.

— Il y a plus de monde, annonça Feeney.

Eve s'empara de son casque.

On discutait sports. Le dernier match des Yankees. Les femmes échangeaient des recettes de cuisine et parlaient de leurs enfants. Quelqu'un annonça une promotion chez Barney.

— Seigneur, souffla Feeney, effaré, on se croirait à une réunion de parents d'élèves. Qu'est-ce que c'est que ces terroristes ?

— Des gens normaux, murmura Eve. C'est ce qui les rend si dangereux. La plupart d'entre eux sont des citoyens lambda en quête de tranquillité. J'ai regardé un vieux western avec Connors. Les méchants débarquent en ville. La loi ne peut rien contre eux parce qu'ils n'hésitent pas à l'envoyer balader. Donc, les habitants se regroupent, et engagent une bande de malfrats.

Elle plongea la main dans le sac d'amandes de Feeney, puis enchaîna :

— Les malfrats éliminent les méchants. Ensuite, ils se disent, tiens, on est plutôt bien ici, on va s'installer et prendre les choses en main. Que peut-on contre ça ? Et c'est ainsi que la ville se retrouve sous leur emprise.

— En somme, c'est une guerre contre une autre.

— Oui. Au final, un shérif intervient et, après une série de fusillades, de plongeons depuis les toits des maisons et d'hommes traînés par des chevaux, il fait le ménage.

— On n'a pas de chevaux, mais on va faire le ménage ce soir.

— J'espère bien !

Ils patientèrent. De temps en temps, un rapport grésillant en provenance d'une des unités postées autour du périmètre venait interrompre conversations sans intérêt et silences interminables. Un vrai boulot de flic, songea Eve en buvant un café. Des heures et des heures d'attente, des montagnes de paperasse, l'ennui. Entrecoupés de quelques moments intenses, où tout devenait une question de vie ou de mort.

Elle jeta un coup d'œil à Peabody. Il suffisait de si peu...

— Ça y est, ils commencent, annonça Feeney. Je suppose que tout le monde est arrivé. Ces salauds démarrent par le Notre Père.

— Ils ont raison de prier, marmonna Eve en se levant. Allez !

Elle procéda à une ultime vérification avec chaque capitaine d'unité, leur ordonna de maintenir leurs positions pendant que Feeney et elle allaient rejoindre Baxter et Trueheart.

Son équipe commencerait par la porte menant au sous-sol.

Elle s'assura que Baxter portait son gilet pare-balles. Il lui sourit.

— Ça pèse une tonne, pas vrai ?

— Ça me tape sur les nerfs, avoua-t-elle.

— La réunion a commencé, annonça McNab dans son casque. C'est le juge Lincoln qui préside. Ils lisent le compte rendu de la dernière réunion.

— Laissons-leur quelques minutes. Enregistrez tout, McNab. Plus on aura d'infos, plus on pourra les enfoncer.

— Lieutenant ? chuchota Trueheart comme s'ils étaient déjà à l'intérieur de l'église. Je tiens à vous remercier de m'avoir recruté pour cette opération.

— Ils passent à l'ordre du jour, intervint McNab. Discussion sur l'exécution de Greene. Celle de Wade est considérée comme un incident malencontreux. Seigneur ! Une seule objection.

— Lieutenant ? fit Peabody. La nouvelle vient de me parvenir. Geller n'a pas survécu.

Huit morts, compta Eve.

— Cette réunion est terminée.

— Nous sommes prêts, dit Baxter.

— À toutes les unités : foncez !

Elle entra la première, et dégringola un escalier de métal. Mentalement, elle vit les autres équipes faire irruption par l'avant et se répartir sur tout le rez-de-chaussée.

Pistolet au poing, brandissant son insigne, elle se rua dans la salle paroissiale.

— Police ! Personne ne bouge !

Il y eut des cris, des invectives. Quelques bousculades. Les unités secondaires envahirent les lieux telles des fourmis autour d'un pique-nique. Des fourmis équipées de pistolets laser et de fusils hypodermiques à double canon.

— Les mains en l'air ! hurla Eve. Ou on vous neutralise. Le bâtiment est cerné. Vous n'avez aucune échappatoire. Vous êtes en état d'arrestation pour activités terroristes, complicité d'assassinat, le meurtre d'un policier et plusieurs autres délits qui vous seront exposés plus tard.

Elle s'avança, scrutant les visages, guettant les mouvements. Certains pleuraient, d'autres étaient écarlates de rage. D'autres encore étaient agenouillés, les mains jointes tels des martyrs sur le point d'être jetés dans la fosse aux lions.

— À plat ventre sur le sol, commanda Eve. Les mains derrière la tête.

Du coin de l'œil, elle vit Juge Lincoln glisser la main sous sa veste. Elle pivota brusquement.

Il se figea. Il avait un visage osseux, aux traits durs. Eve avait témoigné à plusieurs reprises en sa présence. Elle lui avait fait confiance.

Elle s'empara de l'arme qu'il dissimulait sous son vêtement, le palpa.

— Nous sommes la seule solution, déclara-t-il. Nous sommes suffisamment courageux pour agir, alors que les autres se contentent d'attendre.

— Je parie que Hitler disait la même chose ! À plat ventre ! répéta-t-elle en le poussant. Les mains derrière la tête.

Elle le menotta elle-même.

— Ça, c'est pour Colleen Halloway, lui chuchota-t-elle à l'oreille. Si quelqu'un a du courage, c'est bien elle. Vous n'êtes qu'une ordure. Baxter ! Lisez donc leurs droits à ces héros du jour.

Il était 2 h 30 lorsqu'elle atteignit sa maison. Une immense lassitude s'était emparée d'elle, annihilant tout sentiment de victoire. Elle se sentait si vidée qu'elle n'eut même pas la force d'insulter Summerset qui l'attendait dans le vestibule.

— Dois-je, en dépit de l'heure tardive, préparer des rafraîchissements pour vos invités ?

— Non. Ils sont rentrés chez eux.

— Encore un succès à votre actif ?

— Ils ont tué huit personnes avant que je ne les arrête. Question succès, on peut s'interroger.

— Lieutenant.

— Quoi ?

— Pendant les Guerres Urbaines, il y a eu de nombreuses organisations dirigées par des civils. Nombre d'entre eux ont risqué leur vie pour protéger leurs quartiers assiégés ou reconstruire ceux qui avaient été rasés. Les actes héroïques n'ont pas manqué. Mais il y avait aussi des groupes qui cherchaient uniquement à détruire, à punir. Certains ont fondé leurs propres tribunaux, tenu des procès. Curieusement, le verdict était toujours le même, et les coupables, vite exécutés. Les uns comme les autres ont mené avec succès leurs entreprises respectives. Cependant, l'Histoire est illuminée par les premiers, et ternie par les seconds.

— Je ne cherche pas à entrer dans l'Histoire.

— Dommage, dit-il tandis qu'elle commençait à gravir l'escalier. Car c'est ce que vous avez fait ce soir.

Elle se rendit d'abord au laboratoire, où elle ne trouva que Jamie devant un jeu vidéo. Son écran affichait l'image virtuelle du stade des Yankees. Il jouait contre Baltimore, qui menait de deux points.

— Ma parole, t'es aveugle, ou quoi ? s'exclama-t-il en appuyant frénétiquement sur les touches. Pauvre idiot, t'es hors jeu !

— Pas du tout, protesta Eve.

Jamie tourna la tête.

— On fait une partie ensemble ? C'est plus drôle.

— Une autre fois, Jamie. Je suis fatiguée.

— Hé, attendez ! s'écria-t-il en se levant. Vous ne me racontez pas comment ça s'est passé ?

— On a réussi.

— Ça, je le sais. Mais je veux des détails, Dallas !

— Demain.

— Un tuyau. Vous m'en filez un, je vous en file un en échange.

— Nous avons confisqué les enregistrements de toutes les réunions. Ils sont cuits. Je t'écoute.

— On est sur une piste.

— Vous avez découvert la source ?

— Fastoche, une fois qu'on a pu cloner. Le virus partait de l'ordinateur confisqué dans le bureau de Dukes. C'est lui qui appuyait sur le bouton rouge chaque fois.

— Ils l'ont ramené d'Albany tout à l'heure. Il a pris un avocat. Demain, je vais le mettre en pièces. À présent, va te coucher, Jamie.

— Faut d'abord que je batte les Oréos.

Elle haussa les épaules.

— À ta guise.

Sur le seuil, elle se retourna.

— Jamie, je n'étais pas d'accord avec Connors pour que tu participes à cette enquête. J'avais tort. Tu as accompli un travail extraordinaire.

Le visage de l'adolescent s'illumina.

— Merci.

Elle passa dans le bureau de Connors. Lui aussi était devant son ordinateur. Il l'éteignit aussitôt.

— Félicitations, lieutenant, lança-t-il. Où est ton équipe ?

— Ils sont allés fêter ça dans un bar. J'ai décliné l'invitation.

— Tu vas pouvoir boire un verre avec moi, alors, déclara-t-il en se levant pour le lui verser. On a ta source.

— C'est ce que Jamie vient de m'apprendre. Je me suis arrêtée au labo en chemin.

— Il n'est pas encore couché ?

— Les Yankees contre les Oréos, sixième manche. Il a deux points de retard.

— Ah ! Dans ce cas…

Il lui tendit son verre.

— Est-ce qu'il t'a précisé qu'on était tombé sur un certain nombre de transmissions ? Entre Price et Dwier. Et trois autres, jusqu'ici, en provenance directe du bureau du maire. La dernière, l'après-midi qui a suivi ta visite chez Dukes. Que du texte. Il conseille à Dukes de prendre des vacances avec sa famille, et lui suggère une adresse du côté d'Albany. C'est rédigé avec soin, mais vu les circonstances, cela pourra servir de pièce à conviction supplémentaire.

— J'arrête Dukes et Peachtree demain.

Elle se percha sur le bras d'un fauteuil, mais ne but pas.

— J'ai délégué à mes collègues les interrogatoires après la descente. Ils réclamaient tous leur avocat à cor et à cri.

— Tu les as brisés.

— J'ai arrêté un juge, deux flics – dont un retraité après trente ans de carrière. Deux mères de famille, presque aussi paniquées à l'idée de prévenir leur baby-sitter qu'à la perspective de passer une nuit en cellule. Un garçon à peine assez âgé pour se raser, et une femme qui ne verra plus jamais la lumière du jour. Elle m'a craché dessus en montant dans le panier à salade.

Connors s'approcha, lui caressa les cheveux. Elle appuya la joue sur sa poitrine.

— Je suis désolé.

— Moi aussi. Je ne sais pas de quoi. Il faut que je dorme, ajouta-t-elle en se levant. Je jetterai un coup d'œil sur les données que Jamie et toi avez extraites dans la matinée.

— Je te rejoins dès que possible. J'ai une réunion dans quelques minutes.

— Une réunion ? s'étonna-t-elle. Il est 3 heures du matin.

— C'est une holo-conférence avec Tokyo.

300

Elle opina, posa son verre, auquel elle n'avait pas touché.

— Tu étais censé y aller ? À Tokyo ?

— Je peux travailler d'où je veux. Et je préfère être ici.

— Je t'ai beaucoup accaparé, ces temps-ci.

Il caressa du pouce les cernes sous ses yeux.

— En effet, et j'espère être dûment récompensé. Maintenant, va vite te coucher. J'ai du boulot.

— À plus tard.

— Mmm...

Le signal de son unité holographique clignota. Il regarda Eve s'éloigner.

22

Elle se réveilla avant l'aube. Elle calcula qu'il lui restait à peu près une heure avant le lever du soleil. Autant en profiter.

Elle avait dormi d'un sommeil si profond qu'elle n'avait pas entendu Connors se coucher. Heureusement, elle n'avait pas fait de cauchemar.

Elle se tourna sur le côté pour le contempler. C'était rare qu'elle se réveille avant lui, elle avait donc rarement l'occasion de rester allongée dans le noir, à savourer le silence.

Au bout du lit, Galahad ronronnait paisiblement, étendu sur le dos.

Quel charmant tableau de famille, songea-t-elle avec un demi-sourire. Tout le monde bien au chaud. Ce serait dommage de gâcher ce temps précieux à dormir.

Elle s'allongea sur Connors, chercha ses lèvres.

— Tu as travaillé tard ? murmura-t-elle.

— Mmm…

— Grasse matinée ?

— Plus maintenant.

Elle rit, lui mordilla le lobe de l'oreille.

— Détends-toi. Je m'occupe de tout.

— Si tu insistes.

Elle était nue, elle avait la peau douce et brûlante. Dans la pénombre, elle se frotta contre lui, gourmande et passionnée, se délectant de son odeur et de sa chaleur, attisant leur désir réciproque.

Elle encadra son visage des deux mains, réclama sa bouche. Un soupir lui échappa, presque nostalgique, tandis qu'il lui caressait le creux des reins.

— Je t'aime, Connors. Je t'aime. Je t'aime… C'est pour toutes les fois où j'oublie de te le dire.

Leurs cœurs battaient à l'unisson. D'un mouvement lent, il la fit basculer sur le dos. Il couvrit sa gorge de baisers tendres, tandis que leurs jambes s'entrelaçaient. Il vit une lueur de bonheur danser dans ses prunelles. Il s'enfonça en elle. Arquée vers lui, elle laissa le plaisir inonder son ventre. Un frémissement la parcourut. Elle chercha ses mains. Leurs doigts s'entrecroisèrent.

Dehors, le soleil se levait.

Il était à peine 7 heures quand elle entreprit d'étudier les données récoltées par Connors et Jamie, la veille au soir. Elle fronça les sourcils, réfléchit.

— Dukes est fait comme un rat, et il le sait sûrement. C'est lui qui appuyait sur les boutons. Même sans aveux, je soumets au procureur une affaire qu'il ne peut que gagner.

— Pourquoi cet air irrité, alors ?

— Je me demande si ce type savait qu'il serait le bouc émissaire. C'est forcément lui qui va chuter le plus lourdement. C'est son nom que les médias clameront, son effigie que la foule brûlera. S'il ne s'en doute pas encore, je pourrai peut-être le convaincre de dénoncer ceux que je n'ai pas encore démasqués.

Elle lança un coup d'œil à Connors.

— J'ai deux ou trois détails à vérifier. Ensuite, j'irai m'occuper de lui. Je veux qu'il passe un bon moment avec moi, avant de le confier à Feeney et de m'attaquer à Peachtree.

— Tu interrogeras Peachtree au Central ?

— Non, chez lui. Son implication demeure un Code cinq jusqu'à son arrestation officielle.

— J'aimerais voir l'interrogatoire, dit Connors, qui, assis sur le canapé, surveillait ses transactions matinales sur l'écran mural.

— À quoi bon ?

— Je vous ai aidés.

— Et alors ? Mission accomplie, camarade. Tu peux reprendre ton travail et acheter... je ne sais pas, moi, l'Alaska, par exemple.

— J'ai tous les biens que je souhaite posséder en Alaska, merci. Sois gentille, lieutenant. Tu peux arranger ça. C'est une requête raisonnable, il me semble.

— Pour Dukes, oui. Peachtree, en revanche…

— Je l'ai soutenu financièrement. Tu n'es pas la seule à être dégoûtée par la situation. Je veux assister à sa fin.

— D'accord, d'accord. Je me débrouillerai. Mais je m'en vais à 10 heures, tu vas donc devoir…

— Une minute !

Il plissa les yeux tandis que Nadine Furst apparaissait à l'écran pour un flash d'information.

— La nouvelle vient de nous parvenir. Quarante-trois personnes soupçonnées d'appartenir aux Chercheurs de Pureté ont été arrêtées hier soir au cours d'une réunion à l'église du Sauveur, rue Franklin. L'opération était menée par le lieutenant Eve Dallas. De source policière, parmi les suspects figureraient le juge Lincoln, Michael et Hester Stanski…

— Comment a-t-elle obtenu ces noms ? explosa Eve. Nous ne les avons pas encore divulgués.

— Écoute la suite, dit Connors.

— Donald Dukes, enchaîna Nadine, ex-sergent des marines et spécialiste en informatique, a été mis en examen. Il est notamment accusé de complicité de meurtre.

Nadine marqua une pause, puis reprit :

— Mais le plus inquiétant dans cette affaire, ce sont les allégations soulevées à l'encontre du maire Steven Peachtree. Une source officielle confirme que le maire de New York est l'un des principaux suspects dans l'enquête sur les homicides perpétrés par les Chercheurs de Pureté. Il fera l'objet d'un interrogatoire officiel dès ce matin. Parmi les preuves reliant le maire Peachtree aux activités de l'organisation, une vidéo pornographique récupérée au domicile de Nick Greene après le décès de ce dernier. Ce film aurait été l'enjeu d'un chantage. Le maire s'est refusé à tout commentaire.

— Nom de nom ! grogna Eve, à l'instant où son communicateur bipait.

Elle imaginait déjà le standard du Central. Il devait clignoter comme un sapin de Noël.

— Vous êtes au cœur d'une tempête médiatique, lieutenant, commenta Connors. Une belle épreuve en perspective.

Elle décrocha.

— Lieutenant !

— Oui, commandant. J'ai vu. Je ne sais pas d'où elle sort ce scoop, mais je ne tarderai pas à le découvrir.

— Dépêchez-vous. Les avocats de Peachtree sont sur le pied de guerre.

— Fuite ou pas, commandant, je l'arrête aujourd'hui.

— Pas de déclaration aux journalistes, ordonna-t-il. Pas un mot avant que j'aie éclairci la situation. Commencez par coincer Dukes. Je vous ferai savoir quand et où vous pourrez récupérer Peachtree.

Elle raccrocha.

— Demande à Summerset de filtrer toutes les transmissions, et de surveiller Jamie de près. Il ne doit parler à personne, sous aucun prétexte. Même pas à sa mère.

— Tu crois que c'est lui qui a… ?

— Non, ce n'est pas lui. Mais je sais d'où ça vient.

Elle attrapa sa veste au vol.

— Si tu veux m'accompagner, tu as cinq minutes.

Elle le laissa conduire, et passa tout le trajet sur son communicateur, à faire le point avec son équipe, coordonner les tâches de chacun et mettre en place des vigiles supplémentaires au Central pour refouler les journalistes qui ne tarderaient pas à s'y ruer.

Puis elle contacta Nadine.

— Écoutez, avant de me sauter à la gorge, j'ai eu l'info trente secondes avant de passer à l'antenne. Je n'ai même pas eu le temps de peaufiner mon texte. Je n'aurais pas pu vous prévenir même si je l'avais voulu.

— Qui vous a donné le tuyau ?

— Vous me demandez de révéler ma source ? Vous savez très bien que je n'en ferai rien. Il se trouve que c'est mon producteur qui m'a soumis l'info. J'ignore comment il se l'est procurée. Tout ce que je sais, c'est que la fuite provient de quelqu'un de haut placé. Cette personne tenait à ce que je lise la déclaration.

— Vous, personnellement ?

— En effet.

— C'est fûté, observa Eve.

— C'est un de ces cirques dans le studio, Eve. Vous allez devoir me faire une déclaration très vite. Quelles preuves avez-vous que le maire Peachtree est lié aux activités des Chercheurs de Pureté ?

— Pas de commentaire, Nadine.

— Peachtree ne sera pas le seul à être éclaboussé. Vous allez en prendre plein la figure, vous aussi.

Tout en parlant, Nadine tourna légèrement son siège et afficha manuellement une série de données sur son écran d'ordinateur.

— Avant cette affaire, son taux de popularité s'élevait à cinquante-trois pour cent, poursuivit-elle. Nombre de ses électeurs sont des gens particulièrement influents et fortunés. En face, vous aurez tous ceux qui voudront le lyncher politiquement, et se serviront de vous pour y parvenir.

— Sur quel camp pariez-vous ? Les électeurs influents ou les lyncheurs ?

— Il va démissionner, c'est certain. Il n'a pas le choix. On l'accusera d'avoir trompé sa femme et fricoté avec Greene.

— Une petite confidence entre vous et moi, Nadine ?

Eve la vit lutter visiblement avec sa conscience.

— D'accord, d'accord. Entre vous et moi.

— Et si c'était un peu plus grave qu'un simple adultère ? S'il s'agissait de perversion sexuelle ?

— Seigneur ! Si c'est vraiment juteux, il est sans doute fichu, du moins à court terme. Quant à le condamner pour meurtre, à moins de pouvoir montrer le sang sur ses mains, c'est une autre histoire. La balance penchera des deux côtés, ce qui le place en plein centre. Les gens ont la mémoire courte, et sélective. Ils ne se rappelleront pas s'il est coupable ou innocent, mais ils se rappelleront qu'il a fait une grosse bêtise. S'il ne va pas en prison, s'il réussit à se faufiler entre les mailles du filet, il pourra se représenter d'ici quelques années. Et il remportera probablement l'élection.

— C'est ça, la politique, commenta Eve. À plus tard !

— Dallas...

Eve coupa la communication.

— Tu tires sur une ficelle, lieutenant, observa Connors. Je commence à distinguer la forme de la pelote d'où elle sort.

— Oui, on verra bien comment elle se dénoue. Gare-toi directement dans le parking. Et si tu écrases quelques reporters au passage, tu auras droit à des points en plus.

Une fois à l'intérieur du bâtiment, elle s'activa, fit amener Dukes et son armée d'avocats dans une salle d'interrogatoire en moins d'un quart d'heure. Elle s'y rendit en compagnie de Peabody, sachant pertinemment que Dukes serait furieux d'être questionné par deux femmes.

Elle appuya sur la touche *Enregistrement*, débita l'introduction de routine, se cala dans son siège.

— Allons-y !

— Lieutenant Dallas, intervint le chef de l'équipe juridique, un dénommé Snyder, aux épaules de déménageur et au menton carré. M. Dukes ne s'exprimera qu'à travers moi ou l'un de mes associés. C'est son droit.

— Pas de problème. Vous allez devoir avertir votre client que son matériel informatique a été officiellement confisqué à son domicile, de même que le portable trouvé dans la maison d'Albany. Les techniciens rattachés au département de police de New york ont extrait des données et des transmissions desdits ordinateurs. Ces données et ces transmissions suffiront à lui faire passer le restant de ses jours en prison.

Elle s'exprimait calmement, avec une ébauche de sourire, sans quitter Dukes des yeux.

— Vous pouvez également dire à votre client que je suis aussi heureuse que possible. Je suis arrivée ici en dansant, n'est-ce pas, Peabody ?

— Votre tango est inimitable, lieutenant.

— Vos sarcasmes sont enregistrés, lui rappela Snyder.

— J'y compte bien !

— Si, comme vous le prétendez, vous êtes en possession de documents à ce point explicites, je me demande pourquoi vous perdez votre temps à nous interroger.

— C'est surtout pour me faire plaisir, riposta-t-elle. Et parce que la loi m'oblige, quoi que j'en pense, à offrir à ce salaud – pardon, à votre client, l'occasion de faire montre de remords. S'il coopère, cela pourrait être pris en compte lors du verdict. Avez-vous fait vos calculs ? Huit homicides. Parmi lesquels se trouve un policier, ce qui en soi condamne votre client à la perpétuité hors planète, sans la moindre possibilité de remise de peine.

Snyder agita les mains.

— Lieutenant, vous n'avez aucune preuve directe liant Donald Dukes aux activités de cette supposée organisation.

— De deux choses, l'une : ou vous êtes aussi minable que votre client, ou il ne vous a pas tout avoué. À votre avis, Peabody ?

— Il me semble qu'on devrait accorder à M. Snyder le bénéfice du doute. D'après moi, Dukes est trop imbu de sa personne pour prendre la peine de tout raconter à son représentant légal. Il aime trop prendre les choses en main.

— Vous vous imaginez que le fait de porter un uniforme fait de vous quelqu'un, souffla Dukes.

— Oui, rétorqua Peabody en se rapprochant de lui. Je suis flic. J'ai juré de protéger la population contre des ordures de votre espèce. Je fais partie de ceux qui ont dû marcher dans le sang que vous avez versé.

— Ne vous adressez pas directement à mon client, protesta Snyder en se levant.

À la grande satisfaction d'Eve, Peabody pivota et se planta devant lui.

— Votre client s'est adressé directement à moi. S'il le fait, je suis libre de réagir.

— Allons, allons, mes enfants, interrompit Eve en tapant dans ses mains. Calmons-nous. Si nous voulons accorder à M. Snyder le bénéfice du doute, nous lui devons, ainsi qu'à ses associés, des explications sur les preuves que nous détenons.

— On devrait peut-être tout simplement le refiler au procureur.

— Peabody, ne soyez pas si dure !

— Si vous croyez que vous m'impressionnez avec votre scénario gentil flic/méchant flic…

— Jamais de la vie, monsieur Snyder ! railla Eve.

— Garce, marmonna Dukes.

— À ce propos, répliqua Eve, vous n'avez encore rien vu, Donald. Nous avons identifié votre virus. Nous l'avons dupliqué, et nous sommes remontés à la source : votre ordinateur portable. Vos empreintes digitales et vocales, votre code personnel. Les vôtres, et uniquement les vôtres. Vous ne vous imaginiez pas qu'on en serait capables, n'est-ce pas ?

Eve se pencha vers lui.

— J'ai à ma disposition quelques techniciens qui vous feraient passer pour un fraudeur débutant.

— N'importe quoi !

— Un courrier électronique infecté, émanant de votre ordinateur, envoyé par vos soins à Louis K. Cogburn, le 8 juillet 2059 à 14 heures. Un courrier électronique infecté transmis à Chadwick Fitzburgh, le 8 juillet à 23 h 14.

Le regard rivé sur lui, elle continua de réciter la liste qu'elle avait mémorisée. Elle vit son expression changer, passant de l'incrédulité à la colère. C'était précisément ce qu'elle cherchait.

— Vous êtes fait comme un rat. Ils savaient qu'on s'en prendrait à vous. Vous n'avez rien d'un général, Donald. Vous n'êtes même pas un soldat pour ceux qui mènent le bal. Vous êtes l'agneau sacrificiel.

— Vous ne savez rien de rien. Vous n'êtes qu'une aigrie qui tente de se faire passer pour un homme.

— Vous croyez ? Je vais vous montrer ce que j'ai dans le pantalon. Montrez-moi donc ce que vous avez dans le vôtre.

— Je souhaite m'entretenir avec mon client, intervint Snyder. En privé. J'aimerais mettre un terme à cet interrogatoire pour le moment.

— Vous les avez tués, n'est-ce pas ?

— Nous les avons exécutés ! cracha Dukes en abattant le poing sur la table. Vous, taisez-vous ! ajouta-t-il à l'intention de Snyder. Fermez-la. Vous êtes une partie du problème. Comme elle. Vous prendriez la défense de Satan si on vous payait. Je n'ai pas besoin de vous. Je n'ai besoin de personne.

— Renoncez-vous à la présence de vos avocats, monsieur Dukes ? demanda Eve.

— J'insiste, fit Snyder. Je dois parler avec mon...

— Allez au diable ! rugit Dukes en se levant d'un bond.

Sa chaise valsa contre le mur.

— Allez au diable, tous autant que vous êtes ! Nous avons accompli une grande œuvre. Vous croyez que j'ai peur d'aller en prison pour ça ? J'ai rendu service à mon pays. À ma communauté.

— En quoi avez-vous rendu service à votre communauté ?

Sa bouche se tordit en un rictus.

— En exterminant les cafards.

— Monsieur Dukes, déclara Snyder, avec un calme olympien, je vous demande une dernière fois de profiter de votre droit à garder le silence. Le lieutenant Dallas va int...

— Fichez le camp ! tonna Dukes sans lui accorder un regard. Vous êtes tous virés.

Snyder ramassa sa serviette et fit signe à ses assistants de le suivre.

— Vous avez bien noté que Snyder et Associés ne représentent plus Donald Dukes. Lieutenant Dallas, je vous salue.

— La porte, fit Eve, et Peabody se précipita pour leur ouvrir.

— Donald Dukes, avez-vous conspiré pour assassiner Louis K. Cogburn ?

Il avait redressé les épaules, relevé la tête. Il transpirait la haine par tous les pores de sa peau.

— Certainement.

— Avez-vous conspiré pour assassiner Chadwick Fitzburgh ?

— J'ai créé le virus. Une merveille. Je les ai tous infectés.

— Avez-vous, ce faisant, provoqué aussi la mort de l'inspecteur Kevin Halloway ?

— Oui. Un flic de plus ou de moins, quelle importance ? Nous avons aussi éliminé George, Greene – et sa petite pute, je ne sais plus son nom – et Geller. Ça vous suffit ?

— Qui vous donne des ordres ?

— Personne. Je n'accepte d'ordres de personne.

— Avez-vous conspiré avec le maire Steven Peachtree pour assassiner les personnes qui viennent d'être citées ?

— À vous de le découvrir.

— C'est fait. Vous êtes cuit. Je n'ai plus besoin de vous. Emmenez-le, Peabody. Descendez-le au sous-sol, qu'il entame sa vie en cage.

Il se jeta sur elle. Aussi souple et silencieux qu'un fauve. Le poing d'Eve le cueillit sous le menton. Alors que sa tête partait en arrière, elle dégaina son arme. Mais Peabody avait déjà sorti son pistolet hypodermique. Elle le neutralisa.

— Merde ! s'exclama Eve, les mains sur les hanches, tandis qu'il s'effondrait à leurs pieds. C'était à moi de le faire.

— J'ai été plus rapide que vous. Du reste, vous l'avez frappé la première. C'est ça, un travail d'équipe.

Eve afficha un sourire, mais le cœur n'y était pas.

— Vous avez raison, Peabody. Bravo.

Connors en convint aussi lorsqu'il la rejoignit dans son bureau quelques minutes plus tard.

— Vous avez agi en virtuoses. C'est d'autant plus incroyable que tu ne l'avais rencontré qu'une seule fois auparavant.

— Je savais à qui j'avais affaire.

— Visiblement. Tu savais précisément comment le pousser dans ses retranchements. Bien joué, lieutenant.

— Je n'ai pas encore terminé.

Les voix de gens qui parlaient avec animation leur parvinrent du couloir.

— J'ai encore une étape à franchir. Tu restes ?

— Je ne manquerais ça pour rien au monde.

Chang se rua dans la pièce avec la force d'un ouragan.

— Vous allez faire une déclaration ! Je l'ai déjà rédigée. Vous allez la faire *immédiatement*, et assumer l'entière responsabilité de la fuite auprès des médias.

Il était hirsute, hagard.

— En quel honneur ?

— C'est un ordre. C'est la dernière fois que vous me doublez. La dernière fois que vous vous moquez de moi.

— Vous êtes ridicule, Chang.

Il s'avança d'un pas. Nul doute qu'il s'imaginait en train de l'étrangler jusqu'à ce que les yeux lui sortent des orbites. Pourtant, il se retint, peut-être intimidé par son regard noir, ou par la présence de Connors.

— Vous informez les journalistes avant l'heure, continua-t-il. Vous vous servez de votre influence auprès d'une journaliste célèbre pour vous mettre en avant. Vous provoquez une véritable tempête pour couvrir vos propres erreurs tactiques. Pour… pour vous pavaner sous les projecteurs, en me laissant faire le ménage derrière vous. Le maire Peachtree n'a pas été inculpé. Il n'a pas encore été interrogé, pourtant, vous vous êtes arrangée pour que la population le considère comme coupable.

— C'est ainsi que cela apparaît, en effet. À une nuance près, cependant : ce n'est pas moi qui ai parlé.

— Vous croyez sauver votre peau en mentant ?

Elle changea de position. Fasciné, Connors s'écarta. Il se demanda si Chang savait ce qu'il risquait.

— Ne me traitez pas de menteuse, Chang. Surtout pas vous.

— Qui est amie avec Nadine Furst ? Qui lui accorde régulièrement des interviews exclusives ?

— Moi. Et vous savez pourquoi ? Parce que je lui fais confiance. Elle ne se fie pas uniquement aux taux d'audience. Contrairement à vous, Chang, Nadine n'est pas une manipulatrice.

Elle le poussa contre le mur, le hissa d'une main sur la pointe des pieds.

— Avec tous ces rebondissements, vous allez avoir de quoi vous occuper un moment, pas vrai, Chang ?

— Bas les pattes ! Je porterai plainte contre vous pour agression.

— C'est ça. Je parie qu'une brigade entière de flics va se précipiter à votre secours. Vous allez tirer grand profit de cette histoire – des honoraires, des primes. C'est vous qui avez cafté, Chang ?

Il verdit.

— Lâchez-moi. Lâchez-moi *immédiatement* !

— C'est vous qui avez cafté, Chang ?

— Non ! Ce genre de fuite, ça se prépare. C'est vous.

— Non, ce n'est pas moi.

Elle le laissa retomber mollement.

— À présent, sortez de mon bureau.

— Je vais porter plainte, marmonna-t-il en rajustant son col de chemise. Soit vous faites cette déclaration, soit…

— Allez vous faire voir ! coupa-t-elle en le poussant dehors.

— Très amusant, commenta Connors lorsqu'ils furent seuls.

— Ce n'est pas terminé. L'acte deux va bientôt commencer.

— En attendant...

Il lui caressa les cheveux, laissa sa main glisser jusqu'à sa nuque. Eve se raidit, si visiblement gênée qu'il s'esclaffa.

— Quoi ?

— Je suis en service, je te rappelle.

Elle s'écarta vivement et se dirigea vers l'autochef. Elle programmait sa commande de café quand elle perçut un claquement de talons aiguilles.

— C'est l'heure du grand déballage, annonça-t-elle.

Franco surgit, tout aussi agitée que Chang, mais nettement plus élégante.

— Lieutenant Dallas, lâcha-t-elle d'un ton sec.

Elle salua Connors d'un bref signe de tête.

— Excusez-moi, mais je souhaite parler avec le lieutenant en privé.

— Je vous en prie.

— Tu pourrais peut-être donner un coup de main à Feeney, salle de conférences B, dit Eve. Il travaille sur des aspects techniques qui risquent de t'intéresser. C'est à l'étage en dessous. Secteur cinq.

— Entendu. Je vous laisse, mesdames.

Il sortit et ferma la porte.

— Cette fois, vous êtes allée trop loin, déclara Franco d'un ton mesuré.

— En quel domaine ?

— Qui êtes-vous pour décréter que le maire Peachtree est coupable, pour laisser filtrer des informations qui vont ruiner sa carrière et sa vie personnelle ? Tout cela avant même de l'avoir interrogé. Vous ne lui avez laissé aucune chance de se défendre.

— Ces fuites le mettent dans une position très inconfortable, n'est-ce pas ? Un café ?

— Comment osez-vous me répondre avec une telle arrogance après ce que vous avez fait ?

Eve s'adossa contre l'autochef et avala une gorgée de café.

— C'est vous qui êtes à l'origine de la fuite, Franco.

— Vous êtes folle ou quoi ?

— Pas plus que vous. Vous êtes une femme très intelligente. Ce que je ne sais pas encore, c'est si vous avez agi ainsi – fondé ce groupe, tué des gens, gâché des vies – dans l'unique but de salir Peachtree, ou si vous croyiez vraiment en votre mission. J'y ai longuement réfléchi, ce matin. Je n'en suis pas certaine, mais je pense que c'est un peu des deux.

— Si vous pensez pouvoir sauver votre peau en me peignant avec le même pinceau que celui que vous avez utilisé pour le maire, vous vous trompez lourdement.

— Ce n'est pas lui qui a effectué les transmissions, riposta Eve calmement.

— De quoi parlez-vous ?

— Peachtree n'a pas contacté Dukes chez lui depuis son bureau. C'est vous. Le message intimant à Dukes de s'enfuir a été envoyé depuis l'ordinateur du maire à 16 h 48. Ce jour-là, Peachtree est parti à 16 h 42. Nous l'avons repéré sur le disque de sécurité. On le voit sortir de l'immeuble au moment même de la transmission. Ces six petites minutes font toute la différence.

Eve but une longue gorgée de café.

— Vous étiez encore là. Fonctionnaire dévouée que vous êtes. Son assistante vous a vue entrer quelques instants après son départ. Vous êtes la seule à avoir pu contacter Dukes de cet endroit, à cette heure-là.

Franco tira fébrilement sur sa veste de tailleur.

— C'est absurde !

— Non, ce sont des détails minuscules. De ceux qui nous permettent de coincer les coupables. Vous avez dû vous dire qu'il nous serait impossible de remonter à la source. Pourquoi avoir pris un tel risque ? Vous utilisiez le maire depuis le début comme couverture. Je ne connais pas grand-chose à la politique, mais voici ce que je pense.

Eve alla se percher sur son bureau.

— Vous visez sa place. Vous voulez sans doute davantage, mais maire de New York, pour un début, ce n'est pas si mal. Peachtree est plutôt apprécié. Peut-être qu'il sera réélu, et vous en avez assez d'attendre, de jouer les seconds rôles alors que vous pourriez être la vedette. J'imagine que vous avez vu là l'occasion de vous débarrasser d'un obstacle, voire de vous en servir pour avancer plus vite. Cela vous était d'autant plus facile que vous étiez en relation avec Nick Greene.

— Les penchants sexuels du maire ne concernent que lui.

— Certes, mais remontons un peu dans le passé. Vous vous tenez au courant de l'actualité. Vous lisez les journaux, les sondages, vous prenez en compte les opinions des uns et des autres. Les enfants sont exploités – de futurs électeurs, ces gamins. Leurs parents et bien d'autres sont effondrés, désillusionnés, ou tout simplement furieux. Il faut agir, et vous savez comment vous y prendre. Vous avez du pouvoir. Vous êtes diplômée en droit. Vous savez que certains de ces salauds ne seront jamais punis comme ils le méritent. Vous avez donc cherché un moyen de vous en débarrasser.

Franco esquissa un sourire. Ses yeux brillaient d'arrogance.

— Vous croyez vraiment que cette théorie va porter ses fruits ?

— J'ai Dukes, répliqua Eve en haussant les épaules. Le réseau des Chercheurs de Pureté est démantelé. Que vous m'échappiez ne me dérange pas plus que ça ; après tout, j'ai arrêté plus de quarante personnes et achevé une enquête difficile.

— Donc, ce scénario reste entre nous.

— Ce n'est qu'une conversation entre filles. Une fin de partie.

— Dans ce cas, poursuivez, je vous en prie !

— Tout s'est écroulé autour de vous, Franco, mais il vous restait une solution. Orchestrer une fuite auprès des médias. Mettre le maire dans le pétrin. Le défendre, mais avec prudence. S'il est inculpé, vous pleurerez la perte d'un homme corrompu par le pouvoir. S'il est acquitté, vous louerez le système pour avoir exonéré un innocent. D'une manière comme d'une autre, vous chaussez les mocassins de Peachtree et dirigez la ville. Peut-être... peut-être étiez-vous motivée par votre sens tordu de la justice. En fait, c'est surtout un problème de politique.

— Vous vous trompez.

Franco s'empara de la seconde tasse de café qu'Eve avait programmée.

— Puisque nous sommes entre nous, et que je vous respecte, je dirais que vous n'avez pas entièrement tort. Les

Chercheurs de Pureté étaient une solution. Un moyen d'exterminer les parasites.

Elle inclina la tête de côté.

— Nous aurions pu nous servir de quelqu'un comme vous. Ce n'est pas par hasard si nous avons tenté de vous pousser devant les caméras. Vous avez de l'influence, Dallas. Votre passion, votre habileté, votre présence auraient suffi. Je crois que j'ai su dès notre rencontre chez Tibble que vous réussiriez à tout faire éclater. J'ai dû l'accepter, m'en accommoder. Je choisis toujours mes batailles.

— Pourquoi celle-ci ?

— Tout politicien a besoin d'une plate-forme. Celle-ci est la mienne. Dukes voulait vous infecter, ajouta-t-elle, mais il n'en était pas question. Cela ne figurait pas au programme. Combien d'enfants innocents avons-nous sauvés, Dallas ?

— C'est votre argument de défense ?

— S'il m'en fallait un, ce serait celui-ci, en effet. Et c'est la vérité. Peachtree est plein de bonnes intentions, mais c'est un mou. Il est trop prudent. Tôt ou tard, ses déviances sexuelles auraient été révélées publiquement. Pourquoi devrais-je tomber avec lui ?

— Vous avez donc sélectionné Greene comme cible. Éliminé un prédateur de plus, tout en veillant à ce que les failles de Peachtree soient découvertes et qu'on le soupçonne de plusieurs meurtres. Cela m'a intriguée qu'il n'y ait aucun chantage autour des vidéos. Ça ne rimait à rien, sauf si elles étaient destinées à servir un dessein précis.

— Les personnes filmées méritent d'être dénoncées. Pour leur faiblesse. Leur stupidité, et le fait qu'elles aient traité avec des ordures telles que Greene.

— Et c'est à vous d'en juger.

— En effet. À moi, ainsi qu'au groupe auquel j'appartiens, et qui pense qu'il est grand temps d'agir. Vous êtes comme moi, Dallas, vous agissez. Je serai maire de New York. Dans quelques années, je serai gouverneur. Ensuite, ce sera Washington. Je serai la troisième femme présidente des États-Unis avant mes cinquante ans. Je pourrais vous entraîner dans mon sillage. Ça ne vous plairait pas d'être le préfet de New York, Dallas ? Je peux vous promettre ce poste d'ici cinq, six ans.

— Non, merci. C'est trop politique pour moi. Comment envisagez-vous de mettre vos projets à exécution, Franco ? Du fond de votre cellule ?

— Comment comptez-vous m'enfermer ? rétorqua Franco. J'ai pris toutes les dispositions nécessaires. En ce qui concerne la transmission effectuée depuis l'ordinateur de Peachtree, mes avocats et moi contournerons le problème. Peut-être que le maire avait sauvegardé le message pour l'envoyer plus tard. Peut-être que l'assistante s'est trompée, qu'elle ne m'a pas vue à cette heure-là.

— Mais le message n'a pas été sauvegardé, et l'assistante ne s'est pas trompée.

— Non, cependant, vous aurez bien du mal à le prouver. Rien de ce que je vous ai révélé aujourd'hui ne vous sera utile. Ce sera votre parole contre la mienne. Or, Chang étant convaincu que c'est vous qui avez parlé à Furst, ma parole a nettement plus de portée que la vôtre.

— C'est possible.

Eve s'empara de son communicateur.

— Je pense que nous nous sommes tout dit.

Franco reposa sa tasse brutalement.

— Vous aviez un micro.

— Je crois bien.

— Rien de ce qui a été dit ici n'a valeur de preuve. Vous ne m'avez pas lu mes droits, vous m'avez tendu un piège. J'ai parlé sous le coup de la colère, parce que je vous en voulais d'avoir laissé filtrer l'information auprès des médias.

— Excellent réflexe. Nous verrons ce qu'en feront vos avocats. Jenna Franco, vous êtes en état d'arrestation pour complicité de meurtre.

Tout en citant les noms des victimes, Eve sortit ses menottes. Alors que Franco tentait de reculer, la porte s'ouvrit.

Le maire entra, suivi de Whitney et de Tibble.

— Vous me faites honte, Jenna, fit calmement Peachtree. J'espère que le système dont vous avez tant abusé vous rendra justice.

— Je n'ai rien à déclarer, rétorqua-t-elle, le visage de marbre. J'exige la présence de mes avocats. Je ne ferai aucune déclaration.

— C'est un peu tard…

Eve jeta un coup d'œil à Nadine, qui se tenait sur le seuil, une caméra juste derrière elle.

— Vous avez pu tout enregistrer ?

— Au mot près, assura Nadine. C'est passé en direct. On va exploser les taux d'audience.

Franco blêmit.

— Vous avez… ?

— Parfaitement, répondit Eve. Et si vous comptez vous en servir contre le département de police, permettez-moi de vous rappeler que vous êtes entrée dans mon bureau sans y être invitée. Rien ne m'obligeait, sur le plan légal, à vous informer de la présence de journalistes.

Eve poussa Franco entre les hommes qui avaient envahi la pièce minuscule.

— Peabody !

— Lieutenant.

— Citez-lui ses droits et emmenez-la.

Tandis que son assistante entraînait Franco à sa suite, Nadine leur emboîta le pas, assaillant l'adjointe du maire de questions.

— Sans commentaire, siffla Franco.

Peachtree fit un pas vers Eve.

— Toutes mes félicitations, lieutenant. Je tiens à vous remercier pour tout ce que vous avez fait, pour le département et pour moi-même.

— Je n'ai fait que mon métier. Si vous aviez été impliqué, je vous aurais traité sans ménagement.

— Ne l'étais-je pas, au fond ? murmura-t-il en suivant son adjointe du regard. Je n'ai pas vu ce qui se passait sous mon nez.

— C'est souvent plus difficile que de voir ce qui se passe à distance.

— Peut-être, répondit-il en lui serrant chaleureusement la main. Monsieur le préfet, commandant. Finissons-en une fois pour toutes.

En passant devant Eve, Tibble lui fit un petit signe de tête.

— Conférence de presse dans une heure. Excellent travail, lieutenant.

— Merci, monsieur.

— Votre équipe et vous serez récompensés, ajouta Whitney. Je veux votre rapport avant la conférence.

— Oui, commandant. Je m'y mets tout de suite.

À peine s'était-elle assise à son bureau que Connors déboula.

— Quelle performance !

— Oui. L'idée de la caméra m'est venue tout à coup. J'ai dû agir très vite. Je n'ai pas eu le temps de t'en parler.

— Oh, j'avais compris ! À ton air horrifié, quand j'ai voulu t'embrasser, tout à l'heure.

— Oui, eh bien, les gars de la DDE vont ricaner pendant des semaines.

— La caméra tourne encore ?

— Non.

Il se pencha, l'embrassa longuement, avec ardeur.

— Là ! fit-il en s'écartant. Je me sens mieux.

— Ça suffit, camarade. J'ai du boulot. Du balai !

— Juste une question : sais-tu si tu as raison ?

Elle ferma les yeux un instant. Lorsqu'elle les rouvrit, son regard était clair.

— J'ai raison. Je le sens dans mes tripes.

— Moi aussi.

Il se dirigea vers la porte, se retourna.

— Lieutenant ?

— Quoi, encore ?

— Tu es un sacré flic.

Elle sourit.

— Pour ça, oui !

Repoussant sa tasse de café refroidi, elle se remit au travail.

7797

Composition Nord Compo
Achevé d'imprimer en France (Manchecourt)
par Maury-Eurolivres
le 23 août 2005.
Dépôt légal août 2005. ISBN 2-290-33614-9

Éditions J'ai lu
87, quai Panhard-et-Levassor, 75013 Paris
Diffusion France et étranger : Flammarion